D0417615
Lédo

1665, boul. Lionel-Bertrand
Boisbriand (Québec) J7H 1N8

ISBN : 978-2-924176-54-2

Édition électronique : La boîte de Pandore
Illustration de la couverture : La boîte de Pandore

Dépôt légal : 1er trimestre 2015
Bibliothèque nationale du Québec
Bibliothèque et Archives Canada

Imprimé au Canada

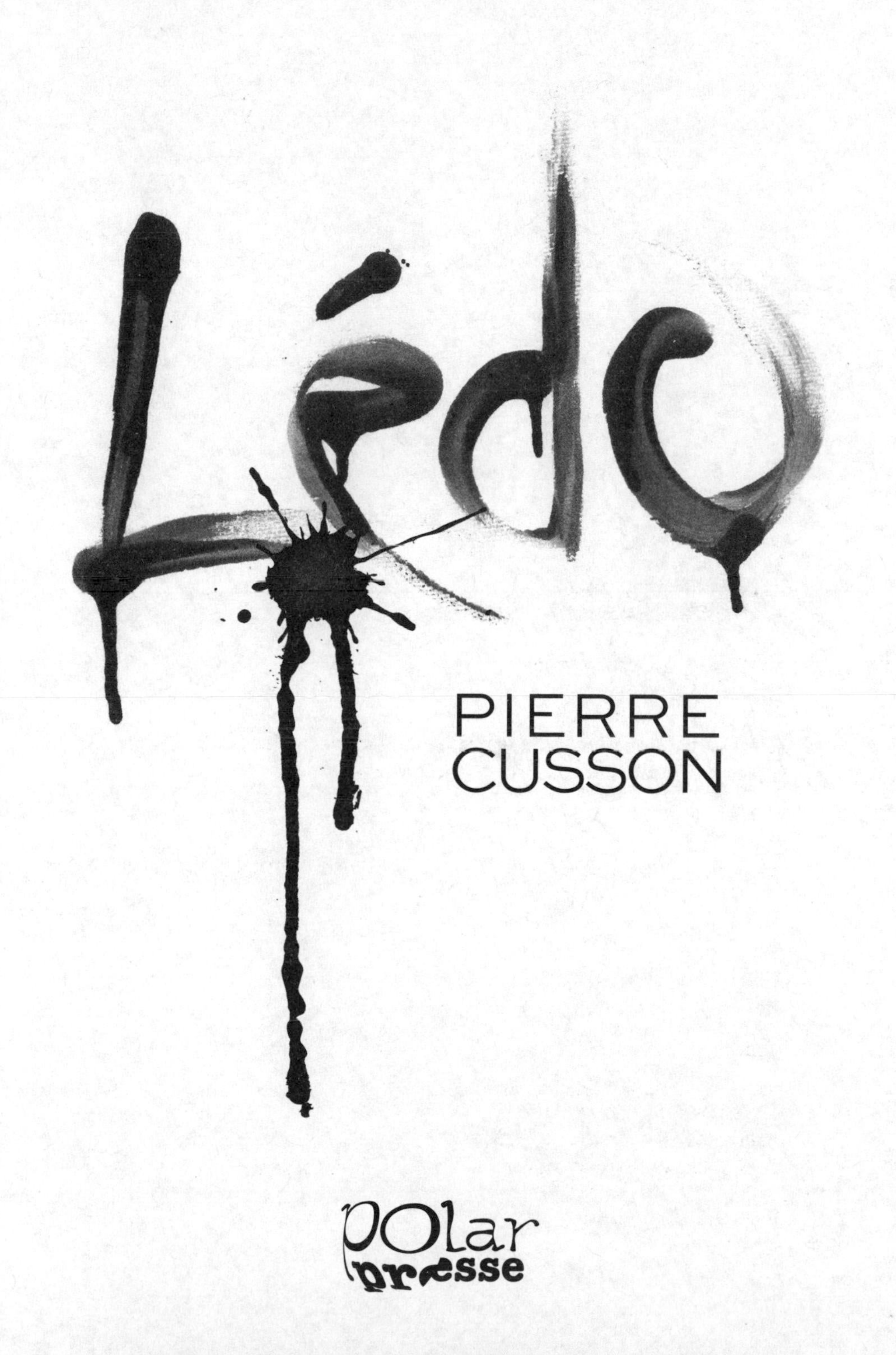
Lédo
PIERRE
CUSSON
pOlar
presse

Prologue

Le procès d'un récidiviste en rapport avec des crimes de nature sexuelle vient de se terminer sous un déluge de huées. Tout le monde sait qu'il est coupable, pourtant il est acquitté. Faute de preuves, il sera remis en liberté aussitôt la séance levée.

« Léopold Donovan avait, quelques années auparavant, été mis en accusation au palais de justice de Montréal et trouvé coupable de viol sur une femme handicapée. Après révision, sa peine avait été allégée puisque la preuve n'avait pas été assez concluante concernant le désaccord de la victime. Le juge de l'époque, Désiré Muloin, était un homme reconnu pour son manque de discernement dans de nombreuses causes de viol et d'abus sexuels divers.

Malgré tout, les criminels comme Donovan considèrent toujours trop importantes les sanctions qu'on leur impose.

Quelques années plus tôt, ce même Donovan s'était soustrait à la justice, encore par manque de preuves pour le massacre d'une jeune famille. À chaque occasion, c'était Réginald Simard qui avait arrêté Léopold Donovan. »

En quittant, il sourit narquoisement à Simard. Ce dernier est devenu obsédé par le criminel, un triste individu de bas niveau. Il rêve de pouvoir un jour le mettre hors circuit. Pourtant, il est conscient que la tâche sera des plus difficiles puisque, semble-t-il, la justice joue contre lui.

Donovan, début quarantaine, est en apparence un homme normal et intelligent, on le dit astucieux. C'est sûrement le cas puisqu'il réussit à chaque occasion à se soustraire à la justice.

Le policier espère sincèrement qu'il fera un faux pas qui le conduira directement derrière les barreaux pour le reste de son existence.

Chapitre 1

Réginald Simard referme son calepin de notes et range son stylo dans la poche intérieure de son veston en coton indien de couleur ivoire. Arraché à un dîner de fête en l'honneur de l'un de ses amis, il ne semble pas trop avoir envie de rigoler. Bien entendu, en sa qualité d'inspecteur en criminalité il se doit d'être toujours prêt à se lancer le plus rapidement possible aux trousses des malfrats. Sauf, bien sûr, lors de ses périodes de vacances. Mais, là encore, il a très souvent dérogé à cette règle.

Ça fait maintenant plus d'une heure que trois de ses collègues et lui se creusent la tête à chercher des indices qui pourraient les amener à comprendre le pourquoi de ce meurtre absolument abominable. La scène s'est déroulée dans la pièce d'à côté. Dans une maison abandonnée, en pleine campagne, à plus de cent mètres d'une petite route très peu fréquentée. L'endroit idéal pour perpétrer ce genre d'atrocité. Si une lettre n'avait pas été déposée devant la porte du poste de police de Sainte-Jasmine, le corps n'aurait été découvert qu'après plusieurs mois, voire même plusieurs années. L'informateur ne s'est évidemment pas identifié.

Simard ouvre la porte de la salle à manger et invite les autres policiers à l'accompagner. La pièce est lugubre. Un nuage de poussière flotte dans l'air devenu presque irrespirable, mais dans lequel on peut discerner tout de même une légère odeur de mort. Par les carreaux brisés des fenêtres, le soleil en plein déclin n'offre que peu de luminosité aux enquêteurs.

Du revers de la main, Simard tente de chasser quelques mouches qui passent à l'attaque en l'apercevant. Un haut-le-cœur se fait sentir dans son estomac alors qu'il aperçoit un gros rat gris se vautrant dans le sang de la victime, et ce, à l'insu du médecin légiste. Ce dernier, tournant le dos à la scène, est penché au-dessus d'une petite table chambranlante au fond de la pièce et gribouille fébrilement quelques notes sur une feuille de papier pliée en deux.

Une fois sa montée de bile refoulée et le rat mis en déroute, Simard pose un œil presque indifférent sur l'affreuse mise en scène. Le corps a été atrocement mutilé et complètement démembré. Le tronc de la victime a été déposé sur la table alors que sur les quatre chaises qui l'escortent, les bras et les jambes y reposent. La tête, on ne sait pas encore où elle est. Mais on peut affirmer qu'il s'agit d'un homme, sa pilosité et sa poitrine ne laissent aucun doute. Pour ce qui est de son sexe, lui aussi brille par son absence, ne laissant qu'une large plaie sanguinolente.

De toute évidence, ce meurtre ne peut avoir été commis que par un malade et les enquêteurs savent très bien que ce genre d'individu est toujours assez difficile à épingler puisque, somme toute, le motif est très souvent inexistant.

— À première vue, le crime remonte à moins de vingt-quatre heures. L'homme, en plus d'avoir été charcuté, a été sauvagement battu à l'aide d'un objet quelconque, un marteau peut-être. L'autopsie nous fournira ce détail. Compte tenu du nombre de coups qu'il a reçu, le pauvre homme a dû souffrir le martyre avant de rendre l'âme. Si, bien sûr, ce sont les coups qui lui ont été fatals.

Tout en se retournant, le médecin éponge fébrilement la sueur recouvrant son front à l'aide de son mouchoir. Il ne s'y fera peut-être jamais. Il lui a fallu étudier pendant huit longues années pour devenir médecin légiste. Sa carrière n'en est pourtant qu'à ses premiers balbutiements dans cette profession et voilà que Sébastien St-Jean remet son choix de vie en question. Malgré tout, paradoxalement, il y trouve à chaque fois son compte de sensations. Non pas que son désir de soigner les gens l'ait complètement abandonné, mais se retrouver devant de tels cas d'atrocités le fascine. C'est d'ailleurs pour cette raison qu'il s'était placé sur la liste des étudiants en médecine prêts à faire ce genre de constat éprouvant. La jeunesse nous donne souvent l'impression de pouvoir tout faire, mais des limites, il y en aura toujours, il faut les respecter.

Xavier Tulane se penche au-dessus du tronc pour tenter, encore une fois, d'y déceler un quelconque indice. La peau du mort a été labourée sur presque toute la superficie de l'abdomen. Sûrement à l'aide d'un couteau. Peut-être une lame de rasoir. Toutefois, mis à part un trou, probablement créé par l'énorme rongeur, les plaies ne sont pas particulièrement profondes. La victime devait assurément être encore en vie lors de ce douloureux traitement. De la torture pure et simple. Ce n'est pourtant qu'une hypothèse. Mais elle doit être vérifiée pour en connaître davantage sur le genre d'agresseur auquel les policiers doivent faire face.

— Encore un sadique ! On n'avait vraiment pas besoin de ça dans la région. La chasse aux producteurs de cannabis nous prend déjà tout notre temps

— C'est exactement pour ça qu'il nous faut trouver le coupable le plus tôt possible. C'est peut-être toi, Tulane, que le chef va mettre sur cette affaire.

— Fais pas chier, Deguire. Le chef sait très bien que je suis son meilleur élément pour dénicher les cultures de cannabis.

Simard secoue la tête par dépit. Deguire est toujours le premier à allumer la mèche de ce qui pourrait être une explosion de farces insignifiantes et grotesques. Lui qui a eu un mal de chien à se hisser au rang d'inspecteur, frôlant à de nombreuses occasions la limite de l'échec lors de ses examens.

Le moment est vraiment mal choisi pour se quereller comme des enfants. Réginald jette un œil à Marianne Latreille, la seule qui, jusqu'ici, a fait preuve de maturité en se gardant bien de ne pas embarquer dans l'échange inutile de ses collègues.

Même si Tulane et Deguire sont persuadés d'être sur la liste des candidats potentiels pour le remplacement de leur chef lorsque celui-ci prendra sa retraite, ce sera sans aucun doute possible Latreille qui obtiendra le poste. Elle est sans contredit, mis à part Réginald Simard, la meilleure inspectrice du corps policier de la région. Ce dernier est convaincu qu'un jour elle le dépassera. Son esprit d'analyse des faits et sa faculté de deviner très souvent les agissements des mécréants auxquels ils ont affaire lui valent régulièrement des félicitations de la part de ses supérieurs. Malheureusement, la haute direction, pour sa part, n'en fait que très rarement l'éloge.

Pas plus tard que le mois passé, l'inspectrice Latreille a permis l'arrestation d'un évadé de prison qui se terrait sur le territoire. Un homme au passé lourd, dépourvu d'humanisme, qui s'avérait être une réelle menace pour la société. C'est à peine si le directeur en a fait mention.

— Tu as peut-être raison, Tulane. Si le patron veut coincer ce salaud le plus rapidement possible, il est certain qu'il ne te choisira pas. Cela pourrait prendre des années avant que tu ne parviennes à avoir même un seul indice.

— Bon ! Ça suffit les gamins, lance Simard, exaspéré. On se croirait dans une cour d'école primaire. Vous n'avez vraiment pas autre chose à faire qu'à vous écœurer de la sorte ?

— Ça y est, le vieux qui s'en mêle à présent.

— Je te ferai remarquer, Deguire, que je suis ton supérieur. Alors je te demanderais de me démontrer un peu de respect.

Non pas que Simard aime à faire valoir son statut de responsable auprès des membres de son équipe qu'il considère plutôt comme des amis mais, à certains moments, il se doit de faire montre de plus d'autorité. Histoire de calmer les esprits de ces jeunes gens au sang bouillant. Il ne leur en tient rigueur jamais très longtemps, car il se rappelle bien ses débuts comme policier et surtout comme inspecteur.

Le docteur St-Jean, qui s'était retiré dans un coin de la pièce pour laisser passer l'orage, profite de cette accalmie pour s'éclaircir la voix et ainsi faire prendre conscience de sa présence aux policiers.

— Je crois bien que je n'ai plus rien à faire ici, messieurs. L'autopsie nous renseignera sûrement davantage sur ce qui s'est passé dans cette pièce.

— Tout à fait, Sébastien. Je ferai transporter la victime à la morgue d'ici peu. Tu pourras t'amuser à ton goût. Toutes mes salutations à ta charmante épouse.

Un léger sourire accroché aux lèvres, le médecin hoche la tête en signe d'approbation à l'intention de Simard, puis se retourne pour prendre congé du quatuor.

— Récapitulons. L'un d'entre vous a-t-il trouvé les vêtements de la victime ?

— Dans un baril à l'extérieur, dit aussitôt Marianne Latreille d'un air embarrassé. Ils ont été brûlés. Je vais faire le nécessaire pour récupérer ce qui peut l'être. On ne sait jamais, on pourrait y trouver certaines informations. J'imagine que ses papiers y ont passé eux aussi.

— La tête ?

Aucune réponse.

— Le pénis ?

Le mutisme complet. La maison a été fouillée de fond en comble, mais sans succès. Le terrain alentour a été également passé au peigne fin. L'assassin les a probablement emportés avec lui.

— Alors, qu'est-ce que vous faites ici ? Il reste encore une bonne heure de clarté avant que le soleil ne se couche complètement. Vous avez amplement le temps de les retrouver. Allez, bougez-vous un peu. Je veux des indices ! Je retourne au bureau pour commencer le rapport sur ce meurtre, faites en sorte de ne pas me décevoir et de m'apporter des éclaircissements à tout ça en fin de soirée. Je veux que tous les prélèvements qui ont été faits ainsi que ceux qui le seront, soient acheminés le plus tôt possible au laboratoire. Compris ?

Tulane, Latreille et Deguire se dispersent aussitôt, sans rien rajouter aux instructions de leur chef.

Le premier se lance une seconde fois à l'assaut de la salle de bain. C'est à cet endroit que le corps de la victime a été démembré. Plus précisément, dans la baignoire crasseuse qui ne devait pas avoir servi depuis des années. Le sang qui macule les murs est la preuve évidente que c'est là que l'assassin a procédé.

De son côté, Latreille s'empresse d'aller chercher un sac de plastique dans son auto stationnée à plus de cinquante mètres de la maison, puis, enfilant une paire de gants en latex, elle commence à fouiller délicatement les restes reposant au fond d'un vieux baril de métal, rouillé et à demi effondré. C'est dans ce dernier que les vêtements de la victime ont été brûlés.

Quant à Deguire, il reprend ses recherches sur le grand terrain que borde une forêt assez dense tout au fond à une centaine de mètres. Ses chances de retrouver un indice quelconque sont plutôt minces, cependant il se doit de démontrer à son supérieur qu'il prend cette affaire très au sérieux et qu'il est prêt à inspecter une seconde fois les alentours.

À quelques pas à peine d'une des fenêtres, il voit un bout de papier jaune traînant dans les hautes herbes. Le jeune inspecteur ne l'avait pas remarqué lors de sa première recherche d'indices. Il s'accroupit donc au-dessus du papier pour constater qu'il s'agit, en fait, d'un emballage de gomme à mâcher. Instinctivement, Deguire explore du regard les alentours, espérant y découvrir des traces quelconques, mais l'herbe ne semble pas avoir été foulée. Il en conclut que le vent est sans nul doute responsable de la présence de ce papier. Machinalement, il l'enfouit dans sa poche pour tout de même faire part de sa découverte à son supérieur. Du moins s'il y pense, car ce détail n'a pas beaucoup d'importance à ses yeux.

Chapitre 2

Carole Lapointe dépose une assiette remplie à ras bord. Un déjeuner copieux comme celui-ci, Réginald Simard s'en régale chaque matin. Du moins lorsqu'il n'est pas préoccupé de façon exagérée. Mieux vaut être stressé avec le ventre plein qu'avec le ventre vide se plaît-il à répéter à son équipe de travail. La santé commence par un bon déjeuner. Pour ce qui est de la santé on repassera, des patates rôties et graisseuses, du bacon à demi cuit, une épaisse couche de beurre sur les rôties de pain blanc. Bien sûr qu'il y a tout de même quelques morceaux de fruits frais, mais ceux-ci sont les premiers à être sacrifiés lorsque la faim n'est que partiellement au rendez-vous.

— Tu sembles préoccupé ce matin. Est-ce que c'est à cause d'une nouvelle enquête ?

— Je n'aime pas trop parler boulot. Tu devrais le savoir depuis le temps.

— Ça fait trente ans que nous sommes mariés, en effet. Pourtant j'ai l'impression de vivre avec un étranger. Tu ne me racontes rien, ou presque, de ce qui se passe à ton travail. Tu crois peut-être que ça pourrait me faire peur. Que de trop en savoir pourrait me mettre en danger. C'est exactement ce que tu me disais quand tu es devenu inspecteur il y a quinze ans.

— Nous n'allons pas reprendre cette discussion encore une fois ? Je te l'ai dit pourtant et je te le répète, que je veux avoir la tête tranquille quand je suis à la maison, que je ne veux pas constamment penser à ces meurtriers et ces agresseurs de bas niveau que je dois traquer tous les jours.

Pourrais-tu comprendre cela à la fin ?

— Et toi, pourrais-tu enfin comprendre que j'ai toujours voulu partager toutes les épreuves de ta vie ? Partager tes inquiétudes, tes craintes, tes déceptions autant que tes joies. Lorsque ton patron te félicite, tu m'en parles. Lorsque l'un de tes équipiers est récompensé, tu m'en parles. Lorsqu'une levée de fonds est organisée, tu sollicites mon aide. Alors pourquoi, lorsque tu as des problèmes à trouver un assassin quelconque, tu refuses de m'en faire part ?

Simard baisse la tête. Carole vient de marquer un point. Bien sûr que ce n'est la première fois qu'elle apporte cet argument dans cette controverse qui les anime depuis tant d'années. Pourtant, il en a marre de toujours répéter la même chose. D'autant plus que dans moins d'un an, il deviendra retraité et, à ce moment-là, il n'aura plus à fournir d'explications sur ses humeurs du matin. Il demeure songeur encore un long moment alors que Carole, le visage impassible, crie victoire intérieurement.

— Je suis préoccupé, en effet. Il y a de nombreuses affaires pendantes et je ne sais pas si je pourrai réussir à tirer mon épingle du jeu. Il y a tellement d'injustices qui minent mon moral que j'ai l'impression que je n'aurai jamais le temps d'en régler suffisamment pour que ce soit significatif. Tu comprends, il y a trop de criminels qui se baladent en toute liberté alors qu'il y a tant de victimes qui sont prisonnières de leurs souvenirs.

— Je comprends très bien, tu sais. En plus, ces salauds n'écopent que de peines légères.

— Très souvent ils sont innocentés par manque de preuves. C'est ce qui m'horripile le plus. Et ceux qui commettent des agressions sans qu'il y ait de mort sont très souvent remis en liberté au bout de quelques mois à peine.

— Tu n'y peux pourtant rien. Ce sont les juges qui ont le dernier mot. Toi, tu fais ton boulot et je suis certaine que tu le fais de la meilleure façon possible.

Simard lève les yeux sur sa compagne et esquisse un faible sourire. Cependant, elle ne sait pas si c'est pour approuver ses dires ou pour lui signifier qu'elle est naïve de croire qu'il n'a aucune responsabilité à tous ces échecs. Après tout, c'est à lui et son équipe de fournir toutes les preuves qui sont nécessaires pour obtenir des condamnations plus sévères.

— Ce n'est pas seulement de la meilleure façon possible que je dois faire mon travail, crie Simard en frappant brutalement la table de son poing. Je dois faire l'impossible pour arrêter tous ces salauds qui errent dans nos rues.

— Il y en a un qui te préoccupe plus que d'autres ?

Cette fois, Réginald lève les yeux vers le plafond, puis ferme les paupières comme pour rassembler tout son courage avant de nommer celui qui le hante depuis toujours. Celui qui, à de trop nombreuses reprises, l'a nargué ouvertement sans qu'aucune loi ne vienne l'en empêcher.

— Tu sais très bien de qui il s'agit. Léopold Donovan. C'est un véritable démon sorti de l'enfer. Je dois absolument le coincer avant de quitter mes fonctions.

— Je te le souhaite de tout cœur. Sinon, je crois que tu ne pourras jamais profiter réellement de ta retraite.

Le policier hoche légèrement la tête avant de s'enfermer le visage entre les mains pendant quelques secondes, puis, reprenant son air de guerrier, il se dresse prestement. Il vient se planter devant Carole, qui s'est levée à son tour, et l'embrasse tendrement sur les lèvres en la regardant dans les yeux. Un baiser qu'elle ne reconnaît pas comme ceux qu'elle reçoit habituellement le matin alors que son mari quitte la maison pour le travail. Malgré sa surprise, elle demeure silencieuse, se contentant d'apprécier ce doux moment.

Dehors, le temps est maussade. Ce n'est pas du tout ce que l'on annonçait aux nouvelles télévisées du matin. Simard secoue la tête par dépit avant de s'engouffrer dans son véhicule. Ce n'est jamais très agréable d'entreprendre une journée de travail alors que le ciel est couvert de gros nuages menaçants. C'est plutôt déprimant, surtout que Simard sait très bien ce qui l'attend au bureau.

Moins de quinze minutes plus tard, l'inspecteur gare son auto dans l'espace réservé à son nom dans le stationnement près de l'immeuble abritant le corps policier de Sainte-Jasmine.

Il n'a pas le temps de descendre de voiture qu'un de ses collègues arrive en courant. Le jeune homme est visiblement surexcité et se dandine avec impatience jusqu'à ce que Simard se mette enfin sur pieds.

— Qu'y a-t-il, François ? Y a une bombe à l'intérieur ?

— Tu ne crois pas si bien dire !

Deguire voit les traits de Réginald Simard, qui se voulait moqueur, se figer brusquement. Il n'a pas raté son but, c'est exactement ce qu'il anticipait. Provoquer un certain désarroi dans la tête de son supérieur. Ce dernier sait très bien que Deguire n'est pas en train de lui monter un bateau comme il sait si bien le faire habituellement lorsqu'il veut s'amuser avec la crédulité de ses collègues.

— Un colis ! Il y a un colis devant la porte du poste. C'est Latreille qui l'a découvert ce matin, en arrivant. Elle est toujours la première à se pointer, celle-là.

— Et, il y a quoi dans ce colis ?

— Je ne sais pas. Toutes les unités ont été contactées. Nous devons établir un périmètre de sécurité. Il nous faudra procéder à un certain nombre d'évacuations le plus tôt possible. Monsieur le directeur a été prévenu. C'est le commandant Brunet qui a fait l'appel. Nous l'attendons d'une minute à l'autre.

— Vous avez dérangé Marcel Vincelette ? J'espère pour vous que ce n'est pas un canular comme celui de l'an dernier.

— Y a pas de chance à prendre, Régi.

D'un pas rapide, les deux hommes se dirigent vers l'immeuble. Déjà, des agents de police s'affairent à déployer des banderoles pour interdire la proximité du poste. Une Audi grise arrive en trombe et se gare le long du trottoir à cinquante mètres de là. Un homme d'une soixantaine d'années, aux cheveux gris, en sort aussitôt. Un agent lève la banderole pour permettre au nouvel arrivant de s'approcher.

— Monsieur Vincelette !

— Que se passe-t-il ici ce matin, Simard ?

— Bonjour monsieur. J'arrive à peine. On me dit qu'il y a un colis suspect devant la porte d'entrée.

— Ça, je le sais déjà ! C'est du neuf que je veux avoir. Alors ne prends pas racine sur le trottoir. Va te renseigner.

Réginald jette un regard foudroyant en direction de son supérieur qui fronce aussitôt les sourcils en signe de mécontentement. Rien ne sert d'entreprendre une discussion houleuse sur la façon de traiter le personnel, alors l'inspecteur tourne les talons et file sans plus attendre en direction de l'entrée, mais non sans maugréer quelques injures que lui seul peut entendre.

En effet, une boîte d'environ quarante centimètres sur quarante se trouve au beau milieu du palier de ciment devant lequel apparaît l'immense porte d'entrée. Un homme, également dans la soixantaine, s'approche de Simard et l'invite à reculer. Il s'agit de son supérieur immédiat, Dominique Brunet.

— Ne restons pas là, Régi. On ne sait jamais ce que ce genre de boîte peut contenir. Cela pourrait être dangereux. Un artificier est en route.

— Elle a été posée là durant la nuit. J'ai quitté le bureau à vingt-trois heures. Je devais travailler sur le cas du démembré. Mes équipiers m'ont remis leur rapport.

— Allons plus loin pour parler, si tu le veux bien.

Les deux hommes rejoignent, sans trop d'enthousiasme, Marcel Vincelette qui, retourné près de son Audi, attend avec impatience les détails de l'opération. Il affiche une mine d'une sévérité à faire frissonner le plus rebelle de ses agents. Cependant, Simard n'est pas du tout impressionné par la physionomie du directeur général. Selon ses sources, Vincelette était un poltron sur le terrain lorsqu'il œuvrait comme simple inspecteur. Ce sont plutôt ses relations et ses courbettes devant ses patrons qui l'ont propulsé au rang de directeur.

— Alors ?

— L'artificier Laprade sera là d'ici peu, il ne devrait plus tarder à arriver, répond Brunet.

— Lui, au moins, est compétent, lance Vincelette en jetant un court regard en direction de Simard.

Réginald n'a pas le temps d'ouvrir la bouche pour répliquer, qu'un camion cube les dépasse à vive allure pour freiner aussitôt et s'immobiliser en bordure du trottoir. Il est aussitôt suivi d'un véhicule ambulancier et d'un camion à incendie.

Il ne faut cependant pas attendre longtemps avant que le conducteur du camion cube n'apparaisse. C'est bel et bien Laprade. Un homme d'au plus quarante ans, avec de longs cheveux noirs regroupés en une queue de cheval, une moustache abondante recouvrant une partie de sa lèvre supérieure qui retient, avec l'aide de sa complice, une cigarette à demi consumée, un nez dont la forme rappelle le bec d'un faucon surmonté par des yeux sombres et perçants qui complètent le faciès de l'individu.

Julien Laprade est reconnu pour sa grande compétence et son efficacité, mais aussi pour son arrogance et, parfois, ses écarts de conduites. Néanmoins la haute direction tolère de plus en plus ses incartades, puisque la relève est quasi inexistante dans son domaine d'expertise.

Le quadragénaire contourne son véhicule pour en ouvrir la porte arrière, puis, avec l'agilité d'un félin, il saute dans l'habitacle. Ce n'est que quelques minutes plus tard qu'il en ressort, revêtu d'une épaisse combinaison de toile blanche et d'un casque ressemblant à celui que portent les astronautes. Un autre homme l'accompagne. Un jeune dans la vingtaine Ce dernier n'a pour tâche que d'aider Laprade à enfiler son vêtement de travail pour perdre le moins de temps possible.

Aussitôt, une demi-douzaine de pompiers s'alignent devant le camion cube pendant que d'autres de leurs collègues se préparent à dérouler un boyau jusqu'à une borne-fontaine. On se doit d'être prêt à toute éventualité. Une explosion, si la boîte contient une bombe, pourrait mettre instantanément le feu au poste de police.

L'artificier se dirige, seul, vers l'escalier menant au palier où repose le colis suspect. Sa démarche, assez rapide, ne démontre aucune hésitation. Laprade est un homme qui n'a pas froid aux yeux. Un téméraire d'une assurance peu commune.

Utilisant une longue perche, il s'emploie, pendant quelques minutes, à tenter de rabattre les panneaux formant le couvercle de la boîte. Il n'a pas le choix de procéder avec beaucoup de précautions. Sa patience et son adresse sont bientôt récompensées

Laprade s'approche, se penche légèrement et jette un coup d'œil dans le contenant. Il a un mouvement de recul. Il s'en faut de peu pour qu'il ne perde pied et tombe dans l'escalier.

À cinquante mètres de là, tous les observateurs retiennent leur souffle. Instinctivement, Brunet détourne son regard vers les banderoles délimitant la zone de sécurité. Hormis les pompiers, il n'y a que des policiers. Ces derniers ont réussi à convaincre les curieux, qui s'y amoncelaient un peu plus tôt, de quitter les lieux.

— Mais qu'est-ce qu'il branle ? lance Vincelette dont l'impatience grimpe de plus en plus. Est-ce que c'est bel et bien une bombe ou un réveille-matin comme celui de l'an dernier ?

Personne n'ose répondre au Directeur général, de crainte de se faire rabrouer par des remarques disgracieuses comme il en a l'habitude.

Douze mois auparavant, Réginald Simard, alors que Brunet était en vacances ainsi que Roux, l'adjoint au Directeur général, avait commis l'erreur de réveiller ce dernier pour un colis suspect retrouvé dans la salle des douches du poste de police. La boîte mystérieuse ne renfermait qu'un cadran et une minuscule caméra. Un petit trou avait été pratiqué sur le devant de la boîte pour permettre à la caméra de filmer le déroulement de l'opération. Histoire de narguer les policiers du département. Simard s'était, ce jour-là, attiré les foudres de son grand patron. Depuis ce malheureux événement, Vincelette ne rate jamais une occasion de ridiculiser son subalterne.

— Simard ! Va voir ce qui se passe. Tu vas peut-être finir par devenir un acteur s'il y a une caméra cachée.

— Mais Marcel. Ce serait trop risqué pour Régi. On ne sait pas encore s'il s'agit d'une bombe ou non.

Vincelette dirige vers Brunet un regard rempli de reproches. Comment son inspecteur en chef peut-il oser critiquer l'un de ses ordres ?

— J'imagine que tu dois savoir ce que le mot respect veut dire, Dominique ? Tu dois sûrement savoir aussi ce que signifie le titre de Directeur général ? Que c'est lui qui donne les ordres lorsqu'il est présent ?

— Laisse tomber, Dom.

Pour la seconde fois en quelques minutes, Réginald Simard fixe le regard de Vincelette un court instant, puis s'élance vers Laprade qui a commencé à descendre les marches en ciment pour, de toute évidence, venir faire son rapport. L'artificier ne répond même pas à la question de l'inspecteur lorsque celui-ci lui demande de quoi il s'agit.

Le jeune homme, demeuré jusqu'ici non loin du camion cube, arrive en trombe pour aider Laprade à se débarrasser de son énorme casque protecteur, et ce, sans même s'arrêter de marcher. Simard répète sa question. Aucune réponse.

— Fais pas chier, Laprade. Dis-moi ce qu'il y a dans cette foutue boîte ?

Le mutisme de l'artificier est sans équivoque. Laprade refuse obstinément d'informer Réginald du contenu du colis. Est-il de mèche avec Vincelette pour lui rendre la vie difficile ? Heureusement que l'heure de la retraite approche et, lorsqu'elle sera enfin arrivée, il se paiera le luxe de vider son sac en disant tout ce qu'il pense d'eux.

Laprade s'arrête à un mètre de Vincelette, puis hoche la tête en signe de salutation. Les traits de son visage démontrent un certain trouble. Non pas de la frayeur, mais plutôt du dégoût.

— Il n'y a pas de bombe.

Laprade avance d'un pas et approche la bouche de l'oreille droite de son vis-à-vis. À peine quelques mots suffisent pour le mettre au courant du contenu du colis.

L'artificier se retire et Vincelette lance un regard réprobateur en direction de Réginald. Pourquoi est-ce vers lui que les reproches sont dirigés ? C'est Brunet qui a pris la décision de déranger le Directeur général.

— Encore ! Ça devient une habitude ! Qu'est-ce que tu as encore fait, Simard ? Je veux un rapport détaillé sur cette affaire, dès cet après-midi. Tu m'entends ? Je veux des explications !

Cette fois, Réginald affiche une mine complètement perdue. Il n'a pas le temps de s'enquérir de la raison de cette surprenante réaction que Vincelette se retrouve déjà à bord de son véhicule qui décolle aussitôt dans un crissement de pneus.

Encore une preuve que Vincelette n'a pas les qualités requises pour être un Directeur général. C'est un être dénué de compassion pour qui que ce soit. Un jour, il le remettra à sa place ; il en fait intérieurement la promesse.

— Alors, Laprade ! Aurons-nous droit à tes confidences nous aussi ?

— Va voir par toi-même, Simard. Je le répète, il n'y a pas de bombe.

Dominique Brunet vient aussitôt s'interposer entre les deux hommes. Réginald aurait bien aimé attraper l'artificier par le collet et le faire parler, mais jamais il n'aurait agi de la sorte. Du moins, pas avec des témoins aux alentours. Après un hochement négatif de la tête à l'endroit de Brunet, Réginald fonce vers l'entrée du poste.

Loin, de l'autre côté de la rue, Marianne Latreille quitte la zone de sécurité avec l'intention évidente de rejoindre son supérieur immédiat. Après tout, c'est elle qui a découvert le colis, alors elle a parfaitement le droit d'en connaître le contenu. De plus, en raison du comportement de Réginald, elle en déduit qu'il n'y a pas d'engin explosif.

Une fois sur le palier, l'inspecteur Simard s'arrête un instant, puis détourne le regard lorsqu'il ressent une présence à ses côtés. Il secoue frénétiquement la tête, comme pour désapprouver l'arrivée de la jeune femme. Ce n'est pas un spectacle pour elle.

Marianne se fige instantanément sur place. Au bout de quelques secondes, elle se laisse choir à genoux, enfouissant son visage entre ses mains. C'est la première fois qu'elle est confrontée à une vision aussi macabre. Celle-ci restera gravée dans sa mémoire pour le reste de sa vie.

— Merde ! lance aussitôt Brunet, alors qu'il rejoint les deux inspecteurs en compagnie de Deguire. C'est dégoûtant !

Au fond de la boîte, dont les côtés intérieurs sont maculés de sang, repose une tête sanguinolente, sur le dessus de laquelle une petite enveloppe a été clouée. Un message ! Un message adressé à Réginald Simard.

Chapitre 3

Tout l'immeuble est en émoi. On a fait transporter la tête au laboratoire d'expertise pour qu'un examen approfondi soit effectué. La lettre a pour sa part été retirée du clou qui la retenait et c'est avec les mains recouvertes de gants en latex que Réginald Simard l'a ouverte précautionneusement devant Jean Roux, Dominique Brunet ainsi que les membres de son équipe.

Une simple phrase a été inscrite à l'aide d'un stylo à encre bleu. Une phrase qui se veut un défi :

« Crois-tu pouvoir m'attraper un jour, Simard ? »

Une signature apparaît tout au bas du papier : « Lédo »

— Il faut absolument coincer ce salaud avant qu'il ne commette d'autres meurtres.

— Facile à dire. Mais avant tout, il nous faut connaître son identité. Savoir ce que veut dire : Lédo.

Réginald jette un regard en direction de Deguire, celui qui vient de parler. Il est sincèrement déçu de constater à quel point ce jeune homme possède un esprit d'analyse déficient. Il a de sérieux doutes quant à son avenir au sein des forces policières.

— Léopold Donovan, lance aussitôt Marianne Latreille. Il n'en est pas à son premier méfait. Cependant, on dirait qu'il prend les bouchées doubles, qu'il augmente la dose en ce qui concerne l'atrocité. Jusqu'ici, il avait commis des viols, des meurtres, bien entendu, mais jamais de décapitation.

— Comment sais-tu tout ça, Latreille, demande Deguire, légèrement offusqué par son infériorité face à la jeune femme. Tu n'as pas plus d'ancienneté que nous.

— Tu ne consultes jamais les dossiers en suspens, François ? Tu devrais le faire de temps en temps. Ça pourrait t'aider à retracer des coupables.

— Tu te prends pour qui, mademoiselle je sais tout ?

—Ça suffit, coupe Jean Roux, exaspéré par le comportement enfantin de Deguire. L'inspectrice Latreille a parfaitement raison. Les dossiers non classés se doivent d'être consultés régulièrement. D'ailleurs, il y a eu plusieurs meurtres ces derniers mois, sans que nous puissions trouver le ou les coupables. Mais cette fois, il y a une signature, comme si l'assassin voulait sortir de l'ombre pour s'amuser un peu à nos dépens. Je veux donc que vous mettiez tout en œuvre pour retrouver ce Léopold Donovan. Vous devez cependant être extrêmement prudents ; non seulement parce que c'est un dangereux criminel, mais aussi parce que nous n'avons aucune preuve tangible indiquant qu'il s'agit bien de l'auteur de ce meurtre. Le fait d'avoir le mot « Lédo » inscrit au bas de ce foutu papier ne signifie pas nécessairement qu'il soit le coupable que nous cherchons.

Dominique Brunet approuve de la tête les propos de son supérieur. Il lève légèrement le bras pour demander la parole. Roux lui accorde aussitôt avec un sourire à peine perceptible sur les lèvres. Ce sont tous des inspecteurs de police et ils agissent comme des étudiants. Un comportement tout à fait ridicule. L'adjoint au Directeur général en est abasourdi.

— Régi, dit aussitôt le commandant, il nous faut aussi connaître l'identité de la victime. Sa disparition doit sûrement avoir été rapportée. Mets quelqu'un là-dessus au plus vite.

— Xavier, c'est toi qui t'en charges.

— Mais, chef ! J'en ai déjà jusqu'au cou avec l'affaire des stupéfiants.

— Comme ça, tu en auras par-dessus la tête. Allez, commence tout de suite tes recherches ! Je veux des résultats le plus rapidement possible.

Avant que Xavier Tulane n'esquisse le moindre mouvement, Simard tend une main devant lui, avec l'index pointé, pour attirer l'attention de tous.

— Et pour savoir au juste ce que vous faites, je veux que vous avisiez tous la secrétaire du poste de vos déplacements. Je demanderai à Élisabeth de me faire un rapport journalier. Je le fais déjà depuis longtemps, alors je ne vois pas pourquoi vous ne pourriez pas le faire également.

Rouge de colère, Tulane se lève de son fauteuil et quitte rapidement la petite salle de conférence. Il était persuadé que Brunet interviendrait en sa faveur, mais ce dernier est resté de marbre. C'est pourtant lui qui l'a proposé pour s'occuper des producteurs de cannabis qui font des affaires d'or dans la région. Il ne tarit jamais d'éloges à son égard, alors pourquoi n'est-il pas intervenu pour le libérer de ce cas de meurtre ?

— Deguire, sors le dossier de Donovan et note tout ce qui pourrait nous être utile pour le coincer. Contacte également le laboratoire pour faire accélérer les analyses en cours. Les papiers brûlés que Marianne a trouvés sur les lieux du crime pourraient nous apporter des indices. Le rapport du médecin légiste est important lui aussi. Demande à St-Jean d'accélérer un peu. Tu me fais un rapport chaque jour.

— Tu peux compter sur moi, chef.

Brunet esquisse un sourire pour accompagner celui de Simard. Tous deux connaissent le dossier de Léopold Donovan sur le bout des doigts, alors il est inutile de le parcourir encore une fois. L'exercice a simplement pour but d'éloigner Deguire de l'enquête ou, du moins, de faire en sorte qu'il ne nuise à personne.

Le jeune homme semble déçu. Il aurait, bien entendu, préféré être sur le terrain pour épingler le meurtrier. Mais la tâche à laquelle Réginald l'assigne est très importante et c'est avec dévouement qu'il l'acquittera.

— Marianne, tu restes avec moi. Nous allons rendre visite à la sœur de Donovan. Histoire d'essayer de connaître son emploi du temps.

— Très bien. On part quand ?

— Le plus tôt possible. Mais auparavant, je dois avoir une discussion avec Dominique. On se retrouve dans mon bureau dans une heure.

La jeune femme approuve de ta tête, puis se lève pour quitter la pièce. Elle a aussi quelques renseignements à noter avant de se rendre dans la famille de Donovan.

Simard jette un coup d'œil à Deguire qui est toujours sur place, les mains jointes appuyées sur la grande table. Inlassablement, il fait tourner ses pouces, comme pour donner tout son sens à l'expression si populaire qui indique qu'une personne n'a vraiment rien à foutre de son temps.

— La salle des dossiers est tout en bas, François. Au sous-sol. Tu veux que quelqu'un aille te reconduire ?

— Voyons, Réginald. Je sais où ça se trouve, quand même. Faut pas me prendre pour un con.

Brunet baisse la tête pour dissimuler, encore une fois, un sourire. Il s'imagine un peu ce que doit penser, en ce moment, son chef d'équipe et ami. Lui qui a toujours été d'une débrouillardise exemplaire, voilà qu'il a à gérer un équipier complètement coincé et, il faut bien le dire, sans talent. Peut-être est-il comme Clark Kent, qui joue le rôle d'un idiot, mais qui se transforme en superman, le super héros créé par Jerry Siegel au début des années 30. Un de ces jours il pourrait surprendre tout le monde et s'avérer être un inspecteur exceptionnel.

Réginald ferme les yeux avant de prendre une profonde inspiration puis de laisser filer l'air de ses poumons tout doucement entre ses lèvres.

— Alors, qu'attends-tu ? Tu as un boulot à faire et, comme tu peux le constater, la réunion est terminée, Tulane et Latreille sont déjà à l'œuvre.

Deguire ravale son malaise, puis se redresse rapidement pour enfin sortir de la petite salle. Il s'en veut d'avoir encore une fois paru ridicule aux yeux de ses patrons.

— Je ne veux aucun commentaire, Dom, lance Simard une fois que Deguire a quitté. Le seul fait de l'avoir dans mon équipe me suffit. N'en rajoute pas, s'il te plaît.

— Allons ! Donne-lui le temps de faire ses preuves.

— Je ne veux tout simplement pas en parler.

— Bon. D'accord. Alors tu voulais me parler de quoi, au juste ?

— Du temps qu'il me reste à travailler. Je prends ma retraite dans quelques mois et j'aurai plusieurs jours de vacances à prendre d'ici là. J'en ai pas mal d'accumulés, tu sais. Je voudrais qu'on puisse les planifier ensemble. Je ne veux pas terminer ma carrière dix semaines plus tôt, mais je ne veux pas non plus que ces jours de vacances me soient payés en argent. J'espère que tu comprends la situation.

— Tout à fait, sois sans crainte. Tu mérites amplement de te la couler douce de temps en temps. Je te laisse juge de ton emploi du temps. Tout ce que je te demande, c'est de m'informer un ou deux jours d'avance de tes absences.

— Justement. Je sais que le moment est très mal choisi, mais j'aurais besoin de m'évader quelques jours avec Carole. Ce n'est pas l'harmonie parfaite entre nous deux et j'aimerais passer un peu de temps avec elle pour essayer d'améliorer notre relation. Je serai absent vendredi et lundi. Avec la fin de semaine, ça nous donnera quatre jours ensemble.

— Je t'ordonne même de tout tenter pour sauver votre couple. Alors donne-moi, dans un rapport écrit, les grandes lignes de l'affaire du démembré et les affectations de tes équipiers. Je veux que tu inscrives également tes soupçons, tes recommandations, tes intuitions, tout. Tout ce qui te passe par la tête. De plus, mais pas dans le rapport cette fois, je voudrais que tu me donnes ton opinion sur les candidats potentiels pour ta succession. Tu comprends Régi, il nous faut préparer ton départ.

— Tu auras tout ça demain soir avant de partir. Ensuite, on en rediscutera à mon retour, mardi. Je te remercie, Dominique.

Les deux hommes se serrent chaleureusement la main avant de partir en direction de leur bureau respectif. Au fil des ans, une amitié sincère s'est développée entre eux et c'est en grande partie grâce à celle-ci, en plus de leurs compétences, que le corps policier de Sainte-Jasmine a bénéficié, pendant longtemps, d'une remarquable réputation. Malheureusement, Vincelette, ne s'étant intéressé à cette région que trois ans auparavant, est venu gâcher la chimie de toute l'équipe policière. Ses décisions, souvent douteuses, ont permis à certains criminels de s'en tirer à bon compte.

Chapitre 4

Comme prévu, Réginald Simard et Marianne Latreille quittent le poste pour se rendre chez Rita Donovan, demeurant à Bordeleau, un village se trouvant à une vingtaine de kilomètres de Sainte-Jasmine. Bien que Simard soit parfois considéré comme un homme un peu vieux jeu, il consent avec plaisir à laisser le volant à son équipière, Marianne Latreille. Il fait entièrement confiance à cette jeune femme blonde aux yeux bleus. Non pas qu'il soit impressionné, comme le sont beaucoup d'hommes, par sa grande beauté, mais il apprécie bel et bien ses qualités en tant qu'inspectrice.

— Tu as une petite idée de ta façon de procéder pour l'interroger ? Surtout que nous ne pouvons pas l'obliger à répondre à nos questions.

— Ma façon ? Il y a erreur sur la personne. C'est toi qui mèneras l'interrogatoire.

— Tu n'es pas sérieux, Régi ? Je ne me suis pas préparée à ça. J'étais persuadée que tu voudrais le faire toi-même. Ça fait tellement longtemps que tu es sur le cas de ce récidiviste. Je crois même qu'il est devenu une obsession pour toi.

Simard sourit. Il est conscient d'avoir surpris sa partenaire, mais il sait également qu'elle sera à la hauteur.

— Tu n'as qu'à te fier à ton instinct, Marianne. Je sais que tu peux le faire aussi bien que moi. D'ailleurs, va falloir que tu t'y habitues. Dans les prochains mois, je te laisserai beaucoup plus de latitude dans les enquêtes.

Je prendrai ma retraite au début de l'été prochain et tu devras te débrouiller seule à ce moment-là.

— Tout le monde le sait, pour ta retraite. Tu la mérites bien. Mais il y aura un autre chef d'équipe pour te remplacer. C'est lui qui conduira les enquêtes.

Réginald ignore totalement cette dernière remarque et tourne la tête vers la droite pour regarder, un court moment, défiler le décor où se succèdent des champs de maïs, tous aussi monotones les uns que les autres.

— Je prends quelques jours de vacances. Demain, je ferai mon rapport. Histoire de faire le point. En fait, je t'aiderai à faire le rapport, puis je quitterai jusqu'à mardi. Je voudrais me retrouver un peu seul avec Carole.

— Quoi ? Au beau milieu de cette affaire ?

— Je ne pars que quatre jours, ce n'est pas la fin du monde. Vous allez vous débrouiller très bien sans moi. D'ailleurs, il y aura quelqu'un de compétent pour me relever. Du moins, pour faire les rapports et transmettre les ordres de Dominique.

— Qui ?

— Toi.

La déclaration a l'effet d'un uppercut sur Marianne qui est complètement abasourdie, sonnée. Pourquoi elle ? Bien sûr que cela fait partie de ses rêves, d'avoir plus de responsabilités et de gravir les échelons dans la hiérarchie policière, mais si tôt, sans préparation ? Que vont dire ses coéquipiers ? Recevoir des ordres d'une femme !

— Le premier qui s'opposera à cette décision ira faire un séjour aux archives, lance aussitôt Simard, qui devine les pensées de la jeune femme.

— Je te remercie pour ta confiance, Régi. Je ferai de mon mieux. Mais ne sois pas trop sévère avec les gars, ok ? Surtout avec Deguire. Je crois qu'il le prendra assez mal.

— Brunet se chargera de lui faire comprendre que tu es la personne toute désignée pour cette tâche.

La surprise passée, Marianne se flatte intérieurement. Sans faire d'excès de zèle, elle a tout de même toujours rempli ses fonctions avec le plus grand professionnalisme, et voilà que la vie, le destin, en fait, la récompense. Elle se jure de tout faire pour mériter cette confiance que Régi est disposé à lui accorder. Il ne sera pas déçu.

— Tu comptes aller passer la fin de semaine à quel endroit, au juste, si ce n'est pas trop indiscret ? demande Latreille pour changer de sujet.

— Dans le nord. Pas très loin, en fait. St-Samuel-des-Monts. Une heure quinze de route, environ. N'en parle pas aux autres, s'il te plaît.

— Promis. Je garde ça pour moi.

En suivant l'indication de Simard, Marianne tourne le volant vers la droite et le véhicule s'engage sur une petite route cahoteuse. Non loin de là, quelques centaines de mètres en avant, apparaît une longue série de maisons mobiles alignées les unes contre les autres, comme les pierres tombales dans un cimetière. Et l'on dit que nous vivons dans un pays de liberté ! Est-ce qu'on a le droit de résider à l'endroit de notre choix, dans l'habitation de notre choix ? Non ! Pas en ce qui concerne les maisons mobiles. Elles doivent être localisées dans un parc. Du moins, dans beaucoup de villes et villages du Québec.

— Nous y voilà, soupire Latreille. J'espère qu'elle sera là.

— On ne pouvait tout de même pas l'aviser de notre visite. Elle nous aurait faussé compagnie.

L'auto des inspecteurs s'arrête en bordure de la route. Un véhicule de couleur rouge ralentit sa course alors qu'il dépasse celui des inspecteurs. Simard tourne machinalement la tête en direction de l'intrus. Les vitres teintées des fenêtres l'empêchent de discerner les traits du conducteur. Ce dernier appuie sur l'accélérateur et la voiture s'éloigne aussitôt. Simard n'a pas le loisir de prendre note du numéro de la plaque.

La maison de Rita Donovan est bien entretenue et entourée de nombreuses fleurs multicolores. Une odeur de roses flotte dans l'air, transportée par une légère brise. Attaché à l'un des barreaux de la rampe entourant un petit perron, un caniche s'égosille pour annoncer l'arrivée des visiteurs.

Réginald et Marianne doivent s'arrêter et attendre que la propriétaire de la maison vienne calmer le cerbère. Heureusement, celle-ci ne tarde pas trop à ouvrir la porte, ce qui a pour effet de faire taire l'animal.

— C'est pourquoi ?

Réginald Simard garde la tête tournée en direction des fleurs, de façon à dissimuler le plus possible son visage. Comme prévu, c'est Marianne qui doit s'occuper du déroulement de la rencontre.

— Nous sommes de la police et nous voudrions vous poser quelques questions, si vous le voulez bien, dit aussitôt la jeune inspectrice en brandissant son insigne devant elle.

— La police ! Qu'ai-je fait pour mériter une telle attention ?

— Il ne s'agit pas de vous. Ceci concerne votre frère, Léopold.

Rita Donovan serre les lèvres un court moment avant de laisser échapper un long soupir d'exaspération. Va-t-on la laisser un jour tranquille avec les histoires de son frère délinquant ? Le genre de vie qu'il mène ne lui plaît pas plus qu'au reste de la société, mais elle n'a aucun pouvoir sur lui.

— Qu'est-ce qu'il a fait cette fois ?

— Pouvons-nous entrer ?

La femme, approchant sans aucun doute la cinquantaine, demeure quelques secondes sans bouger, hésitant à leur livrer passage. Elle n'a cependant rien à se reprocher ni à cacher. Elle n'a donc aucune raison réelle de ne pas répondre aux questions de ces policiers. De plus, ça fait belle lurette, du moins à ce qu'elle sache, que son frère n'a pas eu de démêlés avec la justice. Enfin, c'est ce que lui-même prétend.

Hochant légèrement la tête en signe de résignation, Rita Donovan acquiesce à la demande de Latreille, puis se penche pour prendre le caniche et le serrer dans ses bras en l'embrassant sur la tête. Une fois à l'intérieur, elle indique le salon aux visiteurs. Ces derniers y pénètrent et attendent que la maîtresse des lieux les invite à s'asseoir.

Bien que Réginald tente de soustraire ses traits aux regards de la quinquagénaire, cette dernière le reconnaît finalement.

— Simard ! L'obsédé ! J'espérais ne plus jamais vous revoir. Eh bien ! Je crois que l'entretien est déjà terminé.

— Madame Donovan. L'inspecteur Simard est ici simplement en tant qu'accompagnateur. C'est moi qui suis responsable d'une enquête qui pourrait concerner votre frère. Si vous le désirez, monsieur Simard peut aller m'attendre à l'extérieur.

Réginald est impressionné par la perspicacité de son équipière. Sa réaction a été si spontanée et si naturelle que Rita Donovan semble s'y laisse prendre. Après un moment d'hésitation, elle finit par abdiquer et, d'un geste de la main, elle indique un long divan aux policiers.

— De toute façon, tout cela fait partie de mon passé. Léopold a décidé de couper les liens avec sa famille. Pour ne pas nous mettre dans l'embarras. Pour ne pas que je me fasse harceler une fois de plus par… monsieur Simard. Alors je ne vous serai pas d'une grande aide.

— Quand avez-vous vu votre frère pour la dernière fois ?

— Des mois. Peut-être neuf, dix. Je ne sais pas exactement.

— Aucune nouvelle de lui depuis ce temps ? Il ne vous a pas téléphoné, écrit ? Pas même un courriel ?

— Rien, je vous dis ! Et si vous voulez tout savoir, je ne m'en ennuie pas.

— Je comprends, mais d'après le dossier de Léopold, vous étiez très proche de lui. Même qu'il vous considérait un peu comme sa propre mère. Que s'est-il passé pour que la situation change à ce point ?

— Je vous l'ai dit. Il ne veut plus m'embarrasser avec ses agissements. Pourriez-vous en venir au fait, je vous prie ? Je ne voudrais pas que cet entretien s'éternise.

— D'accord. Alors, si je comprends bien, vous ne savez pas du tout où se trouve votre frère présentement ?

— Aucune idée, en effet.

— En vérité, Léopold n'est pas en accusation pour quoi que ce soit. Nous voulons simplement nous assurer qu'il n'a aucun lien avec une affaire sur laquelle nous enquêtons, c'est tout. Si jamais il vous contacte, pourriez-vous nous en aviser ?

— J'essaierai d'y penser.

Marianne se tourne vers son collègue et, d'un signe de tête, tente de lui soutirer son accord. Comme si elle voulait qu'il entérine une décision qu'elle n'a pas encore formulée. Réginald grimace son incompréhension.

— Qu'est-ce qu'il y a au juste, Marianne ?

— Je n'ai pas de carte sur moi, répond-t-elle un peu gênée. Tu me donnes l'une des tiennes pour que j'y inscrive mon numéro.

— Bien sûr. De cette façon, madame Donovan pourra te rejoindre personnellement le temps que je serai parti à St-Samuel-des-Monts.

Rita Donovan se saisit nonchalamment de la carte qu'elle dépose aussitôt sur la table à café devant elle, puis se lève pour indiquer aux policiers que la rencontre vient de prendre fin.

Simard et Latreille quittent aussitôt la petite maison et se dirigent vers leur véhicule, sous le regard attentif de leur hôtesse.

Avant que l'auto ne reprenne la route, Réginald jette une dernière fois un coup d'œil à l'habitation. Il fronce les sourcils. Les rideaux habillant la dernière fenêtre de la maison mobile ont bougé. Rita se trouve pourtant toujours sur le perron avec son caniche dans les bras. Elle n'était donc pas seule. Ou peut-être qu'il s'agit simplement d'un système de ventilation qui a créé un certain mouvement.

— Je n'ai réussi qu'à nous faire perdre du temps, n'est-ce pas ?

— Il n'y avait rien à faire. Elle s'était complètement fermée à tes questions en créant un mur. Qu'est-ce que tu pouvais en tirer alors qu'elle affirme ne plus avoir aucun contact avec son pourri de frère.

— Tu la crois ?

— Non. Elle ment sur toute la ligne. Mais nous n'avons aucun pouvoir sur elle. Va falloir procéder autrement.

Marianne laisse s'écouler une bonne dizaine de secondes avant d'adresser un regard interrogateur à son chef.

— Dis-moi. Tu croyais réellement en mes possibilités pour mener un interrogatoire ou tu savais que Mme Donovan ne voudrait pas répondre à tes questions ?

— Ma parole. Je crois en toi.

Chapitre 5

Des éclats de voix s'élèvent dans la nuit. C'est toujours ainsi à la sortie des bars. En particulier le samedi soir. C'est le moment idéal pour les rencontres entre amis, pour des fêtes, des enterrements de vie de garçon qui, soit dit en passant, reviennent de plus en plus à la mode, ou tout simplement des rendez-vous plus intimistes.

Mais, quelle que soit la raison de ces rassemblements, les gens, le cerveau embrumé par les vapeurs d'alcool, perdent toute notion de civisme et ne se gênent pas pour, une fois sur les trottoirs, crier ou parler à haute voix, ne se souciant en aucune façon du voisinage.

Quatre hommes dans la trentaine, qui ont quitté le Bar Ducharme peu après onze heures trente, stagnent depuis plus de vingt minutes devant l'établissement, à discuter vertement et à chahuter. Non pas qu'il y règne un vent de colère ou d'agressivité, mais c'est souvent de cette façon que les fêtards agissent pour se donner de l'importance. Ils croient fermement que plus ils haussent la voix, plus ils méritent le respect de leurs interlocuteurs.

Après plusieurs tapes sur les épaules de ses amis en signe d'au revoir, Jonathan Michaud s'éloigne lentement d'eux. Sa voiture est stationnée sur une petite rue transversale.

— Jo ! Tu es certain de pouvoir conduire, lui crie l'un de ses copains au moment où il allait tourner le coin de la rue.

— T'inquiète pas. Je suis tout à fait capable de prendre la route. Je suis en parfaite possession de mes moyens, comme on dit !

— C’est souvent ce que l’on prétend, en effet, hurle un autre fêtard avant d’éclater d’un rire qui se répercute sur les maisons environnantes.

— Surtout, ne fais pas comme l’an passé. Ne va pas inviter une de tes petites amies pour t’envoyer en l’air.

Décidé à ne pas se laisser narguer davantage concernant un mauvais souvenir, Michaud s’empresse de s’engager sur la rue Lebouc qu’il longe sur plus de cent mètres avant de s’immobiliser à la hauteur de son véhicule. Maladroitement, il tente de déverrouiller les portes de ce dernier, mais c’est le mécanisme du coffre arrière qui fait un déclic. Bien entendu, dans sa tête, Michaud rejette la faute sur la petite manette de contrôle à distance : c’est elle qui doit disjoncter. Pas plus tard que demain matin, il ira se plaindre à son garagiste.

Pour la seconde fois, le coffre est déverrouillé. Michaud frappe brutalement du pied l’un des pneus alors qu’il se dirige vers l’arrière de l’auto en maugréant.

— Tu as des problèmes, on dirait.

Jonathan se retourne vivement. Quelqu’un se trouve planté bien droit au milieu du trottoir, les mains sur les hanches. Comment se fait-il qu’il ne l’ait pas entendu arriver, lui qui, habituellement, a l’oreille si fine ?

Tout en grimaçant, le jeune homme plisse légèrement les paupières pour tenter de reconnaître l’intrus, mais rien n’y fait. Le réseau d’éclairage de cette portion de la ville de St-Samuel-des-Monts est à ce point déficient que c’est à pcine s’il réussit à faire pâlir la nuit.

— Tu me veux quoi au juste, toi ?

— T’aider.

— Pas besoin de toi pour quoi que ce soit. Tu peux disposer.

— Que tu le veuilles ou non, je vais te rendre service.

Michaud recule d’un pas lorsqu’il voit l’homme s’avancer vers lui. Malgré la pénombre qui l’entoure, sans compter les effets de l’alcool toujours présents, il peut néanmoins constater que le mystérieux personnage possède une carrure assez imposante. Il ne serait certainement pas de taille pour lutter avec lui s'il devait en arriver aux coups.

— Écoute, l'ami. Que me veux-tu au juste ? De l'argent ? Il me reste environ trente dollars, je te les donne et tu fous le camp, d'accord ?

— J'en veux plus.

— Je n'ai rien de plus. J'ai passé la soirée au bar, comment veux-tu qu'il me reste beaucoup d'argent ? Va falloir que tu te contentes de ça !

L'inconnu s'arrête à un mètre des trois billets de dix dollars que le bras tendu de Michaud lui offre. Un léger ricanement parvient aux oreilles du jeune homme. Celui-ci, maintenant plus lucide puisque les vapeurs d'alcool se sont étrangement dissipées dans sa tête, ressent une certaine peur lorsqu'il s'aperçoit que son interlocuteur est cagoulé. Puis, c'est l'effroi. Il laisse tomber sa manette de contrôle, à laquelle est rattachée la clé de contact, qui atterrit aux pieds de son vis-à-vis.

Un revolver est apparu dans la main ce dernier. Il le pointe vers Jonathan qui, conscient de ne pouvoir s'échapper de cette situation, est sur le point de s'effondrer en larmes comme un enfant sans défense.

— Je t'en prie ! Ne me tue pas. J'ai une carte de débit. On se rend à un guichet et je sors le maximum. Ok ?

— Tu te le mets où je pense, ton foutu argent…

— Que me veux-tu ?

— Me servir de toi comme message. Tout simplement.

Michaud secoue la tête pour signifier son incompréhension. Pourquoi, et surtout comment, ce fou veut-il se servir de lui ? Cela n'a aucun sens. C'est sans aucun doute un désaxé. Ou peut-être qu'il veut le terroriser davantage pour obtenir une somme plus importante. Quelle que soit la raison, la stratégie fonctionne. Du moins, pour l'effet espéré, car il est réellement effrayé au plus haut point.

— J'y comprends rien, pleurniche-t-il.

— Monte dans la voiture. Tu vas comprendre bientôt.

— Quoi ! Tu me laisses partir ?

— Fais ce que je te dis, idiot. Monte et prends le volant.

Alors que Jonathan s'exécute en contournant le véhicule, l'homme se penche et s'empare de la manette, déverrouille les portières, puis se glisse sur le siège du passager au moment même où le jeune homme s'installe sur celui du conducteur.

— Je te donne la clé et tu démarres. Pas de bêtises ou je fais sauter ta cervelle de con. Tu m'entends ? Tu fais exactement ce que je te dis. C'est compris ?

— Tout ce que tu veux, mais ne tire pas.

Le véhicule quitte la bordure du trottoir et s'engage lentement sur la route. Au premier croisement, l'inconnu ordonne à Jonathan de tourner vers la droite. L'homme se laisse glisser sur le siège de façon à ce que personne de l'extérieur ne puisse le voir. Sur le trottoir, les amis de Michaud sont toujours là à discuter.

— Envoie-leur un salut de la main.

Jonathan s'exécute sans poser de question. D'ailleurs, il n'a aucune intention de provoquer son passager. Le mettre en colère ne pourrait qu'envenimer la situation et Dieu sait jusqu'où pourrait aller ce maniaque.

Une fois la voiture assez éloignée des fêtards, l'homme se redresse et offre un grand sourire de satisfaction à sa victime. Jonathan songe qu'en se conformant à toutes ses exigences, il pourra ainsi sauver sa peau.

— Prends la prochaine sortie.

Cette route mène hors de la ville. Un secteur presque désert et entièrement boisé dont le développement n'est prévu que dans quelques années. Jonathan connaît très bien cet endroit pour s'y être rendu à de nombreuses occasions durant les dernières années. Mais jamais depuis les onze derniers mois.

L'inconnu ordonne à Michaud de ralentir et de s'engager dans un sentier, à peine assez large pour laisser passer le véhicule. Néanmoins, celui-ci s'enfonce dans la forêt. Les faisceaux lumineux des phares balaient tant bien que mal la voie à suivre, sans toutefois l'éclairer adéquatement. À deux reprises, Jonathan doit appliquer les freins à fond pour éviter un contact avec un arbre.

— Il y a une clairière un peu plus loin. Tu t'arrêteras là.

— Compris. Je connais cet endroit.

— Je n'en doute pas.

La peur se réinstalle dans l'esprit du jeune homme. Si, pendant les quelques minutes précédentes, il avait semblé se calmer, voilà que ses entrailles recommencent à se nouer. Ce fou a sûrement quelque chose derrière la tête. Quelque chose de terrifiant. Il ne l'amène pas dans un endroit pareil pour lui raconter une histoire. Il aurait peut-être dû tenter de s'enfuir au lieu de se laisser manipuler comme il l'a fait. Il est trop tard maintenant.

L'auto s'arrête à vingt-cinq mètres d'un petit chalet en bois rond. Un camp de chasse comme il en existe plusieurs dans la région. Ce camp a déjà appartenu au père de Jonathan. Il s'en est départi il y a dix mois environ. Une autre auto est stationnée non loin de la petite habitation.

— Laisse le moteur en marche et descends.

— Que vas-tu me faire, demande le jeune homme, larmoyant ? Pourquoi est-ce que tu me fais ça ?

— Un message. Je te l'ai dit tout à l'heure. Tu es sourd ou quoi ?

— C'est quoi ton message ?

— Ta gueule et descends !

Michaud n'a d'autre alternative que d'obéir. Pourtant, une fois dehors, il regarde la nuit autour de lui. Il connaît quand même un peu les environs. S'il s'élance dans les ténèbres, saura-t-il se diriger avec suffisamment de précision pour rejoindre un autre camp de chasse se trouvant à plus d'un kilomètre dans la forêt? De toute façon, il n'a rien à perdre. Son intuition l'amène à penser que, s'il ne tente rien, il le regrettera. Ce maniaque a, de toute évidence, l'intention de l'assassiner. Pourquoi? Cela demeure un mystère. À moins qu'il ne s'agisse de représailles.

Le cagoulé sort à son tour du véhicule. C'est le moment choisi par Jonathan pour détaler à toute allure dans le noir. Pourtant, cinq secondes à peine s'écoulent avant qu'un bruit de chute ne se fasse entendre. Un cri déchire le silence. Le faisceau d'une lampe de poche se pose sur le jeune homme quelques secondes plus tard. Au beau milieu d'un tas de grosses pierres, le fugitif est là, se tordant de douleur. Ses pieds sont enchevêtrés dans un ourlet de fils barbelés.

Tout a été prévu par l'inconnu. Il s'agit là d'un coup parfaitement préparé. Jonathan Michaud n'a pas été choisi au hasard.

— Ça t'apprendra à désobéir. Tu voulais me fausser compagnie? Ce n'est pas bien du tout, ça, le jeune.

Jonathan sent une main le saisir avec force par le bras pour le soulever et le remettre sur pieds. Encore étourdi par sa chute, c'est à peine s'il réalise que son agresseur lui immobilise les mains avec des menottes. Il est ensuite poussé brutalement vers l'avant jusqu'à se retrouver à mi-chemin entre son véhicule et le camp de chasse. L'homme le fait trébucher au milieu du petit sentier de terre battue, puis, sans attendre, il lui entoure les jambes d'une longue chaîne de métal qu'il noue rapidement.

La vision du prisonnier est cauchemardesque. Son agresseur se dresse maintenant debout, entre les phares de l'automobile, et demeure ainsi un long moment à contempler son œuvre.

— Que veux-tu faire? Qu'est-ce que je t'ai fait? Pourquoi tu t'en prends à moi comme ça? C'est quoi ton maudit message?

La seule réponse que Jonathan obtient, c'est un solide coup de pied en plein estomac. La douleur est cuisante, l'air a de la difficulté à parvenir à ses poumons. Il étouffe. Un autre coup violent, cette fois dans le dos, le force à effectuer subitement un redressement. L'air recommence à circuler.

— Tu as mal, le jeune?

— Arrête, je t'en prie ! Ca fait atrocement mal.

— Ce n'est rien de comparable à ce que tu vas ressentir.

Péniblement, Jonathan lève les yeux en direction de son agresseur. Celui-ci est debout près de lui. Dans sa main droite, il tient une longue machette, dans la gauche, un gros bidon rouge. Un contenant d'essence.

Chapitre 6

Le soleil est déjà haut dans le ciel lorsque Simard ouvre enfin les yeux. Il n'a plus vraiment l'âge de faire la fête jusqu'à tard dans la nuit. Contrairement à Carole, il a de la difficulté à supporter une trop grande quantité d'alcool alors, à chaque fois qu'il en abuse, il se lève avec un mal de tête le matin.

Dès leur arrivée dans le secteur, le vendredi soir, le couple Simard s'est installé dans le chalet loué quelques jours auparavant. Pour la première fois depuis longtemps, ils ont partagé le même lit et ils ont fait l'amour comme cela leur arrivait au début de leur mariage. Beaucoup de souvenirs sont revenus dans leur esprit et, pendant quelques heures, ils se sont remémoré ensemble ces beaux moments.

Hier soir, alors que Carole semblait fatiguée, Réginald s'est rendu dans un bar de la place, le Bar Ducharme. Il y est demeuré une partie de la soirée. Il en est ressorti vers onze heures.

Une fois au chalet, il s'est couché dans la chambre du rez-de-chaussée alors que son épouse occupait celle du premier étage. Une chambre magnifiquement décorée avec une porte donnant accès à un balcon.

La nuit a été relativement courte pour le quinquagénaire. Cependant, il ne veut pas passer toute la journée au lit. Ce ne serait pas la façon idéale de reprendre une vie de couple un peu plus normale. Après être passé à la salle de bain, le policier se rend à la cuisine où l'attend Carole, une tasse de café à la main.

— C'est ce qui arrive lorsqu'on n'a pas l'habitude de boire.

— J'aurais dû suivre ton conseil et ne prendre qu'une ou deux bières. Mais l'ambiance était bonne. J'ai discuté avec quelques jeunes hommes.

— Tu connais des gens par ici ?

— Non, personne. Mais cela ne m'empêche pas de socialiser un peu. Par contre, je connais la région pour l'avoir visitée à quelques reprises pour affaires.

— Quel genre d'affaires ?

— Non. Je t'en prie, Carole. On ne parle pas boulot, veux-tu ? Profitons de cette journée qu'il nous reste pour relaxer. Demain nous allons devoir partir en après-midi. Notre fin de semaine de vacances sera déjà terminée, alors ne la gâchons pas en parlant de mon travail.

— Tu as raison. J'ai repéré, sur Internet, une oasis de détente. Massage, spa, sauna, tout pour se faire dorloter. Ça te dirait d'y passer quelques heures ?

— Ça doit être plein à craquer. Je suis persuadé qu'il ne reste aucune place disponible. Autrement, bien sûr que j'aurais aimé.

— Faux ! J'ai pris l'initiative de faire une réservation tôt ce matin. Comme par hasard, il y avait eu des annulations. Je ne pouvais pas attendre que tu te réveilles pour te le demander. J'étais certaine que tu accepterais.

Régi hoche légèrement la tête en signe d'approbation. Non pas qu'il soit réellement enchanté de cette décision mais, tout compte fait, il souhaite vraiment que Carole y trouve son compte de bonheur pendant cette fin de semaine. Ce serait bien si celle-ci faisait partie de ses beaux souvenirs.

Une fois son café avalé, Simard se rend à sa chambre pour se vêtir. De son côté, Carole s'installe dans l'un des fauteuils moelleux meublant le balcon du premier étage pour contempler le paysage que lui offre cette superbe région. Très rapidement, la quinquagénaire se perd dans ses pensées. Serait-il possible qu'après tant d'années de quasi-indifférence, elle et son mari puissent renouer avec le plaisir de se retrouver ensemble ? Elle ose y croire. La retraite de Réginald sera, en quelque sorte, un nouveau départ dans la vie pour eux.

Carole ferme les yeux, alors que sur ses joues coulent quelques larmes. Des larmes de regrets, de nostalgie. Dans les mois à venir, elle s'engage à faire tout son possible pour cesser de boire. De plus, elle se promet intérieurement de ne plus revoir Charles. Un ami qui a comblé à de nombreuses reprises ses carences affectives, voire même sexuelles. Tout ça doit faire partie de son passé. Son futur appartient à Réginald. À lui seul ! Mais tout ça doit demeurer secret. Jamais elle n'avouera ses incartades avec Charles. Tout le monde a de petits secrets à garder au fond du cœur. Même Réginald doit en avoir. Sa nouvelle équipière Marianne, qui semble prendre beaucoup de place dans sa vie, peut-être la désire-t-il, ou peut-être l'a-t-il déjà sautée. Elle ne lui posera jamais la question. Si tel est le cas, cela doit rester son secret.

— Tu es en train de rêver ?

Carole sursaute. Elle n'a pas entendu approcher son mari. Machinalement, elle tourne la tête légèrement pour ne pas qu'il voie ses yeux rougis. Ce n'est pas le moment d'avoir à répondre à des questions. Cette journée doit être parfaite pour tous les deux.

Au moment où elle ouvre la bouche pour signifier à Réginald qu'effectivement elle était plongée dans un beau rêve, et qu'il en faisait partie, la sonnerie étouffée d'un téléphone se fait entendre. Le visage grimaçant, Simard se saisit de son cellulaire et s'éloigne de Carole. Il lui avait pourtant promis qu'il ne le porterait pas. Que ce serait une fin de semaine sans appel téléphonique.

— Qu'est-ce qu'il y a, Dominique ? Je croyais avoir été clair là-dessus. Pas d'appel. Un dimanche, en plus !

— Je sais. Mais je ne pouvais faire autrement. Tu te trouves bien à St-Samuel-des-Monts ?

— En effet. C'est Latreille qui t'a informé de ça ?

— Faut pas lui en vouloir. Nous avons de bonnes raisons de croire que tu es en danger.

— En danger ! Explique-toi.

— Voilà. Nous avons reçu un appel ce matin, vers cinq heures. Un appel anonyme qui prétendait qu'un meurtre avait été commis un peu hors de la ville de St-Samuel-des-Monts. La réceptionniste du poste m'a aussitôt informé et j'ai contacté les autorités de cette ville. Eh bien ! Je te le donne dans le mille, une heure plus tard on m'a confirmé qu'il y a effectivement eu un meurtre là-bas.

— Et ça me concerne en quoi, au juste ? Tu sais, des meurtres, il y en a chaque jour.

— Je ne te donne pas tous les détails, ce serait trop long, mais on a trouvé une note sur laquelle ton nom apparaît encore une fois.

Bien que Brunet semble s'impatienter, Simard garde le silence un long moment, histoire de tout mettre en ordre dans sa tête. Carole sera sans aucun doute très déçue, mais il n'a pas le choix de se rendre sur les lieux du crime.

— Je vais aller me rendre compte de tout ça sur place. Je pars immédiatement.

Aussitôt que Brunet lui transmet les coordonnées de l'emplacement du meurtre, Simard interrompt la conversation et se retourne pour aller rejoindre sa femme. Elle est là, appuyée contre le chambranle de la porte menant au balcon. Elle a entendu la conversation. Du moins, les paroles de Réginald. Finis le massage, le spa, le sauna et son beau rêve. Le travail prend encore une fois toute la place dans leur vie de couple. A-t-elle relégué Charles trop rapidement aux oubliettes ? Est-ce que la bouteille redeviendra encore sa meilleure copine ? Carole secoue la tête. Non ! Pas question de baisser les bras. Elle va se battre.

— Je suis désolé. Il s'agit d'une affaire très importante.

— Je comprends très bien. Y a pas de problème.

Simard est stupéfait. Lui qui croyait que Carole entrerait dans une terrible colère comme il a eu à en subir tout au long de leur mariage. Il reste bouche bée devant le magnifique sourire que lui offre son épouse.

Pourtant, après quelques secondes de réflexion, il songe que sa réaction n'augure rien de bon. Ce n'est vraiment pas normal que son attitude soit aussi conciliante. Cela cache sûrement quelque chose.

— Tu as raison mon chéri, dit-elle comme si elle avait capté ses pensées. Si je réagis de la sorte, c'est que j'ai une idée derrière la tête. J'espère que tu n'oseras pas tenter de m'en empêcher

— De quoi ? T'empêcher de quoi au juste ?

— De t'accompagner, tout simplement. Tu m'as promis que nous passerions toute cette fin de semaine ensemble, alors cela veut aussi dire que je t'accompagne partout où tu vas. Où que ce soit !

Cette fois, c'est la consternation. Simard est atterré, paralysé. Il est inconcevable que sa propre femme se rende sur les lieux d'un crime. Elle en serait traumatisée pour le reste de son existence.

— Il n'en est pas question ! Je ne veux pas que tu…

— Je me fous de ce que tu veux, mon chéri. Il n'y a aucune discussion possible. Je t'accompagne ou, si je dois me rendre à cette oasis de détente, tu m'accompagnes. Tu as le choix, après tout. Mais où que tu décides d'aller, tu n'y vas pas seul.

Le ton de voix employé par Carole ne laisse aucune place à la discussion ou à la négociation. S'il tient absolument à se rendre sur les lieux du crime, il devra le faire avec un chaperon. Cette idée est loin de l'enchanter, mais le fait que Carole décide ainsi de s'affirmer avec autant de détermination le rend fier d'elle.

— Bon, c'est d'accord. Depuis le temps que tu espères que ça arrive. Eh bien ! Ça y est. Tu vas pouvoir te délecter d'une scène horrible de meurtre et tu pourras par la suite en faire des cauchemars pour le reste de tes jours. C'est bien ce que tu veux ?

— Si c'est ce que tu décides. Je suis prête à te suivre.

Il ne leur faut que cinq minutes pour se préparer. Une fois en voiture, Simard pose un regard suppliant sur sa conjointe, mais celle-ci tourne la tête pour ignorer la question silencieuse que ses lèvres n'osent formuler.

Au fond d'elle-même, elle est heureuse que Réginald ait choisi le travail plutôt que la détente. Cela l'excite au plus haut point d'aller constater de ses propres yeux à quel genre de situations a été confronté son mari pendant toutes ces longues années où elle a été délaissée. Pourquoi n'a-t-elle pas agi de la sorte avant ce matin ?

Quelques minutes plus tard, le véhicule emprunte un sentier s'enfonçant dans une forêt. Plus loin, à travers les branches d'arbres, le couple aperçoit les lumières tournoyantes de gyrophares coiffant des auto-patrouilles. Une banderole traverse le sentier. Réginald immobilise son véhicule et en descend aussitôt. Cent mètres devant, il semble y avoir une grande clairière, au bout de laquelle apparaît une petite habitation.

— Je ne crois pas qu'ils te laisseront approcher. Va falloir que tu m'attendes ici.

— Je suis ton assistante. J'y vais avec toi !

Deux policiers arrivent à la hâte. L'un d'eux tend une main devant lui pour signifier aux nouveaux arrivants qu'il y a interdiction de passage. Simard se saisit de son étui de cuir contenant son badge et l'affiche sous le nez des policiers.

— Inspecteur Simard. Le capitaine Bourg vous attend. Il est devant le camp.

— Bonjour messieurs. Merci.

Réginald déteste tous ces gens qui vous accostent avec une absence de savoir-vivre aussi flagrante. La moindre des choses en abordant une ou des personnes, c'est de dire bonjour. C'est un genre de prédisposition à poursuivre une bonne communication. Une preuve de respect.

Le plus naturellement possible, Réginald invite Carole, d'un signe de tête, à le suivre. Les deux policiers, peut-être conscients de ne pas avoir fait preuve de politesse envers les nouveaux arrivants, n'offrent aucune opposition à ce que la quinquagénaire accompagne l'inspecteur Simard.

Tous deux, côte à côte, ils longent le dernier tronçon du petit sentier, puis s'engagent dans la clairière où pas moins de six voitures de police sont stationnées en désordre.

— S'il te plaît, ne dis pas un mot, Carole. Ne pose aucune question… et essaie de ne pas paniquer si la scène que tu vas voir dépasse ton imagination. Tu sais, il y a des choses qui ne sont vraiment pas belles à voir.

— T'en fais pas. Je suis plus forte que tu ne le crois.

Réginald plisse les lèvres pour dissimuler un léger sourire de scepticisme. Plusieurs fois, il a vu de grands gaillards s'effondrer en pleurs en apercevant une victime atrocement mutilée par un psychopathe. Par contre, Simard doit bien l'avouer, il a aussi été témoin de femmes qui ont fait preuve d'un grand courage lorsqu'elles ont été mises en présence d'un cadavre en état de décomposition. Marianne Latreille en est la preuve. La jeune femme a presque toujours démontré une force morale extraordinaire face à des situations effroyables. Bien sûr il lui arrive encore d'avoir un moment de faiblesse face à certaines scènes, mais en général elle est remarquablement forte. Elle l'a d'ailleurs prouvé en présence du démembré. Par contre, lors de la découverte de la tête de ce dernier, elle a plié les genoux.

Un homme en uniforme lève la main pour signaler sa position aux nouveaux venus. C'est sûrement le Capitaine Bourg. Il se met aussitôt en marche pour venir à leur rencontre. Il s'arrête à un mètre, exposant, à la vue des visiteurs, les traits de son visage complètement défaits. Les dernières heures qu'il vient de vivre se reflètent dans ses yeux. Réginald sait très bien ce que c'est. Ce n'est jamais facile de découvrir des victimes de meurtres et surtout dans l'état où elles se trouvent très souvent.

— On croit que c'est un jeune homme de la région. Il a été brûlé.

— Bonjour Capitaine. Il a été brûlé, vous dites ?

Ce n'est pourtant pas à s'y méprendre. Carole en était persuadée, ou du moins, elle s'en doutait. Depuis leur arrivée dans la clairière, il y flotte une odeur exécrable. Alors cette désagréable odeur est celle de la chair brûlée ? Elle porte une main à son visage dans le but certain de se couvrir le nez, mais elle se ravise aussitôt. Elle se doit d'être forte pour ne pas faire honte à son mari et, du même coup, ne pas révéler aux policiers qu'elle est une simple civile.

— Avec de l'essence. L'assassin lui a entravé les mains et les pieds. Enfin, une main et les pieds.

— Une main ? Que voulez-vous dire ?

Le capitaine baisse la tête un instant. Il est visiblement perturbé. Il ne doit pas avoir été très souvent confronté à des histoires de meurtre de ce genre.

— Venez constater par vous-même, inspecteur.

D'un geste de la main, le policier invite Réginald et Carole à le suivre. Le trio contourne une voiture, probablement celle de la victime puisque des scellés ont été apposés sur les portières, puis se dirige lentement vers une masse noire et difforme reposant sur le sol. Encore quelques pas et ils constatent que c'est visiblement un corps humain. Un corps presque complètement calciné et, par surcroît, malodorant. Sa bouche ouverte à l'extrême, démontre, sans doute possible, qu'il était encore vivant pendant que les flammes le dévoraient. La douleur devait être atroce. Les jambes sont entourées d'une longue chaîne de métal. L'un de ses avant-bras est manquant. C'est justement ce que Bourg tentait d'expliquer un peu plus tôt.

— Vous avez retrouvé le membre manquant, demande aussitôt Réginald avec un calme et un aplomb déconcertant ?

Encore une fois le capitaine Bourg baisse la tête. Simard songe aussitôt que cet homme n'est pas fait pour assumer ses fonctions d'officier. Comment peut-il commander une équipe s'il ne possède pas le stoïcisme nécessaire pour assumer cette tâche importante ?

— Encore une fois, finit-il par marmonner, ce serait mieux que vous voyiez par vous-même.

Simard tourne la tête pour inviter Carole à les suivre puisque Bourg s'est mis en marche sans attendre. Les yeux écarquillés et les mains recouvrant sa bouche, elle est pétrifiée sur place. Cette vision cauchemardesque d'un homme calciné s'est imprégnée dans sa tête et y restera gravée à jamais. De plus, la seule pensée que ce malheureux puisse avoir été brûlé vif lui donne envie d'hurler son dégoût.

— Retourne à l'auto. Je t'avais prévenue. Ce ne sont pas des scènes très agréables à regarder.

— Pas question, lance Carole après une longue inspiration. Je reste.

— Comme tu voudras.

Après seulement quelques pas, Bourg s'immobilise et, d'un signe de la tête, invite Simard à regarder en direction du camp de chasse. Quelque chose est accrochée au beau milieu de la porte d'entrée. Réginald sait déjà de quoi il s'agit.

À son tour, Carole dirige son regard vers l'endroit indiqué par le capitaine, puis, ses jambes ne pouvant plus supporter son poids, elle s'effondre brusquement à genoux.

L'avant-bras de la victime, la peau intacte, a été fixé sur la porte. Les doigts de la main sont repliés, sauf le majeur qui pointe vers le haut. Une position à deux significations, un doigt d'honneur pour démontrer son mépris envers les policiers, ou tout simplement pour indiquer la note clouée à quelques centimètres plus haut. La probabilité la plus plausible, c'est qu'il s'agit du cumul des deux significations.

Simard saisit son épouse par les épaules pour l'aider à se remettre sur pieds. Elle tourne, vers son compagnon, un regard dans lequel il peut y lire de la peur mêlée à un dégoût évident.

Après quelques secondes, Carole hoche légèrement la tête pour signifier à Réginald qu'elle s'est ressaisie et qu'il peut la laisser seule. Délicatement, il effleure du revers de la main la joue de sa conjointe, puis se retourne pour faire face à la porte du petit chalet.

— Il y a quoi, au juste, sur le papier? demande-t-il à Bourg sans même le regarder.

— Je crois qu'il serait préférable que vous le lisiez. La note vous est personnellement adressée. Mais ne l'enlevez pas de la porte. N'y touchez pas.

Sans la moindre hésitation, Réginald s'approche. Impassible, il pose les yeux sur le papier taché de quelques gouttes de sang.

« Que fais-tu, Simard ? Tu arrives toujours trop tard. Il ne te reste plus qu'à ramasser les ordures, comme d'habitude. Tu es un incompétent et jamais tu ne pourras m'attraper.

Mais comme je suis généreux, tu auras encore ta chance. Ce petit salaud n'est pas le dernier. Alors, à bientôt, Réginald. xxx »

Lédo

L'inspecteur se retourne lentement. Bourg est là à attendre sa réaction qui tarde à venir. Il trouve remarquable le sang froid de Simard face à une situation aussi ahurissante. Sans compter que l'auteur de la note formule une injure cuisante à son endroit tout en le défiant ouvertement à l'attraper.

— J'aimerais bien pouvoir vous accompagner dans l'enquête de ce meurtre, dit calmement Réginald. Je connais ce psychopathe, cela pourrait vous être utile.

— Cette décision ne m'appartient pas. Vous allez devoir en faire la demande à votre supérieur, peut-être que lui-même devra en faire la demande au Directeur général.

Vincelette ! Jamais il n'acceptera.

— Je pourrais le faire de façon non officielle.

— Faites-en la demande. Je ne veux pas risquer de perdre mon poste pour une dérogation de procédure. Il y a une règle à suivre et je ne veux pas m'y soustraire. J'espère que vous me comprenez. Je suis sincèrement désolé.

— Pas autant que moi, capitaine. Enfin, c'est le règlement. Il faut s'y conformer.

Serge Bourg ne s'offusque pas outre mesure par le ton ironique employé par l'inspecteur Simard. Il aurait probablement la même réaction s'il était à sa place. Il connaît un peu les antécédents de son collègue pour s'en être informé ce matin même après avoir lu la note de Lédo. D'après les renseignements, Simard est un fin limier qui a eu une carrière impressionnante. Brunet lui a aussi fait part de leurs soupçons concernant l'identification du signataire du meurtre. Il lui a indiqué que Donovan était devenu une véritable obsession pour son inspecteur.

Réginald tend la main au capitaine, puis vient retrouver Carole, encore sous le choc. Au moment où il invite cette dernière à le suivre, son regard est attiré par un petit bout de papier jaune traînant sur le sol. Un emballage de gomme à mâcher d'une marque populaire. L'un des policiers, sans doute, aura eu recours à ce genre de friandise pour calmer son stress. Décidément le corps policier de St-Samuel-des-Monts n'a pas les nerfs assez solides pour faire face à des atrocités de la sorte. Simard laisse échapper un long soupir et décide de n'attacher aucune importance à ce papier.

— Nous rentrons, dit-il en prenant la main de sa conjointe.

— Oui. C'est préférable en effet. Je crois que je suis sur le point de m'évanouir.

— Il est encore tôt, enchaîne Régi, nous avons encore le temps de nous rendre à cette fameuse oasis de détente. Je crois que ça pourrait t'aider à te ressaisir.

— C'était une vision affreuse. J'aurais dû t'écouter et ne pas te suivre.

— Tu croyais peut-être que j'exagérais parfois lorsque je refusais de te décrire des scènes de crimes. Tu voulais constater par toi-même, voilà tout.

— Eh bien ! C'est fait et je ne veux plus t'accompagner dans des affaires de meurtres.

Chapitre 7

Comme il s'y attendait, Simard essuie un refus de la part de son patron et ami, Dominique Brunet. Celui-ci ne veut d'aucune façon se départir de son meilleur élément. Bien sûr que le meurtre de St-Samuel-des-Monts est relié, d'une certaine manière, au cas du démembré, mais il n'est pas question que Simard aille se rapporter à un autre inspecteur en chef. En plus son équipe a besoin de lui. Malgré l'évidente compétence de Marianne Latreille, elle doit tout de même être encadrée par un inspecteur de plus grande expérience, pendant un certain temps.

— N'y compte pas, Régi. J'ai trop besoin de toi ici. Tulane pourrait aller passer quelques jours là-bas pour en apprendre un peu plus sur ce meurtre. Il nous fera un rapport. C'est avec ce dernier que nous allons travailler.

— Pas de chance que tu changes d'idée ?

— Aucune, en effet.

— C'est d'accord. Mais je préférerais que ce ne soit pas Tulane qui soit envoyé à St-Samuel-des-Monts. Tu dois sûrement avoir quelqu'un d'autre sous la main pour cette tâche.

— Deguire ?

Simard jette un regard foudroyant en direction de Brunet qui affiche un léger sourire. Pourtant, après quelques secondes de réflexion, l'inspecteur en vient à la conclusion que ce serait peut-être une mission qui aiderait Deguire, du moins plus que de se terrer au fond de la salle des archives au sous-sol.

— Donnons-lui sa chance de nous prouver qu'il est un vrai inspecteur de la criminelle.

— Bonne suggestion. Je suis persuadé qu'il fera tout pour que tu sois fier de lui.

— Espérons-le.

— Mais que fait Latreille ? dit soudainement Brunet en jetant un rapide coup d'œil à sa montre. Je lui avais demandé de venir nous rencontrer à huit heures trente pile et il est…

— Huit heures vingt-neuf, chantonne une voix féminine. Je suis juste à l'heure, chef. Bonjour à vous deux.

Simard échange un large sourire avec la jeune inspectrice. Brunet est conscient qu'il y a une véritable chimie qui s'installe entre Régi et Marianne. Il espère que leur relation demeurera strictement professionnelle. Le couple Simard bat de l'aile et la tentation d'avoir une aventure avec une femme plus jeune pourrait intéresser son ami. C'est exactement ce qui lui est arrivé douze ans plus tôt. Il a perdu sa femme et le respect de ses deux enfants. Il ne voudrait pas que Régi commette la même erreur.

— Je crois que tu as du nouveau concernant l'identité du démembré ?

— Rien de bien précis, mais nous avons unc piste. Le contenu de son portefeuille, quoique très endommagé par le feu, nous a révélé la terminaison du prénom de la victime, ainsi que le début de son nom de famille. gis Le….

— Très mince en effet. Mais c'est tout de même un début. Tulane n'a pas encore fait le rapport de ses recherches.

— Je l'ai convoqué pour huit heures quarante-cinq. Il doit arriver d'une minute à l'autre.

— Pourquoi ne pas leur avoir donné rendez-vous à tous les deux en même temps ? demande Simard tout en secouant la tête d'incompréhension.

— Tout simplement pour ne pas qu'il y ait croisement dans les informations. Je voulais les résultats de Marianne et ceux de Xavier séparément. Il nous faut le temps de digérer chaque indice un par un pour s'en faire une bonne idée. Tu devrais savoir que j'ai toujours fonctionné de cette façon.

— Je sais, je sais. Désolé, c'est moi qui suis un peu perturbé par cette affaire et je suis peut-être trop pressé d'en arriver à un dénouement.

Avant que Brunet n'ouvre la bouche pour répondre à Régi, Xavier Tulane fait irruption dans la pièce dont la porte avait été laissée grande ouverte par Latreille. D'après l'expression gravée sur son visage, il est sans aucun doute porteur d'une bonne nouvelle.

— Bonjour à tous, lance-t-il en s'arrêtant devant le bureau de Brunet. Nous avons l'identité du démembré. Enfin nous en sommes presque certains. Une femme est venue, durant la fin de semaine, nous signaler la disparition de son mari. La description qu'elle a faite du disparu, concorde avec le cadavre démembré.

— Et ce nom, c'est?

— Régis Letang.

Brunet, Latreille et Simard se regardent un court moment. Tout concorde, puisque, la portion du nom apparaissant sur le papier à demi calciné, est maintenant complété.

— Bon travail Xavier. Tu as les coordonnées de la dame?

— Elle demeure à Sainte-Jasmine. D'ailleurs voici la fiche que j'ai remplie lorsqu'elle est venue au poste. Il ne nous reste plus qu'à rencontrer les gens de son entourage pour trouver des indices.

Simard s'empare de la feuille que Tulane lui tend, puis la parcourt rapidement du regard. Tout semble en règle. Plusieurs noms y sont consignés, ce qui facilitera leur tâche.

— Rien de nouveau du côté du laboratoire?

— Je crois que l'un de vous devrait intervenir. Le corps se trouve toujours au frigo. Y compris la tête. On me dit qu'ils sont débordés.

— Dominique, faut faire quelque chose. J'avais demandé à St-Jean d'accélérer la procédure. On dirait qu'il n'a pas compris l'urgence de cette affaire.

— Sébastien a été absent quelques jours. Une vilaine grippe, je crois. Deguire aussi en a été victime. J'aurais eu besoin de lui ces derniers jours. Justement, alors que tu étais à St-Samuel-des-Monts. Mais il était au lit, tout comme le docteur. Je vais en glisser un mot à St-Jean. Pour l'instant, vous pouvez vous concentrer sur l'enquête à mener dans l'entourage de Letang. Je veux tout savoir sur lui. Surtout s'il a des ennemis. Et si Léopold Donovan fait partie de ses fréquentations. Réginald, tu me feras un rapport de tout ça demain en après-midi. Vous pouvez disposer.

Chapitre 8

La rue Simonet, dans le petit village de La-Pointe-Delorme, est complètement déserte à cette heure aussi matinale. Le soleil brille déjà de ses mille feux malgré qu'il ne soit que six heures trente. Cependant, tout est calme. Comme s'il s'agissait d'un village fantôme. En réalité, de nombreux villageois, qui ont sans aucun doute vu arriver un escadron d'autos patrouilles, sont dissimulés derrière les rideaux de leurs fenêtres et attendent avec anxiété la suite des événements.

Un appel a été logé au beau milieu de la nuit au poste de Sainte-Jasmine, indiquant l'endroit où se trouve présentement Léopold Donovan. D'après le standardiste, il s'agissait d'un homme légèrement en état d'ébriété, puisqu'il avait du mal à formuler ses phrases. Malgré tout, on avait cru bon d'aviser aussitôt Dominique Brunet qui, à son tour, avait contacté Réginald Simard. L'information était trop importante pour la laisser sous silence jusqu'au matin. D'autant plus que la description faite de Donovan était à ne pas s'y méprendre.

En moins de quarante-cinq minutes, toute une escouade tactique avait été dépêchée sur les lieux pour encercler l'endroit indiqué. Bien sûr, les mouvements engendrés par le déploiement des forces policières n'étaient pas passés inaperçus de tous les gens du quartier. L'important c'est que Donovan, lui, ignorait ce qui se tramait.

Chacune des six équipes de policiers attend maintenant avec impatience l'ordre qui les fera passer à l'action. Cet ordre c'est Brunet qui doit le donner. Ce dernier tarde à lancer l'assaut. Il veut être certain que Donovan est bel et bien à l'intérieur et que personne ne se trouve en danger inutilement.

— Tu ne crois pas que ce serait le temps d'y aller, demande Simard avec une petite pointe d'ironie comme pour mettre en doute la stratégie adoptée ?

— Tu me jure que Donovan est là ?

— La meilleure façon de le savoir, c'est de pénétrer dans la maison.

— Si l'appel n'était qu'un canular ? Tu imagines un peu la plainte que nous pourrions subir. Vincelette n'arrêterait plus de nous harceler et de nous ridiculiser.

— Fait chier celui-là !

— C'est quand même lui le grand patron et je ne tiens absolument pas à le vexer.

Réginald sait très bien que Dominique a raison de craindre les foudres de Vincelette. Il incline la tête comme pour démontrer qu'il est à court d'arguments pour inciter son ami à déclencher l'opération. Après tout, Brunet est un homme d'expérience.

Un léger mouvement est perçu à travers la porte-fenêtre à l'arrière de la maison. L'un des policiers lève discrètement la main pour attirer l'attention de l'inspecteur Simard. Ce dernier dirige aussitôt son regard vers l'endroit indiqué. Effectivement, on peut distinguer une forme humaine à travers le verre épais de la porte. Il est impossible, cependant, de détailler les traits de l'individu.

— Il faut y aller avant qu'il ne nous repère, Dominique.

— Je veux la preuve que c'est bien lui.

Plusieurs minutes s'écoulent avant qu'un autre mouvement dans la maison ne vienne chatouiller l'impatience de Simard qui a de la difficulté à se contenir. Brunet est conscient que son inspecteur passe présentement par toute une gamme d'émotions. Depuis le temps qu'il espère mettre la main au collet de Donovan.

La porte-fenêtre s'entrouvre lentement. Quelqu'un est sur le point de sortir. Tous les policiers ayant été désignés à couvrir ce secteur de la maison, sont prêts à s'élancer. Brunet approche de sa bouche le petit micro attaché au rebord de sa chemise.

— Attention à tous, dit-il à voix basse. Le suspect est sur le point de sortir par la porte arrière. À mon signal vous avancerez vers la cour. Une seule équipe demeure pour surveiller le devant.

Un homme sort enfin de la maison. Il est coiffé d'une casquette et la palette de cette dernière dissimule le visage de son propriétaire. Réginald est toutefois persuadé que c'est Donovan puisque celui-ci est également un adepte de la casquette. Pour sa part Dominique Brunet demeure encore septique quant à l'identité de l'homme. On ne peut faire reposer ses présomptions sur le simple port d'une casquette. C'est absolument absurde selon lui.

L'inconnu traverse lentement la longue galerie en bois, puis descend les quelques marches de l'escalier donnant sur la cour où apparaît une immense table en verre entourée de nombreuses chaises. Toujours la tête baissée, l'homme continue sa promenade.

— Équipe 4, le suspect s'approche de vous. Le reconnaissez-vous ?

La réponse est négative. Personne n'arrive à discerner les traits de l'individu à la casquette.

— Allons-y, Dominique. Je suis certain qu'il nous a repérés et qu'il va prendre la fuite.

— Il est cerné, Régi. Comment veux-tu qu'il nous échappe ?

Frustré par l'immobilisme de son supérieur, Simard secoue la tête et grimace sa désapprobation. Donovan est trop futé pour se laisser prendre ainsi. Chaque seconde d'inaction est pour lui un pas vers la liberté. Brunet se goure royalement s'il croit pouvoir l'épingler en retardant l'assaut.

— Avancez lentement, commande Brunet dans son micro à l'intention des équipes en faction sur le devant de la maison. Je veux que deux agents demeurent sur place. Équipe 4, soyez prêts à intervenir dans quelques secondes. Pouvez-vous l'identifier, maintenant ?

— Chef ! Je crois que ce n'est pas Donovan.

— Ça ne semble pas être lui, dit Brunet à l'intention de Réginald.

— Il nous a dupés ! Ce n'était que de la diversion. Quelqu'un l'a avisé de notre présence.

— Tous devant la maison, lance aussitôt Brunet. Équipe 4, neutraliser l'individu.

D'un peu partout, des équipes de deux agents émergent en bloc. L'homme à la casquette porte une main à son front en signe de salut à ceux qui arrivent en trombe pour l'arrêter.

— Charly vous salue, mes amis.

Devant la porte de la maison, les deux agents en faction reposent sur le trottoir de pierres. Visiblement, ils ont été assommés. Comment des hommes d'expérience ont-ils pu se faire avoir de la sorte par un petit salaud comme Donovan ? S'il s'agit, bien entendu, de Léopold Donovan.

— Là-bas, crie un des policiers !

Tous les regards se tournent vers l'endroit indiqué. Une forme humaine se déplace à vive allure le long de la rue. Le fuyard semble être à moitié nu, ne portant qu'un slip. Il disparaît tout à coup, alors qu'il s'engage sur le terrain d'une des propriétés.

Plusieurs agents se lancent aussitôt à sa poursuite. Brunet et Simard, pour leur part, sont montés à bord d'une voiture banalisée qui se met aussitôt en branle.

— Nous devons coincer cette ordure, fulmine Réginald.

L'assaut aurait dû être porté plus tôt ! Il voudrait bien lancer cette constatation à la face de son supérieur et ami, Dominique Brunet, mais le moment est mal choisi pour déclencher une querelle. Il décide donc de garder pour plus tard les reproches concernant la mauvaise gestion de cette opération.

— Ici l'équipe numéro 2. Nous sommes à ses trousses, chef, fait la voix d'un agent dans l'oreillette que porte Brunet. Nous allons le rejoindre dans une minute ou deux.

— Il est cuit. Les gars sont sur le point de l'appréhender. T'en fait pas Régi, nous l'aurons.

Enfin une lueur d'espoir. Donovan devra répondre de plusieurs chefs d'accusation. Il devra faire la preuve qu'il n'est pas responsable du meurtre de Letang et de celui perpétré à St-Samuel-des-Monts. Simard souhaite ardemment que l'on mette à jour certains de ses agissements des dernières années pour que ce salaud ne réussisse pas à se soustraire à la justice cette fois.

— Équipe 2, où en êtes-vous ?

Aucune réponse. Brunet laisse quelques secondes s'écouler avant de reposer la question. Simard a soudainement un mauvais pressentiment. Ils ont crié victoire trop rapidement. Pourtant, l'inspecteur sait très bien de quoi est capable ce Donovan. Ce n'était vraiment pas réaliste de croire que son arrestation se ferait aussi facilement.

— Il nous a semés, chef, dit enfin une voix dénotant un certain remord. Nous l'avions pourtant dans notre mire, mais il a complètement disparu.

— À toutes les équipes. N'arrêtez pas vos recherches. Vous devez le retrouver.

Pendant d'interminables minutes, la voiture de Brunet sillonne les rues de La-Pointe-Delorme. Le petit village semble reprendre vie car, d'un peu partout, les gens quittent leur demeure et bientôt plusieurs véhicules s'élancent sur les routes.

— Ça ne sert à rien de continuer. Donovan doit être loin maintenant.

— Ou il se terre chez des amis à lui.

— Je suis désolé Régi. J'aurais tellement voulu le coincer.

— Je sais pas ce que vous avez encore contre moi, mais je suis innocent.

Brunet sursaute en entendant ces paroles. Il immobilise son véhicule brusquement et tourne un regard empreint de surprise vers son collègue. Donovan est en communication. Il a sûrement subtilisé le micro de l'un de ses agents. Peut-être de l'un de ceux qui ont été assommés un peu plus tôt.

— Rends-toi, Donovan. Tu dis que tu es innocent, alors tu n'as rien à craindre.

— Simard va inventer n'importe quoi pour me faire endosser des crimes que je n'ai pas commis.

— Tu n'auras pas de problème si tu peux prouver que ce n'est pas toi.

— Tout ce que j'ai à vous dire, c'est de chercher ailleurs. Je n'ai rien fait.

— Le meurtre de Régis Letang ? Ça ne te dit rien non plus, Lédo?

— Un meurtre ! Lédo ? Mais ça veut dire quoi, tout ça ? Je n'ai commis aucun meurtre. Laissez-moi tranquille !

Un bruit terrible vient presque déchirer le tympan de Brunet. Donovan a sans aucun doute lancé brutalement l'appareil de communication sur le sol pour le rendre inutilisable.

— Il dit être innocent.

— Et tu le crois ?

— Pas vraiment. Il est malin et sait se faire convaincant, mais je ne le crois pas.

— En tout cas, il n'est sûrement pas très loin d'ici. Si ça se trouve, il est peut-être en train de nous épier présentement.

—Nous ne pouvons quand même pas vérifier toutes les maisons du quartier. Ce serait une perte de temps inutile.

Alors que la voiture de Brunet reprend la route, une ambulance les croise. Probablement pour récupérer les deux policiers que Donovan a malmenés devant la résidence où il se terrait. Ce méfait constitue un chef d'accusation contre Donovan. Voie de fait sur des agents en fonction. Le mandat d'arrêt qui sera déposé contre lui facilitera la tâche des policiers et enquêteurs.

Chapitre 9

Carole laisse échapper un terrible cri alors qu'elle se redresse brusquement et demeure, noyée de larmes, assise au beau milieu de son lit. Un effroyable cauchemar est venu la perturber au point où elle en tremble littéralement.

Réginald Simard fonce vers la chambre de son épouse et, persuadé que cette dernière est agressée, y pénètre en trombe. Tout au long de sa carrière, l'inspecteur a craint qu'un événement pareil ne survienne et que sa femme soit victime d'un malfaiteur mécontent d'avoir passé quelques années à l'ombre par sa faute.

Pourtant, lorsqu'il actionne le commutateur et que la pièce s'éclaire, il constate avec soulagement que Carole est seule et qu'il s'agit d'un mauvais rêve.

— Qu'y a-t-il, ma chérie ? Un cauchemar ?

— C'était affreux, répond-elle, toujours en pleurs.

— Allons. Il n'y a plus de danger. Essaie de te rendormir. Je vais rester près de toi jusqu'à ce que tu dormes.

— J'ai assisté à la mort d'un homme. Une vraie boucherie.

— N'y pense plus. Ce n'était qu'un rêve.

Simard jette un coup d'œil au réveille-matin posé sur une petite table de chevet. Cinq heures. Ça ne sert à rien de retourner se coucher, il doit se rendre au boulot vers six heures trente.

Carole glisse ses jambes hors du lit. Elle n'a pas l'intention de refermer les yeux encore une fois. Probablement par peur de retourner dans cet effrayant cauchemar.

— Je t'avais pourtant prévenu de ne pas m'accompagner sur les lieux du crime à St-Samuel-des-Monts, la fin de semaine dernière. Ce genre de scènes nous reste gravé dans la mémoire pour la vie.

— Tu en fais, toi, des cauchemars comme ça ?

— J'en ai déjà fait, effectivement. Tu ne t'en souviens pas ? Mais maintenant que j'ai l'habitude d'être en face de telles scènes, je peux dormir sur mes deux oreilles.

— Promets-moi que tu vas toujours être prudent. Que tu ne te laisseras pas prendre par l'un de ces psychopathes que tu poursuis.

— T'en fais pas avec ça. J'ai bien l'intention de profiter d'une belle et longue retraite.

Carole passe les bras autour du cou de son mari, puis approche lentement ses lèvres des siennes pour l'embrasser tendrement. Ce genre de rapprochement ne s'est pas produit depuis longtemps si, bien sûr, l'on fait abstraction de la fin de semaine passée au chalet de St-Samuel-des-Monts. Au bout de quelques secondes, Réginald se retire légèrement et lui offre un de ses plus beaux sourires.

— Un avant-goût de ta retraite, souffle Carole en répondant au sourire de son mari.

— Je crois que je me retire dès ce matin.

— Je t'encourage fortement à le faire.

Le couple de quinquagénaires recule de quelques pas, puis se laisse glisser tout doucement sur le lit de Carole. Après s'être enlacés et embrassés pendant une minute, ils s'allongent, tous deux l'un près de l'autre, et laissent libre cours à leurs plus belles caresses.

*

Dominique Brunet se lève brusquement de son fauteuil lorsqu'il voit passer Réginald Simard devant son bureau. D'un pas rapide, il se dirige vers la porte et, en moins de deux, il se retrouve dans le corridor.

— Tu es en retard, Régi. Que se passe-t-il ? Ce n'est pas ton habitude ça.

—Bien le bonjour à toi également.

—Oui. Désolé. Bonjour Régi.

— Un contretemps.

— Des problèmes ?

— Au contraire. Mais laissons ça de côté, si ça ne te fait rien. Parlons plutôt du délai vraiment exagéré avant de recevoir les résultats de laboratoire.

— Justement. Le rapport de l'autopsie de Régis Letang est sur mon bureau. St-Jean y a passé toute la nuit. Tu veux que nous le consultions ensemble ?

Sans même répondre à son chef, Simard revient sur ses pas et pénètre dans le bureau de ce dernier. Aussitôt, il s'installe dans l'un des fauteuils sans même y avoir été invité. L'inspecteur en chef sourit. Réginald est ainsi fait, c'est un impulsif, peu soucieux des règles, enfin de celles auxquelles il peut déroger à l'occasion.

— Nous y voilà, dit Brunet sans plus attendre. J'ai eu le temps de parcourir le rapport avant ton arrivée. St-Jean a découvert une autre preuve concernant l'identité de la victime.

— Nous la connaissons, son identité. Il n'y a rien de nouveau.

— Son permis de conduire.

— Où était-il, celui-là ? Marianne Latreille l'a cherché désespérément. Elle en a conclu qu'il avait été complètement détruit par le feu.

— Pas du tout. Il est intact. Un peu souillé, mais tout à fait lisible.

— Allons, crache le morceau, lance Simard voyant que son ami Brunet fait encore une pause pour laisser planer le suspense.

— D’accord. Sébastien l’a trouvé dans la bouche de Letang. Il était accompagné par…

— Non…tu n’es pas sérieux ? Ne va pas me dire que…

— Oui, le pénis aussi. Il était coincé au fond de sa gorge. En plus, les lèvres avaient été suturées de quelques points. Celui qui a fait ça est un véritable psychopathe. Un maniaque de qui il nous faut se méfier au plus haut point. En plus, tiens-toi bien. St-Jean a noté que des marques apparaissaient juste au-dessus de chaque membre sectionné. Ce qui veut dire que le salaud a installé des garrots pour que Letang reste en vie le plus longtemps possible alors qu’il procédait au démembrement.

Réginald secoue la tête et reste silencieux un long moment, plongé dans ses pensées. C’est la voix de son chef qui vient le tirer du refuge dans lequel son esprit vient de se terrer, comme à son habitude.

— Tu pensais à quoi, au juste ?

— Laisse tomber. Dis-moi plutôt ce que tu comptes faire.

— Tulane et Latreille vont continuer d’enquêter dans l’entourage de Letang. Jusqu’ici, ils n’ont rien trouvé qui pourrait nous aider à remonter au meurtrier.

Simard bondit sur ses pieds. Il est véritablement en colère. Les dernières paroles de Dominique Brunet sont venues le piquer droit au cœur.

— Ça va te prendre quoi au juste pour reconnaître que c’est Léopold Donovan le tueur ? Il signe lui-même ses crimes ! Ne va pas me dire que tu le crois innocent dans cette affaire.

— Nous n’avons aucune preuve tangible qu’il est bel et bien l’assassin. Bien sûr que les apparences le pointent du doigt, mais de là à affirmer hors de tout doute qu’il est le responsable de ces meurtres, il y a tout un monde. N’importe quel avocat, même un médiocre, nous débouterait en cour. Tu veux encore une fois voir Donovan être exonéré de tout blâme par un juge. Et ce, par manque de preuves. Je pense comme toi, Régi. Donovan est l’homme que nous cherchons, mais avant de porter formellement des accusations, il nous faut de véritables preuves de sa culpabilité.

Tu comprends ce que je te dis ?

Simard baisse la tête comme pour démontrer à son ami qu'il a raison sur toute la ligne. Donovan va s'en sortir encore une fois. Il se doit donc de peaufiner sa stratégie s'il veut garder l'espoir de le coincer.

Brunet demeure un long moment silencieux, conscient de l'impact que ses dernières paroles ont eu sur son inspecteur. Réginald doit se rendre à l'évidence qu'ils n'ont rien trouvé de concluant qui justifierait l'arrestation de Donovan. Du moins pour le crime. Les charges de voie de fait demeurent tout de même un atout de leur côté et ils se doivent d'en prendre avantage.

— Et pour le meurtre de l'homme de St-Samuel-des-Monts ?

— Qui te dit que c'est un homme ?

— Ce n'était pas une main de femme clouée à la porte du chalet. J'en suis persuadé.

— Tu as raison, on m'a aussi affirmé qu'il s'agissait d'un homme. Rien de nouveau de ce côté.

— Il y a un fait que tu dois noter, Dominique. Outre Marianne, il n'y avait que La Donovan qui savait à quel endroit j'étais ce jour-là. Elle était présente lorsque je l'ai dit à Marianne. J'espère que ce détail t'éclairera sur l'identité de l'assassin.

— D'accord, je demanderai à ce qu'on vérifie. Tu sais, Deguire fait son possible pour nous rapporter la façon dont se déroule l'enquête, mais celle-ci piétine. Il faut être patient.

— Quand va-t-il revenir ici, celui-là ?

— Il devait nous rejoindre demain matin, mais sa grand-mère est décédée hier. Il doit se rendre en Beauce pour assister aux obsèques dans quatre jours, ce lundi en fait. Si le temps me le permet, je m'y rendrai aussi, par sympathie pour notre collègue. D'une façon ou d'une autre, je crois que c'est notre devoir d'y être représenté. Tu devrais faire un effort et y aller toi-même. François est plus près de toi que de moi.

Tout en oscillant la tête de tous côtés, Simard quitte le bureau de Brunet. Comme s'il n'avait que ça à faire, lui, aller aux obsèques d'une vieille femme dont il ne connaît même pas l'identité. Deguire est lui-même, presque un inconnu.

Aussitôt dans son bureau, Réginald s'empresse de fouiller les dossiers s'accumulant dans un énorme classeur qui repose dans l'un des coins de la pièce. Tout y est parfaitement en ordre. L'inspecteur tient absolument à ce que ses dossiers soient clairement identifiés et classés de façon à ce qu'ils soient faciles à consulter. Bien entendu, un segment du classeur est composé de chemises rouges qui renferment toutes les enquêtes en cours. Celle de Léopold Donovan y est consignée en permanence depuis de nombreuses années.

Simard se saisit de l'un des dossiers et va s'asseoir derrière son bureau, sur lequel un véritable séisme a sûrement sévi dernièrement, puisqu'il y règne un désordre épouvantable. La façon de travailler de Réginald est réellement paradoxale. Il est d'une minutie maladive en ce qui a trait à son classeur et d'un laisser-aller total quant à son aire de travail, en l'occurrence, son bureau.

Après une heure de lecture assidue, l'inspecteur referme le dossier, puis le retourne aussitôt au classeur et l'insère dans la section des enquêtes en cours.

Simard se saisit de l'appareil téléphonique et entre immédiatement en communication avec Dominique Brunet.

— J'irai aux funérailles de la grand-mère de Deguire. Tu as raison, c'est à moi qu'incombe cette tâche.

— Ne prends pas ce déplacement comme une tâche, Régi. C'est une preuve de respect importante envers un collègue. Un de tes équipiers, en plus.

— Bon, bon. Tu veux me faire la morale à présent ? Je me suis mal exprimé, d'accord ? Je m'en excuse.

— Qu'est-ce qui t'a fait changer ta décision ?

— Je veux m'éloigner un peu d'ici pour permettre à Latreille de prendre plus initiatives.

— Mauvaise raison. Tu ne seras parti que vingt-quatre heures, tout au plus.

— Bon, d'accord. Je n'arrive même plus à me concentrer sur mes dossiers. J'aurais l'impression de manquer de respect envers Deguire si je n'y allais pas. Ça te va comme ça ?

Au même moment, Marianne frappe sur le chambranle de la porte. D'un geste de la main, Simard l'invite à entrer. Elle tombe pile. Il avait justement l'intention de la convoquer pour l'informer de la situation. L'aviser qu'elle prendra en main, du moins durant les quelques jours à venir, l'enquête sur le meurtre de Régis Letang.

Réginald interrompt rapidement sa conversation avec Brunet et indique un fauteuil à Marianne Latreille.

Chapitre 10

Désiré Muloin quitte la maison de son grand ami Bernard Plourde peu avant vingt-et-une heures trente. Comme tous les dimanches depuis des années, il se rend au 458 de la rue Dumont pour y jouer au poker avec d'anciens collègues et amis.

La chance n'a pas été au rendez-vous ce soir. L'ex-juge Muloin s'est vu soulagé de plus de quatre cents dollars. Une somme assez dérisoire si l'on considère que la fortune de Muloin s'élève à plusieurs millions, en plus d'un assez gros chèque de pension que lui versent mensuellement les généreux contribuables québécois. Par surcroît, il n'a personne à sa charge, puisque sa famille l'a mis de côté depuis près de cinq ans. Âgé de soixante-sept ans, il espère toujours que son fils et ses petits-enfants reviennent vers lui avant que la vie ne lui arrache son dernier souffle. Finalement, ce n'était qu'un malentendu. Pourquoi lui en tenir rigueur de la sorte ? Ce genre de chose se produit très régulièrement depuis que le monde est monde et il en sera ainsi dans les siècles à venir.

L'ex-juge s'engouffre dans sa voiture de luxe et met aussitôt le moteur en marche. Sa demeure n'est qu'à quelques minutes de là. Si sa santé le lui permettait, il effectuerait cette distance à pieds tous les dimanches, mais voilà que l'état de ses jambes laisse à désirer. Le vieil homme jette un coup d'œil rapide dans son rétroviseur. Il est momentanément aveuglé par les phares d'une voiture qui le suit de trop près. Heureusement, celle-ci dévie légèrement de sa route pour contourner le véhicule de l'ex-juge qui la regarde filer en songeant que c'est assurément un jeune au volant de cette auto d'un rouge éclatant.

Avant que la BMW ne s'engage dans l'allée menant au garage, la porte de ce dernier s'ouvre lentement. Muloin replace le contrôle à distance dans le petit compartiment prévu à cet effet sur le tableau de bord. Le véhicule s'immobilise enfin alors que, derrière lui, l'immense porte de referme.

Muloin glisse les jambes à l'extérieur, puis se redresse. Machinalement, il pousse la portière qui claque aussitôt en se refermant. L'ex-juge sursaute. Un second claquement résonne à son oreille. Une autre porte vient de se refermer. C'est impossible.

Lentement, le sexagénaire fait volte-face pour connaître la cause de ce bruit mystérieux. Il se sent blêmir. Un homme cagoulé est là, arme au poing, qui le fixe avec des yeux d'une brillance peu commune.

— Comment avez-vous fait pour entrer dans mon véhicule ? Vous êtes qui, vous, et vous me voulez quoi, au juste, demande le juge d'une voix tremblotante ?

Muloin se trouve quelque peu ridicule d'avoir posé une telle question. L'argent est sans le moindre doute la raison de cette agression. Et de l'argent, il en a.

— Ne me faites aucun mal. Vous voulez de l'argent ? Alors je vous en donnerai. J'ai un coffre dans la maison. Le contenu vous appartient. Mais ne tirez surtout pas.

L'homme à la cagoule sourit à ces propos. Il le sait très bien que l'ex-juge a amassé une petite fortune en effectuant, tout au long de sa carrière, des placements que beaucoup qualifient de privilégiés. Moyennant des peines plus légères, des hommes d'affaires lui ont permis de faire fructifier son argent plus rapidement que ne pourrait le faire le commun des mortels.

— Tu peux garder ton argent, vieil imbécile ! Je n'en veux pas.

— Alors, que voulez-vous ?

— Passer un message. Tout simplement.

Le vieil homme n'y comprend rien. Quel genre de message veut-il qu'il passe maintenant qu'il ne siège plus ? C'est insensé de croire qu'il pourrait avoir une influence quelconque sur des décisions déjà prises par d'autres juges. Auparavant il lui est arrivé, bien sûr, de faire réduire la peine de certains accusés moyennant une somme d'argent importante ou en échange de considérations futures. Mais voilà, il n'est plus juge et donc, plus de pouvoir.

— Je ne sais pas au juste ce que vous attendez de moi, mais il me sera impossible de passer le moindre…

Muloin n'a pas le temps de terminer sa phrase que son agresseur lui assène un coup de crosse de son revolver à la tempe droite. Le vieil homme s'effondre sur le plancher de ciment en gémissant. La douleur est atroce. Pourtant, le mal qu'il éprouve n'est rien à côté de la peur qui s'est installée dans son esprit. Ce fou furieux n'est pas à prendre à la légère.

— Je vous en prie. Cela ne sert à rien de me brutaliser. Ayez pitié d'un vieil homme sans défense. Si j'ai été injuste envers vous dans le passé, je m'en excuse et je vous assure que je ferai tout en mon pouvoir pour remédier à la situation. Mais de grâce, ne me tuez pas.

L'homme cagoulé se saisit de l'un des bras de l'ex-juge pour le remettre sur pieds. D'une formidable poussée, le sexagénaire atterrit près de la porte menant à la maison. Une lueur d'espoir scintille tout à coup dans ses yeux. Cependant, celle-ci est de courte durée.

— Ne bouge plus.

Une main ferme vient brutalement plaquer au mur le vieil homme qui laisse échapper un cri de douleur. Du sang coule sur son front. La violence de l'impact a été telle qu'elle a provoqué une large entaille.

— Le code ! Quel est le code du système d'alarme ? Et surtout, donne-moi le bon. S'il est refusé, je te briserai tous les os de ton misérable corps.

Un coup porté dans le flanc vient appuyer la demande du cagoulé. Muloin, ne peut en endurer davantage. D'ores et déjà, il est persuadé qu'il vit les dernières minutes de sa vie. Cependant, il est de ceux qui croient fermement que tant qu'il y a de la vie il y a de l'espoir. C'est avec cette pensée en tête qu'il révèle le code d'accès à sa maison.

Le clignotant rouge tourne au vert. La voie est libre.

— Le coffre est là-haut. Dans ma chambre.

Encore une fois, un coup violent aux côtes oblige le sexagénaire à se taire. Son agresseur semble intraitable sur un point. C'est lui qui est le meneur, alors il ne sert à rien de vouloir apporter des réponses avant qu'une question ne soit clairement posée.

En moins de quelques secondes, les deux hommes traversent la cuisine luxueuse et le salon tout aussi somptueux, puis, du bout de son arme, le cagoulé, invite Désiré Muloin à gravir l'escalier menant au premier étage. Une fois dans la chambre de l'ex-juge, l'homme dépose sur le plancher le sac de toile noir qu'il portait sur le dos, puis tourne la tête dans tous les sens, arrêtant son regard dans chacun des coins et recoins de la pièce. Il sait très bien que ces retraités du système de justice sont très souvent préoccupés par leur sécurité et, de ce fait, exagèrent sur les moyens à prendre afin de s'assurer une quiétude pleinement mérité, selon eux. Beaucoup se font installer des caméras un peu partout dans leur demeure, reliant cette dernière à une centrale, prête à déclencher une alerte au moindre mouvement suspect.

Une fois son exploration visuelle terminée, et à sa satisfaction, l'inconnu oblige Muloin à s'allonger sur son lit. Les yeux remplis de larmes, le sexagénaire obéit. Maintenant il est bien évident que les prochaines minutes lui seront très pénibles à vivre. Bien que tous les traits de son visage soient ravagés par la peur et que l'incompréhension se lise dans ses yeux rougis, l'ex-juge n'arrive pas à toucher le cœur de son agresseur, même à faire briller la plus petite pointe de pitié.

Un solide coup en plein front, complémentaire à l'entaille déjà existante, vient brutalement mettre un terme à l'espoir de l'ancien magistrat de se voir gracier par le cagoulé. Tout tourne dans sa tête. Bien qu'il soit toujours conscient, le pauvre homme ne comprend absolument rien à ce qui lui arrive. Ses bras et ses jambes sont allongés au maximum, puis il sent une forte pression sur chacun de ses membres. Par pure réflexe, il tente de se replier, mais rien n'y fait, il est coincé. Le brouillard se lève lentement devant ses yeux et c'est avec désarroi qu'il constate qu'il est attaché à son propre lit.

À sa gauche, sur une petite table de chevet, repose le sac de toile noir du bourreau. Muloin ne veut pas savoir ce qu'il contient. C'est un sac à malices duquel rien de bon ne peut sortir. Il secoue frénétiquement la tête.

Debout, près du lit, l'homme à la cagoule le regarde fixement. Dans l'une de ses mains, il tient un long ruban adhésif argenté de plus de cinq centimètres de largeur. Son intention est évidente et le juge s'en trouve mortifié au point où il urine littéralement dans son pantalon.

— Pourquoi me faites-vous ça, pleurniche-t-il? Qu'est-ce que je vous ai fait?

Sous sa cagoule, l'inconnu se tord les lèvres en signe de mépris, puis, lentement, de sa main libre, il soulève le vêtement dissimulant son identité. Les yeux de l'ex-juge s'agrandissent instantanément de stupéfaction. Il connaît cet homme, mais au moment où il veut crier son nom à tue-tête comme pour le révéler au monde entier, le ruban adhésif vient sceller ses lèvres en emprisonnant les derniers mots de Muloin.

Celui-ci ferme les yeux un instant. Les muscles de son corps se relâchent peu à peu pour se détendre totalement. Désiré Muloin sait maintenant, et ce, sans aucun doute possible, que la fin est arrivée. Rien ne sert de vouloir résister. Le sort en est jeté.

Il tourne la tête vers la gauche et, une par une, il pose son regard sur les photos de ses trois petits-enfants. Émile, un petit ange de douze ans, sa sœur Rébecca, onze ans et Amélie, sa préférée, étant la plus vieille, maintenant âgée de seize ans. Il ne les a pas tenus dans ses bras depuis plusieurs années, mais leur image est profondément enfouie dans sa tête et c'est avec un plaisir immense qu'il se remémore les plus beaux moments de son existence passés en compagnie de ces délicieux petits enfants.

Alors que son bourreau s'affaire à le dévêtir entièrement, Désiré Muloin laisse échapper un flot de larmes. Ses regards déchirés par la détresse n'arrivent aucunement à atteindre le cœur de l'homme qui s'apprête à livrer son message.

Chapitre 11

Une trentaine de personnes forment l'assemblée réunie dans la petite église pour assister à la messe funéraire de Roberte Dequoy. À quatre-vingt-deux ans, les amis se font beaucoup plus rares et les membres de la famille proche également. Quant aux neveux et nièces, ils se sont éloignés au fil des ans et ont distancé progressivement leurs visites jusqu'à ce qu'elles deviennent presque inexistantes. François Deguire est le seul petit-fils, encore en vie, de la défunte.

Comme prévu, Réginald Simard se rend seul, Carole n'étant pas intéressée à le suivre aux obsèques de madame Dequoy. Arrivé la veille, en après-midi, dans le petit village de Mériport en Beauce, l'inspecteur a eu le loisir de visiter les alentours, histoire de prendre davantage conscience des beautés de la nature que renferme notre pays. Comme à son habitude, en fin de soirée, il s'est dégotté un petit bar, de danseuses par surcroît, dans lequel il a ingurgité quelques bières, pour finalement retourner au motel peu après une heure du matin, afin de bénéficier du repos du juste.

S'étirant le cou au maximum, il tente de retracer le jeune Deguire, mais n'arrive pas à le localiser. Pourtant il n'y a pas foule, le jeune inspecteur ne devrait pas être si difficile à repérer. Simard laisse échapper un grognement d'impatience. Puis, inspirant profondément, il laisse tomber. Après tout, il n'est aucunement nécessaire de se tenir tout près de son équipier. L'important, c'est tout simplement de faire acte de présence et ainsi contenter Dominique Brunet qui croit toujours aux bonnes manières dans ce bas monde.

La cérémonie est en cours depuis une bonne vingtaine de minutes lorsque François Deguire fait son apparition. Vêtu d'un complet bleu marine trois pièces, dont la veste est légèrement froissée au dos, et d'un pantalon n'ayant pas été repassé depuis belle lurette. Quant à la cravate, il aurait été préférable pour François de ne pas en porter.

Tout en tentant, de ses doigts entrouverts, de peigner sa chevelure en bataille, le jeune homme se rend, sous l'œil réprobateur du célébrant, jusqu'à la deuxième rangée de bancs et s'y installe. Simard secoue la tête.

— Il ne changera jamais, cet idiot-là, songe-t-il.

Le «Amen» final vient enfin clore la messe. Tous les participants à la cérémonie se joignent au porteur de l'urne cinéraire pour accompagner la défunte à sa dernière demeure. Simard remarque que personne, pas même les deux filles de Roberte Dequoy, ne pleure la pauvre vieille. Qu'il est déplorable, pour des personnes âgées, de faire très souvent de nombreux sacrifices tout au long de leur vie sans qu'aucune peine ne vienne leur rendre hommage au moment où celle-ci les quitte. Réginald est heureux de ne jamais avoir eu d'enfant. Du moins, c'est ce qu'il prétend pour ne pas dramatiser son infertilité. Néanmoins, l'inspecteur baisse légèrement la tête pour tenter de dissimuler la larme que cette sombre pensée vient de faire apparaître au coin de son œil.

Le ciel est couvert, mais il n'y a pas de pluie. Un temps idéal pour un enterrement. Ils ne sont plus qu'une vingtaine de personnes autour de la petite fosse aménagée pour recevoir le vase béni. La cérémonie ne devrait pas s'éterniser, puisque ça fait deux fois que le prêtre regarde sa montre. Il est pressé par le temps.

Comme il se doit, l'oraison funèbre ne dure que quelques minutes, deux ou trois prières rapides et le tour est joué. D'un geste de la main, le célébrant invite le petit groupe à s'éloigner pour laisser à la famille proche toute la latitude possible pour faire leurs derniers adieux à la défunte. Il ne reste personne près du trou. Tous s'éloignent en conversant à voix haute et en ricanant comme s'ils venaient d'assister à un spectacle quelconque.

— Je te remercie d'être venu, Régi, dit Deguire en se rapprochant de son chef d'équipe. Mais tu sais, tu n'avais pas à te déplacer pour ça. Par contre, ma mère sera ravie de faire ta connaissance.

— Premièrement, je crois que c'est tout à fait naturel de vouloir sympathiser à la douleur que peut éprouver un collègue. Deuxièmement, je ne crois pas que je vais pouvoir rester assez longtemps pour rencontrer ta mère. Lui offrir mes condoléances avant de partir, ça va de soi, mais pas davantage. Au fait, comment se fait-il que personne n'accueillait les gens à l'entrée de l'église avant la cérémonie ?

— Euh…Je…

— Laisse faire. Je crois que je comprends. Le départ de ta grand-mère semble être un soulagement pour tout le monde. Alors pas besoin d'essayer de trouver une quelconque excuse mensongère qui justifierait un manque de savoir-vivre.

— Tu y vas un peu fort, Régi, fait aussitôt François, un peu offusqué par les dernières paroles de l'inspecteur. Personne n'a le droit de juger le comportement des membres d'une famille éprouvée par le décès d'un être cher. Pas même toi, Régi.

— Oublie ce que je viens de dire. Tu as bien raison sur un point. Ça ne me regarde pas. Par contre, simple curiosité de ma part, pourrais-tu me dire comment il se fait que tu sois arrivé aussi en retard à la cérémonie ?

François Deguire tourne la tête vers la lisière d'arbres qui escorte le sentier menant à la sortie du cimetière. De toute évidence, il cherche ses mots pour confectionner une réponse qui pourrait satisfaire Réginald.

— Je crois que je vais avoir encore droit à un tissu de mensonges, fait l'inspecteur en souriant.

— Non. La vérité, c'est que j'ai rencontré de vieux amis hier. Des amis de jeunesse avec qui j'ai fait la fête très souvent. On s'est payé une petite virée comme dans le temps. Tu sais ce que c'est, non ?

— Non ! Du moins pas en ce qui concerne ton retard. Une personne peut s'enivrer autant qu'elle le veut, faire des conneries toute la soirée, mais ça ne lui donne pas le droit de ne pas s'acquitter de ses obligations. Enfin. Ça te regarde. C'était une remarque, c'est tout.

Cette fois Deguire baisse la tête. D'une certaine manière, il se sait coupable de ce manque de respect envers sa grand-mère, mais par contre, elle ne s'est jamais vraiment occupée de lui et il ne la voisinait pas de façon assidue. Donc, son manque de respect est plutôt en regard de ceux qui croient encore à ces liens qui doivent nécessairement exister entre les membres d'une famille. Du tape-à-l'œil, quoi ! Du paraître ! Quoi qu'on dise, généralement les funérailles ne sont en fait que des réunions de famille où il fait bon se rencontrer pour connaître un peu les nouvelles de tout un chacun et pour se remémorer le bon temps. C'est aussi, pour plusieurs, l'occasion de prendre congé du travail. Pour d'autres, c'est de remettre la monnaie de la pièce à un ou une amie, une connaissance. Pour certains, c'est aussi une belle opportunité de se bourrer de sandwichs et de desserts. Quatre-vingt-dix pour cent des gens qui assistent à ces cérémonies se foutent pas mal des défunts. Le dix pour cent qui reste, ce sont des personnes sincères, c'est-à-dire la seule richesse qu'un être humain perd lorsqu'il quitte cette vie.

Simard s'arrête près de sa voiture et s'y engouffre aussitôt. Après quelques secondes de réflexion, il passe la tête par la fenêtre pour s'adresser à Deguire. Ce dernier affiche un air piteux, laissant deviner un certain regret. Réginald s'en veut un peu d'avoir eu des paroles aussi dures envers son équipier. Il n'avait pas à déverser sa frustration sur ce jeune homme. Cependant, il n'est pas vraiment homme à faire des excuses pour tout et pour rien. Bien entendu, il considère que cette discussion n'avait rien de bien important.

— Tu comptes retourner quand à Sainte-Jasmine ?

— Je quitte Mériport cet après-midi. Je serai au bureau demain matin. Et je ne serai pas en retard. Je t'en fais la promesse.

Réginald esquisse un sourire, pose une main sur le bras que François avait appuyé sur le bord de la fenêtre, puis il exerce une pression avec ses doigts, comme pour démontrer sa compréhension. Peut-être même que ce geste a pour but de signifier à Deguire qu'il est désolé de la tournure de la conversation.

Sans plus de détails sur son état d'âme, Simard reprend la route. Il n'a pas vraiment l'intention de passer plus de temps dans ce petit village. Il y reviendra peut-être un jour en compagnie de Carole pour jouer aux touristes, mais rien n'est certain. L'attitude des gens aux funérailles de la vieille l'a profondément déçu, même si, bien entendu, son propre savoir-vivre n'est pas réellement exemplaire. Ils ne méritent pas que l'on s'intéresse à eux.

Chapitre 12

Marianne Latreille regarde le véhicule de Réginald Simard se stationner près de l'édifice renfermant les bureaux des policiers de Sainte-Jasmine. Sa façon de se dandiner sur un pied et puis sur l'autre démontre un certain degré d'impatience. L'inspecteur l'avait prévenue de son arrivée vers seize heures, mais il est presque dix-sept heures.

— Qu'est-ce que tu as fait ? demande aussitôt Marianne alors que Réginald est encore à cinq mètres d'elle.

— Bonjour à toi aussi.

— Désolée, Régi. Bonjour. Je ne pouvais plus tenir en place.

— Je ne savais pas que c'était aussi urgent. Je me suis arrêté en route pour prendre un verre et admirer le décor. On dirait bien que c'est une journée prédestinée pour les retards.

— Que veux-tu dire ?

— Laisse faire. Ça n'a pas d'importance. Dis-moi plutôt ce qui te rend aussi fébrile.

La jeune femme acquiesce de la tête, mais avant, elle lui indique la porte du poste pour l'inviter à entrer.

La journée est tellement belle à Sainte-Jasmine, contrairement au ciel nuageux de Mériport, que Réginald décide plutôt de s'installer à la table extérieure, se dressant un peu en retrait, destinée aux fumeurs invétérés.

Sans poser la moindre question, Marianne vient s'y asseoir également, mais tout en grimaçant sa désapprobation car l'odeur de tabac, incrustée dans le meuble, lui donne presque envie de vomir.

— Allons marcher un peu, lance aussitôt Simard en constatant que la couleur du visage de sa compagne pâlit à vue d'œil.

— Merci.

— Bon, maintenant, viens-en au fait.

— J'ai rendu visite à l'épouse de Régis Letang, même si d'autres policiers étaient déjà passés l'interroger sommairement. Ce n'était pas vraiment ce que l'on peut appeler le grand amour entre eux. Ils étaient tout de même mariés depuis une quinzaine, mais n'avaient pas d'enfant. Letang était gérant dans un magasin de sport à grande surface et son épouse, Mariette Vital, est gérante d'une boutique de lingerie fine. Ils étaient donc parfaitement à l'aise au point de vue monétaire.

— Un amant ? Une maîtresse ?

— Pas de détails là-dessus. Enfin, concernant un amant pour la dame.

Simard penche la tête légèrement sur le côté comme pour poser une question. Une question silencieuse à laquelle Marianne répond aussitôt.

— Pas de maîtresse non plus pour le monsieur.

— Allons, viens-en au fait, Latreille. Tu prends un malin plaisir à me faire languir.

— Bon, d'accord, dit-elle en souriant. Je te donne tout de suite le résultat de ma petite enquête. Régis Letang a un petit penchant pour la pédophilie.

— Quoi ! Tu me fais marcher ?

— Non. Du moins, c'est ce que les parents d'un des enfants qui fait partie de son équipe de hockey m'ont révélé. Letang était entraîneur pour les Météores de Sainte-Jasmine depuis plusieurs années. J'ai appris que le monsieur en question a quitté son village natal il y a près de cinq ans.

C'était à Rivière-aux-Perches, à vingt minutes d'ici. Des accusations d'attouchements avaient été portées contre lui, des gestes posés sur plusieurs jeunes garçons, même des adolescents, mais, faute de preuves, elles avaient été abandonnées. En plus, les avocats de Letang avaient tellement traumatisé les enfants que les parents avaient demandé l'arrêt des procédures en retirant les plaintes. La dame m'a aussi avoué que le monsieur en question avait une relation toute particulière avec l'un de ses neveux.

— Je me souviens maintenant, oui. Letang, comment j'ai pu avoir oublié son nom ? Cette affaire n'avait pas fait la manchette bien longtemps. Mais je suppose que les pauvres garçons, eux, seront traumatisés pour le reste de leur vie.

— Y a pas de doute là-dessus. Tu veux que je continue l'enquête de ce côté-là ? De la vengeance de la part de certains parents, par exemple ? Ils ne veulent tout simplement pas que son histoire se répète à Sainte-Jasmine.

— C'est notre devoir de trouver les coupables. Personne n'a le droit de se faire justice. Mais si jamais une autre affaire attire ton attention, alors prends tes distances avec celle de Letang.

— Cela va peut-être innocenter Donovan.

— Non. Pour ma part, il est encore suspect numéro un. Il s'agit peut-être d'une coïncidence.

— Demain matin je repars à la quête de nouveaux indices.

— D'accord, on se revoit en fin de journée. Tu me feras un rapport complet.

Sur ces mots, la jeune femme blonde tourne les talons pour se diriger vers son véhicule. Sa journée de travail est terminée. Juste le temps d'aller se doucher à la maison et ce sera l'heure de se rendre au gymnase. Trois fois par semaine lorsque, bien sûr, le temps le lui permet, la jolie inspectrice se rend dans un centre de conditionnement pour y suer pendant une heure en utilisant des appareils de musculation et en soulevant des poids. D'ailleurs, sa silhouette est la preuve évidente que l'exercice physique est le meilleur moyen pour garder la forme.

La maison louée par Marianne se trouve un peu en dehors de la ville. Elle a choisi volontairement cet endroit pour vivre afin de retrouver la tranquillité chaque soir en revenant du boulot.

Alors qu'elle descend de son auto, Marianne remarque que le balai, qu'elle prend toujours bien soin de ranger près de la porte d'entrée, gît sur le trottoir. Quelqu'un l'a déplacé. Peut-être le livreur de journaux de ce matin ? Les enfants des voisins ? La porte est verrouillée, donc il n'y a pas de quoi à fouetter un chat.

La jeune femme entre donc, dépose son arme dans le tiroir d'un bureau sur lequel est posé un grand miroir fixé au mur d'un corridor, et elle commence aussitôt à se dévêtir en se dirigeant lentement vers la salle de bain.

Un léger tintement attire son attention. Marianne s'immobilise subitement et tourne la tête vers la cuisine. C'est de là que provenait le bruit. Les secondes s'écoulent, mais rien ne se produit, le silence complet. La jeune femme reprend sa respiration normale. Néanmoins, pour en avoir le cœur net, elle se rend à la cuisine en trois enjambées. Il n'y a personne. Pourtant, alors qu'elle s'apprête à détourner les yeux, elle aperçoit un léger mouvement du rideau habillant la fenêtre s'ouvrant près de la porte arrière. Sur le plancher, un petit éclat de verre apparaît. Quelqu'un est entré !

Affolée, Marianne fait volte-face pour aller s'emparer de son arme et de ses vêtements semés sur le plancher. Malheureusement, la jeune femme blonde est piégée. Le canon d'un revolver pointe vers son front. Deux hommes la dévisagent avec de grands yeux ébahis. Instinctivement, Marianne se couvre les seins de l'un de ses avant-bras et le sexe de son autre main grande ouverte.

— Le corps policier de l'endroit est vraiment beau à voir, ricane l'un des hommes dont la figure est recouverte d'un affreux masque de latex à l'effigie d'un gorille. Nous pourrions nous amuser un petit moment, non ?

— Je te conseille de ne pas y toucher, grogne le second lascar aux traits de Hulk, le super héros.

Tout en prenant bien soin de garder le pistolet pointé vers Marianne, ce dernier se penche pour ramasser le chemisier de la jeune femme et le lui tend précautionneusement. Elle le saisit, puis, en se retournant, elle l'enfile.

— Que me voulez-vous ? demande Marianne d'une voix tremblotante.

— Je ne te veux aucun mal. Je veux seulement que tu fasses un message à Simard. Tu lui diras que Léopold Donovan n'a rien à voir avec le meurtre de ce Régis Letang. Tu m'entends ? Il se trompe de cible, ce vieux merdeux. Il est tellement obsédé par Donovan qu'il le soupçonne de tous les meurtres de la terre. C'est un con, ce flic-là. Tu devrais t'en méfier, il va te rendre folle.

— Pourquoi te cacher derrière ce masque, Lédo ? C'est vraiment maladroit de ta part de m'agresser de la sorte seulement pour faire un message.

— Elle a raison, ça ne rime à rien tout, lance le grassouillet affublé du masque de gorille. Faudrait peut-être lui faire son affaire. Mais avant, je pourrais lui montrer c'est quoi un homme. Un vrai !

— Ta gueule, imbécile. Tu ne lui toucheras même pas à un cheveu.

En dodelinant de la tête, le sosie de Hulk indique la porte d'en avant à son complice. L'heure de tirer leur révérence est arrivée.

— Je ne connais pas ce Lédo, Donovan n'est pas ce Lédo et je me fous royalement de ce Lédo. Tu m'entends ? Il n'a rien à voir avec lui. Donovan est un homme rangé maintenant. Il fait tout pour réparer les torts qu'il a pu causer dans le passé. Il est en règle avec la loi…sauf pour l'agression des deux gardes à La-Pointe Delorme. Ce n'était que de la légitime défense. Alors, dis à cet idiot de Simard de lâcher prise sur Donovan s'il veut vraiment trouver le coupable. Peut-être même que très bientôt, Donovan pourra lui fournir le nom du tueur qu'il recherche. Justement, mon ami King Kong est sur une bonne piste. Maintenant, je m'excuse, mais retourne-toi et enlève ton chemisier.

— Quoi ! Tu n'es qu'un…

— Je n'ai aucune mauvaise intention. Je ne veux pas prendre la chance que tu nous suives. Alors fais ce que je te dis, sinon je me verrai dans l'obligation de t'assommer.

N'ayant pas vraiment le choix, Marianne tourne le dos à l'homme et se dévêt, profondément humiliée de se retrouver encore une fois nue devant les yeux de son agresseur. Ce dernier demeure un moment à savourer la vision de ce superbe corps. À l'instar de son complice, il trouve la policière très désirable, mais il n'est pas question de commettre l'erreur de poser la main sur elle. Alors il se saisit brusquement du chemisier, puis s'empresse de ramasser la petite culotte, le soutien-gorge et le pantalon de Marianne qu'il enfouit sous sa chemise.

Avant de quitter la maison, l'homme jette le revolver sur le plancher ainsi que les balles qu'il avait bien pris soin de retirer au préalable.

— Bonne soirée à toi, belle Marianne, dit-il avec une pointe d'ironie.

La jeune femme s'effondre en larmes au moment même où la porte se referme. Son réflexe de policière aurait pourtant dû l'inciter à se lancer aussitôt à la poursuite de ses agresseurs. Mais nue, jamais ! Marianne est blessée dans son amour propre, sa dignité. Cependant, elle se ressaisit rapidement et se jure que ce salaud lui paiera cet affront.

Chapitre 13

Xavier Tulane arrive devant la porte du bureau de Réginald Simard en même temps que sa coéquipière, Marianne Latreille. Il n'est pourtant que sept heures alors que la petite réunion prévue pour ce mardi n'est qu'à huit heures. Malgré qu'ils soient tous les deux chargés de la même affaire de meurtre, ceux-ci ne partagent pas toujours l'information, du moins du côté de Tulane. Peut-être pour impressionner son patron par son efficacité. Contrairement à son habitude, Latreille ne semble pas dans son assiette. Elle qui est toujours de bonne humeur en début de journée et, très souvent, tout au long de son quart de travail.

— Il se passe quoi avec toi ce matin, Marianne? demande Xavier en décelant une certaine nervosité dans les gestes de sa collègue.

— Rien. Ça va. Un peu de fatigue sans doute.

— Ce serait une première, ça.

Latreille ne veut absolument pas faire état de sa mésaventure de la veille à Tulane. Elle est même indécise par rapport à ce qu'elle doit réellement faire. Raconter à Régi l'agression qu'elle a subie ou taire cette histoire. Tout révéler ne ferait qu'augmenter l'obsession de son supérieur envers Donovan. De toute façon, même si elle est persuadée que c'était Léopold Donovan sous ce ridicule masque de Hulk, elle ne pourrait pas le jurer et, encore une fois, faute de preuves, il serait acquitté. En plus, le scélérat et son complice portaient des gants de latex, alors aucune empreinte.

— Tu as vu le chef hier après-midi?

— Si on peut dire, oui. Il était dix-sept heures. Nous n'avons pas discuté très longtemps.

— De ce que nous avons appris au sujet de Letang ?

— Exactement. Je crois que ça va donner un nouvel éclairage à l'enquête. Par contre, Régi croit encore que… que Donovan est le meurtrier que nous recherchons.

Même si Xavier Tulane est légèrement intrigué par l'hésitation de Marianne dans ses paroles, il n'a pas le temps de lui poser la question, car cette dernière enchaîne aussitôt.

— Et toi, tu as de nouveaux éléments ? Tu ne m'as pas mise au courant de ton emploi du temps d'hier après que l'on se soit séparés. Mais pour que tu sois ici si tôt, j'imagine que tu as du neuf.

— En effet.

— Tu peux me dire de quoi il s'agit ?

— Régi d'abord.

— Ce n'est pas de cette façon que nous sommes censés travailler. Je te ferai remarquer que nous formons une équipe, c'est Régi lui-même qui nous a demandé de faire équipe ensemble. Et en tant que telle, nous avons le devoir de partager nos informations.

— Tu le sauras bientôt. Quand je ferai mon rapport à Régi.

Simard les invite à entrer au moment où Marianne Latreille est sur le point de s'emporter en haussant le ton, indignée par l'attitude égoïste de Tulane. Elle est déçue de manquer cette opportunité de le remettre à sa place.

— Que me vaut cette visite aussi matinale ?

— Il a quelque chose d'important à te dire.

— Oh ! Je sens du sarcasme dans ta voix, Marianne.

Xavier Tulane adresse un immense sourire à sa collègue lorsqu'il la devance pour aller prendre place dans un fauteuil devant le bureau de Simard. Marianne grimace son mécontentement en signe de réponse.

— Allons ! Ne faites pas les enfants, je vous prie. Dites-moi plutôt de quoi il s'agit au juste. Ça me paraît très important, en tout cas.

— Mademoiselle Latreille est frustrée parce que j'ai omis de la mettre au courant d'une découverte se rapportant à l'enquête de Letang.

Simard lance un regard en direction de Marianne qui, demeurée debout, appuyée contre le chambranle de la porte, secoue la tête en signe d'impatience. De toute évidence, elle est choquée, même frustrée, comme le dit si bien Tulane.

— Et quel est ce secret si bien gardé ? Tu peux me le dire ?

— Je ne sais pas si je peux parler en présence de mademoiselle, souffle Tulane, souriant toujours pour se moquer davantage de la jeune femme.

— Tu as le cœur à rigoler ce matin à ce que je vois, enchaîne aussitôt Simard. Eh bien ! Si tu ne te décides pas à parler d'ici trois secondes, tu t'en vas passer un mois aux archives. Moi, je ne rigole pas. Ce n'est pas une garderie ici ! Des enfantillages, je n'en veux pas. Est-ce que c'est bien clair, Xavier ? Je vous ai mis sur cette affaire parce que j'ai confiance en vous. Une équipe ! Tu sais ce que c'est ?

Le sourire du jeune homme meurt instantanément sur ses lèvres qui se serrent. Il a de la difficulté à avaler la salive qui vient de s'accumuler dans sa bouche. Gêné par son attitude, il baisse la tête et ferme les yeux un instant. Il s'en veut profondément de s'être comporté de la sorte

— Je suis sincèrement navré, Marianne. Je te prie de m'excuser, j'ai été con.

— Bon ! Du mélodrame maintenant. Tulane, tu parles ou tu descends poiroter au sous-sol pour le prochain mois ?

— D'accord. D'accord. Hier, en début d'après-midi, après être revenu au bureau, commence Xavier.

— Tu étais où ?

— Marianne et moi sommes allés sur le terrain pour poser des questions aux personnes de l'entourage de Letang. Alors, comme je disais, en revenant, un jeune homme attendait pour me parler. Le gars avait environ vingt-cinq ans. Je dois dire qu'il voulait s'entretenir avec un inspecteur, n'importe lequel. Ça aurait pu être Marianne, mais le sort a voulu que ce soit moi. L'homme, un certain Louis Allard, a insisté pour me parler seul à seul. J'ai tout de suite vu qu'il était un peu dérangé, tu vois le genre.

— Non, justement, je ne vois pas du tout. Je compte sur toi pour m'éclairer.

— Il me semblait être un peu déséquilibré mentalement. Difficile à comprendre les mots qu'il me disait, il se répétait tout le temps, jouait sans cesse avec les boutons de sa chemise, n'osait jamais me regarder franchement. Il suait à grosses gouttes tout au long de l'entretien. De plus, il mâchait de la gomme, ce qui n'était pas pour aider sa prononciation.

— Et c'est cette conversation que tu trouves si importante ? Il t'a appris quoi au juste, ton spécimen ?

— Il m'a répété plusieurs fois qu'il savait des choses. C'est ce qu'il disait : Je sais des choses, moi. Je sais des choses.

— Quelles choses au juste ?

Intéressée par les révélations de Tulane, la jeune inspectrice quitte le chambranle pour venir s'installer dans le fauteuil voisin de son coéquipier. Tout comme Simard, elle est anxieuse de connaître la suite du récit.

— Ce n'était pas vraiment clair. On aurait dit que sa nervosité augmentait de plus en plus au fil de sa déposition. Il avait même de la difficulté à rassembler ses idées. Décousues, des phrases complètement décousues. Mais tout se rapportait à Letang. Du moins, je le crois.

— Comme ?

Tulane extirpe un petit calepin de la poche arrière de son jean, en retourne quelques feuilles, jette un rapide coup d'œil à Marianne avant de lire les premiers mots.

— Voilà quelques phrases courtes que j'ai notées : J'ai vu l'homme au masque. Louis était là. C'était sa punition à lui. Il a donné son bain pour le purifier. Il ne fera plus de péchés. La table est préparée pour le repas.

Xavier abaisse son calepin et plonge le regard dans celui de Réginald, cherchant une certaine satisfaction dans les traits de son supérieur. Pourtant, Simard reste de marbre un long moment, comme pour digérer ces quelques lignes lancées par quelqu'un qui, à première vue, lui semble assez perturbé.

— C'est tout ? En effet, ça pourrait être relié à l'affaire Letang. Par contre, il n'y a rien de bien concret là-dedans. Imagine un peu que l'on ne connaisse pas du tout cette affaire, que l'on ne soit jamais allé sur les lieux de ce meurtre, crois-tu que ce charabia nous aiderait ?

— Il a certainement vu quelque chose, tout de même.

— Les journaux ! Voyons Tulane. Toutes ces phrases, il peut très bien les avoir inventées après avoir lu les journaux. Pour ce qui est des notions de péché, de punition et de purification, il a tout simplement fait de l'extrapolation. Un cadavre coupé en morceaux a voulu dire, pour lui, une punition pour des péchés commis.

— D'un autre côté, intervient Marianne, avec la révélation concernant les attouchements sur un jeune joueur de hockey, cette notion de péché prend tout son sens. De plus, il a fait mention d'un homme masqué. Ce n'était pas dans les journaux, ça. Nous ne le savions pas nous-mêmes.

— Il t'a dit autre chose ? lance Simard en ignorant les derniers commentaires de la jeune femme

— Non. Il s'est refermé complètement. Je n'ai rien pu lui tirer de plus. Sauf ses coordonnées, bien sûr. Régi, je crois que ce Louis Allard a vu quelque chose. Même qu'il pourrait être celui que l'on recherche. Selon moi, ses révélations en font un suspect important. Mon instinct d'inspecteur me dit qu'il a quelque chose à voir avec ce meurtre.

— Un témoin, tout au plus. Ne saute pas aux conclusions. À mon point de vue, il n'est ni l'un ni l'autre. Il s'est, sans aucun doute, inventé une histoire après avoir lu les journaux. Essaie de savoir si ce Louis Allard connaît, ou même fait partie de la famille du jeune qui a été agressé par

Letang. Si, bien sûr, il y a réellement eu attouchements. Nous n'avons que la version des parents du jeune. La preuve n'a pas encore été faite pour ce méfait.

— Tu disais, un peu plus tôt, que tu te rappelais des histoires d'agressions le concernant.

— Il y a plusieurs années, oui. Mais aucune charge n'a été retenue contre Letang, ce qui en fait un innocent.

— Mais…

— Ça ne sert à rien de continuer à se creuser les méninges de la sorte pour rien. Enfin, presque pour rien. Allez sur le terrain, interrogez les parents des joueurs des Météores, faites-moi un rapport complet sur Allard, ses occupations, ses antécédents judiciaires si tel est le cas. Je veux savoir s'il vit seul ou avec sa famille, s'il possède une auto, s'il a des activités, où il passe son temps. Je veux tout savoir sur lui, est-ce clair ?

Latreille et Tulane savent pertinemment que lorsque Régi s'emporte de la sorte dans ses exigences, il ne faut surtout pas le contredire. Ce n'est qu'avec des signes de tête que les deux jeunes inspecteurs acquiescent à ces demandes. Ils n'auront pas beaucoup de répit dans les jours à venir, mais cela fait partie de leur travail, un travail qu'ils adorent. Le plus beau travail du monde.

Alors qu'il s'apprête à quitter la pièce, Xavier porte la pointe de ses doigts à son front pour saluer son chef. Même si Simard n'a pas été tendre à son endroit et qu'il met en doute les déclarations d'Allard, il est tout de même satisfait de la petite réunion.

Pour sa part, Marianne a cru bon de taire l'incident de la veille, du moins pour l'instant. Elle aurait bien voulu que Réginald élabore un peu plus sur le fait qu'Allard dit avoir vu un homme masqué. Elle aurait pu en profiter pour lui raconter la petite visite de Donovan qui était justement masqué pour cette occasion. C'est la tête basse qu'elle se dirige vers la sortie

— Vous avez fait un excellent boulot, dit Simard à l'intention de ses équipiers avant de se plonger le nez dans le dossier posé devant lui.

Chapitre 14

Réginald Simard a passé une journée misérable au bureau. C'est toujours ainsi lorsqu'il doit s'absenter quelques jours, il a beaucoup à faire dans certains dossiers à son retour. Cela le met de mauvaise humeur de ne pas pouvoir aller sur le terrain pour tenter de retracer des criminels. C'est ce qu'il reproche le plus à son passé : ne pas lui avoir permis de mettre hors d'état de nuire ces monstres qui errent toujours dans les rues en quête de victimes.

De plus, ce matin il a eu une discussion quelque peu orageuse avec Deguire. Sa façon de voir les choses et surtout d'agir ne lui plaît pas du tout. Le jeune homme a besoin de plus de discipline. Par surcroît, contrairement à sa promesse de la veille, il était en retard au bureau. Pour le ramener à l'ordre, il l'a renvoyé chez-lui, sans solde.

Régi lève et brandit légèrement son verre vide à la hauteur de ses yeux. Le barman comprend aussitôt le message et, en moins de quinze secondes, un autre verre de whisky apparaît devant le policier. Ce dernier en est à son quatrième. On dirait que ça devient une habitude chez-lui.

Pour ce soir, il devra songer bientôt à arrêter dc boire, sinon il lui sera impossible de conduire son véhicule.

Tout en avalant une gorgée du précieux liquide, l'inspecteur fait pivoter le banc sur lequel il est assis pour se retrouver face à la scène où, en tenue d'Ève, une jolie jeune femme exécute, avec plus ou moins de grâce, des mouvements lents et suggestifs qui ne laissent aucun doute quant au but recherché. Plus ses gestes seront sensuels, plus elle fera baver d'envie la série de voyeurs alignés à moins de deux mètres d'elle et plus ces derniers lui offriront des billets pour en voir encore plus.

Simard secoue la tête. Bien sûr que le spectacle est agréable à regarder, mais de là à dépenser son chèque de paie, il y a tout de même une marge à ne pas franchir. Et si ce n'était que de l'argent qu'il s'agit. Le problème est beaucoup plus profond. Il y a très souvent, parmi les spectateurs de ce type de prestations, de réels pervers qui viennent s'exciter au point où ils devront, en quittant l'établissement, se satisfaire d'une manière ou d'une autre. De nombreux viols sont perpétrés par ce genre de spécimens, des filles se font tripoter par leur propre père qui revient, ivre, de ce genre d'endroit, des femmes, refusant d'accéder aux demandes extravagantes de leur mari, alors qu'ils reviennent émoustillés d'un tel spectacle, sont molestées par ceux-ci.

Simard balaie du regard l'avant-scène. Des hommes âgés, pour la plupart dans la cinquantaine, ont les yeux rivés sur les attraits de la belle rousse au sourire synthétique et au regard perdu dans les nuages, qui danse lascivement et surtout machinalement pour leur en mettre plein la vue. Chacun d'eux croit fermement que la belle danse et pose des gestes sensuels pour eux personnellement. Il ne faut pas s'y méprendre, la jeune femme se fout royalement de ces voyeurs. L'important, c'est de faire de l'argent, pour le patron de la boîte et pour elle.

Régi fait pivoter le tabouret pour reprendre sa position initiale. Pourtant, une petite voix intérieure lui suggère de reporter son attention sur la rangée de pervers. Tout au bout, dans le coin le plus sombre de la pièce, un jeune homme a les yeux rivés sur la belle rousse. Simard ne peut mettre un nom sur la figure de l'homme, mais il a la nette impression de le connaître. Il doit faire dans les cent kilos et avoir une taille d'un peu plus d'un mètre soixante ; difficile à évaluer puisqu'il est assis. Un visage rond aux joues gonflées, un nez large et écrasé, des arcades sourcilières assez prononcées, un crâne presque rasé. Pour ce qui est des yeux, Simard ne peut les discerner suffisamment pour les détailler. Cependant, l'attitude de l'inconnu ne laisse aucun doute sur le fait qu'il n'est pas tout à fait normal.

L'inspecteur fouille tout au fond de sa mémoire. Il doit se souvenir de cet individu. Il ne sait pas pourquoi, mais il se doit de se souvenir de lui. Ses recherches intérieures l'amènent des années en arrière, mais rien n'y fait, le jeune homme demeure un inconnu. Simard secoue frénétiquement la tête. Ça ne sert à rien, du moins pour l'instant, de continuer ses recherches puisque le whisky interfère beaucoup trop sur sa mémoire.

Tout à coup, une lumière s'allume dans sa tête. Il ne cherchait pas du tout dans les bons tiroirs de son cerveau. La description de cet homme lui a été faite par Tulane, pas plus tard que ce matin. C'est Louis Allard ! Du moins, ça ressemble à son signalement. Une extraordinaire coïncidence. Alors que Simard a demandé une enquête complète sur le jeune homme, voilà que celui-ci se retrouve directement dans sa mire. L'occasion est parfaite pour se faire une petite idée sur le genre de gars qu'est Allard. Et surtout s'il sait réellement quelque chose au sujet du meurtre de Letang. Réginald se doit d'en profiter au maximum.

Oubliant que l'alcool n'est pas à conseiller pour entreprendre un interrogatoire, même informel, Simard esquisse un signe au barman qui lui apporte aussitôt un autre whisky. L'inspecteur se lève et se dirige lentement vers le jeune bedonnant. Celui-ci, les yeux toujours rivés sur l'entrecuisse de la danseuse, ne remarque aucunement l'arrivée du nouveau spectateur qui s'installe, debout, à ses côtés. Du moins, même s'il est conscient de sa présence, il l'ignore totalement.

Simard l'entend soupirer fortement à quelques occasions. Il remarque également un léger mouvement continuel de l'un de ses bras alors que ses mains disparaissent sous le comptoir.

— Beau spectacle, n'est-ce pas ? lance Réginald pour entreprendre la conversation, sachant très bien que le moment est mal choisi.

L'homme n'a aucune réaction. Il est présentement seul au monde et personne ne viendra perturber ce moment magique alors qu'une déesse complètement nue se déhanche et se caresse devant ses yeux. C'est lui qui a l'exclusivité du moment et il se doit d'en profiter jusqu'au bout. Sa respiration augmente tout à coup et se change en halètement. La jolie rousse a parfaitement accompli son travail. Allard ferme les yeux quelques secondes pour savourer son plaisir.

« Seigneur, pense Simard en secouant la tête. Manquait plus que ça. »

Le bras tendu au maximum, le joufflu tend un billet de vingt dollars que la belle danseuse s'empresse d'agripper au passage. En remerciement, elle lui adresse un grand sourire mécanique, alors que ses yeux, eux, lui lancent des flèches de dégoût.

— Elle est vraiment très belle, hein ?

— Très belle, oui, la danseuse. Très, très belle. Je l'aime. Je l'aime, moi, la danseuse.

— Je vois bien ça, en effet.

— Elle m'aime aussi, la danseuse. C'est vrai, elle m'aime.

— Je t'offre une bière, coupe Simard pour tenter de le ramener sur terre. C'est d'accord ?

— Oui, répond Allard sans se poser la moindre question sur le pourquoi de ce geste de générosité.

— La belle rousse a terminé. Tu viens t'asseoir avec moi à une table.

Le jeune homme tourne enfin la tête en direction de Réginald. Il le dévisage un court instant avant de baisser les yeux en signe de malaise. Tout à fait comme l'avait décrit Xavier Tulane. Un regard fuyant et un peu perdu, reflet évident du désordre qui règne dans son cerveau.

— Allons. Viens t'asseoir.

D'un geste de la main, Simard indique une table déserte se dressant dans un coin de la petite salle. Ils pourront y discuter en toute quiétude.

Allard hésite un moment. Que lui veut cet étranger, au juste ? C'est la première fois qu'il se retrouve dans une telle situation. Il s'agit d'un piège. Quelqu'un lui veut du mal.

— Tu n'as rien à craindre de moi. Mon nom est Réginald, je suis un ami.

— Je sais des choses, moi, balbutie le jeune homme recommençant à mâchouiller fébrilement la gomme qu'il devait avoir mis en veille au creux de sa joue.

— Quelles choses ? Allons nous asseoir, nous serons beaucoup plus à l'aise pour discuter de ces choses.

Cette fois, Allard quitte instantanément son tabouret et se dirige vers la table, prenant même les devants. Simard grimace d'incompréhension.

— De quelles choses parles-tu ? demande Réginald, aussitôt assis.

— J'ai vu.

L'inspecteur avance légèrement la tête vers son vis-à-vis pour s'assurer de mieux entendre ce que ce dernier va lui avouer. Pourtant, aucune autre parole ne sort de la bouche d'Allard. L'interrogatoire ne sera sûrement pas une partie de plaisir si le jeune homme ne devient pas plus bavard. Une jolie serveuse aux seins nus vient poser un grand verre de bière devant lui. Régi espère fortement que le breuvage l'aidera à se délier la langue.

— Tu as vu quoi, au juste ? Tu peux me le dire, tu sais. Ça restera entre nous.

— Non. À Xavier. Seulement à Xavier.

— Tulane ? Je suis un grand ami de l'inspecteur Tulane. Tu peux me faire confiance. Je veux seulement savoir ce que tu as vu.

Allard relève la tête. Cette fois, Réginald lit de la peur dans ses yeux. Il a peur de quoi au juste ?

Sans que le policier puisse le retenir, Louis Allard se lève brusquement, puis s'élance à toute allure vers la sortie, bousculant, sans ménagement un client qui voit son verre de bière choir sur le plancher. L'incident provoque aussitôt un tollé de la part des personnes entourant l'innocente victime d'Allard.

Simard demeure de glace. La réaction du bedonnant le déconcerte, bien sûr, mais des spécimens de ce genre il en a vu d'autres dans sa carrière. Compte tenu du fait qu'il n'y a aucune charge contre Louis Allard, il est inutile de vouloir le rattraper. De toute façon, il ne pourrait rien en tirer. La seule solution, c'est de confier, à Tulane, la tâche de l'interroger. S'il sait quelque chose, il ira lui-même le faire parler.

D'un trait, Régi avale le reste du contenu de son verre. Il est temps pour lui de rentrer à la maison et de se reposer en compagnie de Carole. Bien sûr qu'il ne lui dira pas dans quel genre d'établissement il a passé la soirée. Cela pourrait la vexer de savoir que son mari passe ses temps libres à se rincer l'œil sur le corps de femmes nues alors qu'il n'a jamais le temps de s'occuper d'elle. C'est un peu ce genre de scénario qui provoque souvent la rupture d'un couple.

Après un long soupir, l'inspecteur se lève de table et fait quelques pas dans la salle. Une dernière fois, il dirige son regard vers la rangée de vicieux qui bavent de désir pour la blonde aux seins énormes qui se dandine sur la scène. Mais, au fond, lui aussi fait partie de ces vicieux puisqu'il a choisi de prendre un verre dans ce genre d'établissement. Cette pensée le fait sourire. Cependant les traits de son visage se durcissent soudainement. Ses yeux viennent de se poser sur un petit bout de papier jaune traînant sur le plancher. Un papier de gomme à mâcher. Comme celui qu'il avait repéré tout près du corps calciné de Jonathan Michaud. Cette fois, il se trouve sous le tabouret qu'occupait Louis Allard quelques minutes plus tôt.

Simard semble désemparé alors que ses yeux restent collés au petit papier jaune. Serait-ce possible que cet Allard dise la vérité ? Qu'il sache vraiment des détails sur le meurtre de Letang ?

Réginald secoue la tête. S'il en croit ses yeux, Allard aurait également été sur les lieux du meurtre de Michaud ! Il est totalement sidéré par ce constat. S'il ne s'agit pas d'une coïncidence, Louis Allard devient par le fait même un témoin très important.

Confier cette affaire à Tulane ne serait peut-être pas un geste des plus judicieux. Il serait préférable qu'il se charge lui-même de ce nouveau dossier.

Chapitre 15

Le rapport déposé sur le bureau de Simard concerne le meurtre de Jonathan Michaud. Aucun indice qui pourrait offrir une piste vers un suspect n'a été trouvé. Par contre, une enquête, sur la victime elle-même, met en lumière un événement qui s'est produit près d'un an plus tôt.

Réginald parcourt rapidement le dossier sans sourciller. Il indique que Michaud a été au cœur d'une affaire de viol. Il a agressé sauvagement une adolescente de quinze ans pendant des heures. Selon le rapport de police de l'époque, la pauvre fille aurait été brûlée par une cigarette à de nombreux endroits sur le corps, alors qu'il la violait. Cette torture se serait déroulée dans le camp de chasse devant lequel le corps calciné et amputé de Michaud a été retrouvé.

L'inspecteur serre les dents en songeant que ce genre de monstre s'en tire toujours à bon compte devant la justice. Effectivement, il a gardé en mémoire cette affaire qui avait fait la une des journaux pendant quelques jours à peine alors que le délit était d'une gravité peu commune. Le père richissime du délinquant, Jean-Paul Michaud, avait à ce moment-là engagé les meilleurs avocats du pays et, en moins de deux, son salaud de fils avait été acquitté. Pour sa part, la jeune fille devra probablement recevoir des soins psychiatriques si, bien sûr, elle en a les moyens, pour le reste de ses jours. Sa vie a été brisée, elle s'est même arrêtée, le jour de l'agression. Les séquelles seront permanentes.

Simard laisse échapper un long jet d'air de ses poumons. Aussitôt que Deguire se pointera au poste, il l'avisera de ne plus s'occuper de l'affaire Michaud et de se concentrer sur Donovan. Même si l'assassinat du jeune homme est un acte qui défie les lois, il n'en demeure pas moins que ce meurtre démontre une certaine justice. Jonathan Michaud a pris une vie, alors quelqu'un a pris la sienne. C'est le retour du balancier de la justice.

Le téléphone laisse tout à coup entendre un grésillement agaçant. Mais ce n'est qu'à sa cinquième tentative qu'il parvient à sortir Simard des pensées dans lesquelles il s'est profondément enfoncé.

L'inspecteur pose enfin une main sur l'appareil. Un mauvais pressentiment le fait hésiter. Il avait la ferme intention de passer la journée sur le terrain aujourd'hui, mais cet appel peut l'en empêcher. Instinctivement il jette un œil à l'afficheur. Vincelette ! Ça confirme ses craintes. Cet homme, qui le déteste au plus haut point, va assurément, par ses propos dévalorisants, miner son moral au point où il perdra tout intérêt pour les affaires en cours. Pour, en quelque sorte, équilibrer l'antipathie de Vincelette, Régi a également des sentiments haineux envers lui.

— Inspecteur Simard à l'appareil.

— Tu en mets du temps pour répondre ! grogne Vincelette. Je veux te voir immédiatement dans la salle de conférence.

— Bonjour monsieur Vincelette. Vous allez bien ?

— La salle de conférence. Et que ça saute !

Une tonalité continue indique à Réginald que le Directeur général a déjà raccroché. Rien de surprenant. Il est un maître dans l'art du manque de savoir-vivre.

— Mais qu'est-ce qu'il me veut, au juste ? C'est avec Brunet qu'il devrait discuter, pas avec moi.

Simard n'a pourtant pas le choix de quitter immédiatement son bureau pour se diriger vers l'endroit du rendez-vous. Le Directeur général y est déjà en compagnie de Dominique Brunet et de François Deguire.

Sous le regard presque hargneux de Marcel Vincelette, Réginald vient s'installer dans un fauteuil à la droite de son superviseur immédiat.

— Qu'est-ce que je pourrais avoir encore fait qui déplaise à qui que ce soit ? demande aussitôt Réginald une fois installé à la table.

— Surtout, qu'est-ce que tu n'as pas fait ? réplique spontanément le directeur.

— Je vous demande pardon ?

— Les affaires Letang et Michaud piétinent tellement que je me demande si ce n'est pas volontaire de ta part. Énormément de questions, mais aucune réponse concrète, c'est vraiment décourageant de constater l'inefficacité de ton équipe.

— Le meurtre de Letang s'est produit il y a seulement deux semaines. Ce n'est pas le paradis, ici, monsieur Vincelette, on ne fait pas de miracle. Pour l'affaire Michaud, elle ne relève pas de moi, c'est aux policiers de St-Samuel des Monts à se bouger le cul, non à mon équipe.

— François, pourrais-tu répéter à ton chef d'équipe ce que tu nous as appris hier soir.

Deguire jette un rapide coup d'œil en direction de Réginald Simard avant de baisser la tête. Il semble perturbé par ce qui se passe. Il prend une profonde inspiration comme pour se donner un peu de courage, mais malgré cela, ses paroles tardent à quitter sa gorge. Un regard furtif en direction de Vincelette lui confirme que ce dernier est à bout de patience. Il n'a plus le choix, maintenant. Ce qui lui paraissait être une bonne idée la veille, lorsqu'il a téléphoné à Dominique Brunet, lui semble maintenant être la plus mauvaise décision de sa jeune carrière. L'information qu'il a reçue de son cousin vivant en Beauce aurait dû être divulguée à Réginald en premier lieu et non à Brunet. François regrette énormément son geste, mais il est trop tard, on ne peut jamais revenir en arrière. Il faut assumer.

— Voilà, se décide-t-il enfin à dire en s'adressant à Simard. J'ai reçu un appel de mon cousin Serge. Tu l'as sûrement vu aux funérailles de ma grand-mère. Un grand blond, frisé et…

— On ne veut pas connaître ta famille, François. Viens-en au fait.

— Euh…oui. D'accord. Donc, mon cousin m'a fait part d'un événement qui est survenu en fin de semaine passée. Probablement dimanche, d'après le porte-parole de la police de Mériport. On a retrouvé le corps d'un ex-juge. Un certain Désiré Muloin. Il a déjà été juge au palais de justice de Montréal. Bref, il s'agit d'un meurtre.

— Et en quoi ça me regarde, au juste ?

— Simard. Laisse Deguire terminer. Tu vas tout comprendre. Du moins, je l'espère.

Le jeune inspecteur lève la tête vers le plafond et ferme les yeux un instant. Il hésite à continuer son récit. Réginald sent qu'il devra subir un quelconque blâme de la part de Vincelette pour ce prétendu meurtre. Il en est d'ailleurs toujours ainsi, l'histoire ne fait que se continuer.

— Comme je disais, reprend péniblement Deguire, l'ex-juge Muloin a été assassiné. Même qu'il a été atrocement torturé avant de mourir. C'est, sans aucun doute, l'œuvre du meurtrier que nous recherchons.

Un sourire apparaît sur les lèvres de Marcel Vincelette. Sachant très bien quelles seront les prochaines déclarations de Deguire, il se réjouit à l'avance de la désagréable surprise qui fera assurément tressaillir Simard.

— C'était signé Lédo, continue Deguire. Un message à ton intention a été écrit sur le mur de la chambre où Muloin a été découvert par la femme de ménage. Un message écrit avec le sang de Muloin. Alors tu comprends, Régi, que je ne pouvais pas garder cette information pour moi.

— Merci de m'en avoir avisé le premier, répond aussitôt Simard avec un ton de reproche dans la voix.

— Je suis sincèrement désolé.

— Le message, fait aussitôt l'inspecteur en ignorant totalement les dernières paroles de Deguire. Il disait quoi ?

— Je l'ai recopié sur un...

— Le voilà, le message, coupe Vincelette en tendant un bout de papier plié en deux.

Simard s'en saisit rapidement, puis, après un dernier coup d'œil réprobateur en direction de François Deguire, il pose enfin les yeux sur le message : « Tu te fais vieux, Simard. Prends ta retraite. Tu n'arriveras jamais à m'attraper. Tu n'es bon qu'à faire le ménage. À la prochaine, Réginald. Lédo. »

Régi pose nonchalamment le papier sur le coin de la table. Même si tous les yeux sont tournés vers lui, il n'a visiblement aucun commentaire à faire concernant cette note qui ne vise qu'à l'exaspérer.

— Tu ne sembles pas du tout ébranlé par cette histoire de meurtre, Simard !

— C'est que moi, monsieur Vincelette, je ne suis pas devenu inspecteur de police à cause de mes relations avec des gens de la haute société. Si j'en suis rendu où je suis aujourd'hui, c'est parce que j'ai mis beaucoup d'énergie sur des affaires comme celle-ci. Alors, j'en ai vu d'autres dans ma carrière et ce genre d'affaire ne m'impressionne plus du tout. Je n'ai pas volé mon poste, moi, je l'ai gagné.

Vincelette bondit. Son poing atterrit lourdement sur la table de chêne massif qui ne vibre même pas sous l'impact.

Tout en frottant sa main endolorie, Marcel Vincelette plonge son regard dans celui de Réginald qui se réjouit de cette réaction intempestive. Tout ce que le directeur peut lire sur le visage de son subalterne, c'est de la satisfaction et ce sentiment qu'il décèle l'horripile au plus haut point. Ce serait tellement jouissif si, un jour, il avait l'occasion rêvée de le démettre de ses fonctions

Cependant, pour ne pas perdre la face, Vincelette demeure muet un court instant, puis se réinstalle dans son fauteuil.

— Il y aura une note d'indiscipline dans ton dossier, une note d'insubordination, même.

— Je suis viré, alors ?

Encore une fois, Vincelette observe quelques instants de silence avant de daigner répondre à Réginald qui, démontrant toujours un certain contentement, ne le quitte pas des yeux.

— Je rendrai ma décision plus tard. Pour le moment, nous avons un dossier à régler. Il est urgent d'obtenir des résultats, surtout qu'il s'agit d'un ancien magistrat.

— L'affaire n'aurait pas moins d'importance s'il s'agissait du plus commun des mortels, ajoute Réginald d'un ton teinté de reproche. Néanmoins, je ne comprends toujours pas pourquoi je suis ici puisqu'il s'agit d'une autre juridiction et non de celle que régit Sainte-Jasmine.

— Le message t'était adressé, Réginald, explique Brunet sortant de son mutisme.

— Tous les meurtriers de la terre pourraient m'adresser des messages sans que j'aie quoi que ce soit à y voir.

— Et le fait que ce soit Lédo, le messager, ça te laisse indifférent ?

Simard demeure silencieux un moment pour réfléchir. Il doit peser le pour et le contre de ses prochaines paroles pour ne pas, encore une fois, s'attirer les foudres de Vincelette. Il ne peut tout nier en ce qui concerne ce Lédo.

— D'accord. Vous marquez un point. Donovan veut me harceler à tout prix. Il commet ces meurtres pour me défier, pour se montrer supérieur à moi. Mais, croyez-moi, je l'aurai, ce salaud.

— Je ne t'aime pas beaucoup, coupe soudainement Vincelette, ça, tu le sais. Cependant, malgré ton arrogance, je peux tout de même apprécier certaines de tes qualités d'inspecteur. Je veux que tu mettes tout en œuvre pour régler le dossier de ce Lédo qui ridiculise notre profession.

— Mon arrogance n'a d'égal que le manque de discernement que certaines personnes peuvent avoir à mon égard.

Pour la première fois depuis longtemps, Vincelette sourit aux dernières paroles de Simard.

— Je te donnerai une lettre qui te permettra d'enquêter sur les meurtres commis en dehors de ton secteur d'activité. Tu pourras avoir accès à tous les documents se rapportant à ceux perpétrés par Lédo, que ce soit à St-Samuel-des-Monts, à Mériport ou ailleurs. Il faut coincer ce malade coûte que coûte. Je te donne carte blanche, Simard. Ne me déçois pas.

— Soyez sans crainte, j'y mettrai tout mon cœur. Donovan va payer pour tous les crimes qu'il a commis.

— Rien ne prouve que ce soit bien lui, s'interpose Brunet. Par contre, le meurtrier est omniprésent dans ta vie. Si tu examines froidement la situation tu te rendras compte qu'à chacun de ses derniers délits, tu étais tout près. Ici, à Sainte-Jasmine, bien sûr, puis à St-Samuel-des-Monts, tu y étais en vacances avec Carole. À Mériport, tu étais encore tout près pour les funérailles de madame Dequoy. Qui que ce soit, ce meurtrier t'épie très certainement pour connaître ainsi tes déplacements, ou…

Brunet fait une pause de quelques secondes avant de terminer sa phrase. Ce qu'il s'apprête à dire lui crève le cœur et, au fond de lui, il ne veut pas y croire, pourtant…

— Ou il y a quelqu'un dans ton entourage qui donne des informations à ce meurtrier. Ou encore, ce qui serait quand même très étonnant, le meurtrier fait partie de ton entourage.

— Il faut envisager toutes ces avenues, enchaîne Marcel Vincelette. Tout le personnel, y compris les membres de ton équipe, devra dorénavant remplir un rapport dans lequel sera consigné leur emploi du temps.

— Nous respectons déjà cette procédure, répond aussitôt Simard. Mais vous faites fausse route en ce qui concerne le coupable. Léopold Donovan est notre homme. J'en mettrais ma main au feu.

— Et tu t'y brûlerais peut-être. Ce pseudonyme de Lédo pourrait, en fait, n'être utilisé que pour nous lancer sur une fausse piste.

— Nous verrons bien, soupire Réginald en quittant son fauteuil. Je redemanderai à ce que tous remettent un compte rendu de leurs activités à la secrétaire du poste, comme vous l'exigez, mais je reste persuadé que c'est inutile.

— Je te suggère de te rendre en Beauce pour y passer quelques jours à enquêter sur la mort de l'ex-juge Muloin. Fais-toi accompagner par un de tes équipiers. Deguire pourrait sûrement t'aider puisqu'il connaît l'endroit. Ce serait un choix judicieux, à mon point de vue.

Simard dirige aussitôt son regard vers le jeune homme sur le visage duquel se reflète un indéniable sentiment de satisfaction.

— Ce serait en effet, pour moi, une façon de sauver du temps. Je n'aurais pas à remplir un rapport sur mes déplacements puisque Deguire se ferait un plaisir de vous mettre au courant de tous mes faits et gestes. N'est-ce pas, François ?

Le jeune inspecteur baisse la tête alors que ses traits s'assombrissent. Il mérite bien ce genre de réflexion de la part de son chef d'équipe. Il a erré dans l'affaire Muloin et il en paiera sûrement le prix pendant un certain temps.

— Ne sois pas trop dur avec lui, Régi, dit le commandant Brunet. François a cru agir pour le mieux. Comme j'ai, moi-même, cru bon d'aviser Marcel.

— Alors il va sûrement comprendre et surtout m'approuver sur le choix de l'inspecteur qui m'accompagnera en Beauce. C'est à mon tour d'agir pour le mieux. Ce sera Marianne Latreille.

Deguire serre les dents. Son air repentant se transforme soudainement en une grimace de mécontentement. Simard n'a pas le droit de le punir de la sorte pour une erreur. Le Directeur général lui-même l'a proposé pour être affecté au dossier de Désiré Muloin. Il considère trop exagérée la réaction de Réginald Simard et il fera son possible pour lui faire regretter cette mauvaise décision de l'écarter de cette affaire.

Chapitre 16

Alors que Réginald Simard quitte la petite salle de conférence, Vincelette demeure songeur de longues minutes avant de reprendre la parole. Il est réellement déçu par la tournure des événements. Son meilleur inspecteur, au point de vue compétence et non pour son comportement, rejette sa frustration sur un jeune homme qui n'a, en quelque sorte, fait que son devoir.

— Je n'aurais pas dû lui donner carte blanche aussi rapidement. Dès le départ, il prend une mauvaise décision.

— D'un autre côté, intervient François Deguire, je crois que ça aurait été l'enfer pour moi si je l'avais accompagné.

— D'accord avec toi, jeune homme, approuve Brunet. Régi est ainsi fait. C'est un excellent enquêteur, mais il est extrêmement rancunier, ce qui l'amène très souvent à dénigrer à outrance des personnes qui n'ont commis que des fautes légères. Je crois qu'il est trop tard pour changer son caractère.

— Heureusement qu'il prend sa retraite en juin prochain.

— Crois-moi, Marcel. Régi va nous manquer énormément.

Vincelette hoche la tête de façon presque imperceptible. Pas question de démontrer clairement qu'il a une certaine admiration envers ce foutu inspecteur qui n'a cessé, depuis qu'il a été promu au poste de Directeur général, de lui en faire voir de toutes les couleurs avec ses états d'âme concernant l'application de la justice. De plus, il a été à quelques reprises au cœur d'événements qui l'ont amené à prendre de mauvaises décisions. Le colis suspect dans les douches du poste, l'an dernier, en est un exemple flagrant. Sans compter son manque de respect envers ses supérieurs. C'est à croire qu'il nourrit une certaine aversion envers la haute direction. Cependant ce fait n'a pas trop d'importance pourvu qu'il fasse un excellent boulot.

— Bon. Qu'est-ce qui se passe au juste avec moi ? demande Deguire. Je retourne aux archives ? Si c'est le cas, je vous remettrai ma démission avec plaisir.

— Pas question, François, lance aussitôt Dominique Brunet. Tu restes sur le terrain. Ce serait peut-être maladroit de ma part de te laisser dans l'équipe de Simard, alors je te retourne sur l'enquête des stupéfiants. Il me faudra cependant en discuter avec lui. J'imagine qu'il acceptera d'emblée cette proposition. Est-ce que tu es d'accord ?

— Tout à fait. Je commençais justement à m'ennuyer des producteurs de cannabis. Cependant, avant de reprendre le collier dans les champs, j'aurais une requête à faire.

— De quoi s'agit-il, questionne Vincelette avec un peu de réticence dans la voix.

— Si vous n'y voyez pas d'inconvénient, je prendrai le reste de la journée en congé, celle de demain et de vendredi également. À mes frais, bien entendu. Mon cousin Serge, hier soir, m'a aussi annoncé que le notaire de ma grand-mère voulait me rencontrer. Cela m'arrangerait si je pouvais m'absenter jusqu'à lundi.

— Il ne faudrait pas que cela devienne une habitude, mon jeune ami, dit Vincelette en fronçant les sourcils. Tu as déjà pris congé pour maladie il y a une dizaine de jours, ensuite, quelques jours pour le décès de ta grand-mère alors que la convention ne prévoit qu'une seule journée. Maintenant, tu demandes deux jours pour une histoire, je suppose, de testament.

— Vous avez raison, Monsieur. Je m'arrangerai autrement.

— Je n'ai pas refusé ! Je ne fais que passer des remarques. Va à ce rendez-vous avec le notaire, mais je veux qu'à partir de lundi, tu te consacres entièrement à ton travail. Plus question de congé pour quoi que ce soit. Est-ce entendu ?

— Parfaitement, monsieur. Je vous remercie.

Marcel Vincelette ramasse la pile de papiers se trouvant devant lui, l'enfouit aussitôt dans sa serviette de cuir puis, sans même serrer la main de Brunet et Deguire, il quitte la salle.

Après avoir remercié son supérieur à plusieurs reprises, François Deguire quitte à son tour. Cependant, en passant devant le bureau de Simard, il remarque que ce dernier est absent. Son classeur est ouvert. La tentation est grande. À maintes reprises, il a vu Simard lire et relire des dossiers contenus dans des chemises rouges, mais jamais il n'a réellement su de quelles affaires il s'agissait.

Deguire demeure là, à faire semblant de lire une série de feuillets d'informations accrochés au mur près de la porte du bureau de Réginald. Plusieurs fois, il jette des coups d'œil furtifs de chaque côté pour s'assurer que personne ne se préoccupe de lui. À l'autre bout du corridor, son chef s'est lancé dans une grande discussion avec Élisabeth, la secrétaire du poste, dans le bureau de cette dernière. Ces deux-là s'entendent à merveille. D'ailleurs, c'est à se demander comment la jeune femme fait pour endurer le caractère acerbe du policier. Il faut tout de même avouer que Simard n'est pas toujours désagréable.

Sans perdre plus de temps, Deguire pénètre dans l'airc dc travail de Régi et s'élance littéralement à l'assaut du grand classeur. La majorité des chemises rouges contiennent, bien entendu, des rapports concernant Léopold Donovan, ce qui ne l'étonne pas du tout. Néanmoins, certains dossiers se rapportent aux affaires Letang et Michaud.

Une dernière chemise, n'ayant aucune identification visible, attire l'attention de Deguire. Ce dernier lève les yeux vers la porte pour s'assurer que personne ne le voie, puis ouvre la chemise. Ses yeux s'écarquillent d'un seul coup. Le nom qui apparaît sur la première page du dossier est un nom qu'il connaît. Selon le rapport, il s'agirait d'un témoin du meurtre de Letang. Pourtant, un détail ne correspond pas du tout avec la réalité.

Soudainement, soit parce qu'il est pris d'un certain remords de fouiller ainsi dans les papiers de Simard, soit parce qu'il vient tout juste de découvrir des renseignements confidentiels qui ne le regardent pas, Deguire referme le dossier et quitte la pièce en vitesse.

— Tu faisais quoi dans mon bureau? demande Réginald alors qu'il fait face à son équipier.

— Je t'ai attendu un moment pour te dire que Vincelette m'autorise à retourner aux enquêtes sur les stupéfiants. Tu ne m'auras plus dans les jambes. Ça doit faire ton affaire, je suppose.

— Ce n'est pas à Vincelette de prendre cette décision. On en reparlera.

Simard contourne le jeune homme et, au grand soulagement de ce dernier, disparaît dans son bureau.

Deguire s'empresse de quitter le poste et se dirige vers le stationnement où l'attend sa voiture. Au lieu de la voiture bleue de courtoisie que son mécanicien lui avait refilée, c'est sa Pursuit G5 2008 de couleur rouge flamme qui est là.

Trop préoccupé par ce qu'il vient tout juste d'apprendre, il monte dans le véhicule sans perdre de temps et démarre aussitôt pour filer à toute allure en direction de sa résidence.

Chapitre 17

Après avoir passé une partie de la journée le nez plongé dans ses dossiers et à planifier son voyage en Beauce du lendemain, Simard quitte le bureau et se rend directement à son domicile. Pas question d'ingurgiter la moindre goutte de whisky après le boulot. D'ailleurs, Carole le lui aurait sûrement reproché, elle qui parle tellement souvent de resserrer leur lien matrimonial afin de se préparer une retraite harmonieuse.

Au matin, Réginald arrive au poste à six heures trente. Marianne est déjà là à l'attendre et c'est avec un immense sourire accroché au visage qu'elle accueille son chef d'équipe. Le fait d'avoir été préférée à ses collègues lui procure encore une fois une immense joie en plus d'ajouter en elle une bonne dose de confiance. L'efficacité d'une personne à effectuer ses tâches passe souvent par la valorisation que ressent cette même personne de la part de ses supérieurs.

Le trajet se fait sans problème. Le couple d'inspecteurs discute tantôt des affaires en cours, tantôt de leur vie personnelle. Souvent, Régi délaisse la route pour poser les yeux sur la jeune femme qu'il juge d'une beauté à faire rêver. Bien sûr, ses regards sont furtifs, mais combien agréables. Cette jolie blonde est en train de s'emparer lentement de son cœur. Par contre, ce serait une véritable erreur. Vincelette n'apprécierait sûrement pas.

À quelques occasions, Marianne est tentée de raconter à Régi la petite visite qu'elle a reçue des deux hommes masqués trois jours auparavant. À chaque fois elle se ravise. Le moment est mal choisi. Simard vient de lui prouver qu'il a une grande confiance en elle, alors ce serait maladroit de sa part si, de son côté, elle lui avouait avoir eu des doutes quant à sa capacité d'évaluer froidement une situation. Un jour, elle le mettra au courant de cette histoire. Mais pas aujourd'hui, cela risquerait de jeter un malaise dans leur relation tout au long de ce voyage en Beauce.

Alors que Simard a décidé de se rendre au poste de police de Mériport, il dépose Marianne Latreille devant la maison de l'ex-juge Désiré Muloin. Ayant avisé le capitaine de la police de l'endroit, Yvon Lord, Régi a obtenu qu'un policier soit sur place dès l'arrivée de la jeune femme. L'équipe chargée de relever les empreintes ainsi que les moindres indices pouvant se trouver sur le lieu du crime a terminé son travail depuis longtemps. Malgré tout, Simard a insisté pour que Latreille aille y jeter un coup d'œil. Cette décision n'est pas un manque de confiance envers la police de l'endroit, mais il pense plutôt qu'en posant un regard neuf sur une scène semblable, il est toujours possible de découvrir certains indices qui ont été oubliés. Yvon Lord a accueilli cette requête avec un grand plaisir.

La voiture de l'inspecteur s'immobilise en bordure du trottoir. À dix mètres de là, un policier quitte l'abri que lui procure l'ombre d'un auvent et se dirige vers les nouveaux arrivants.

— Il est midi quinze, dit Réginald en regardant sa montre-bracelet. Je crois que j'en aurai pour quelques heures, alors si tu termines ton inspection avant, demande à ton chaperon de te reconduire au poste. Nous irons prendre une bouchée quelque part, si tu veux.

— D'accord. J'en aurai aussi pour un bon moment ici. Alors on garde contact. Tu as ton cellulaire ?

— Bien sûr. À plus tard.

Marianne Latreille sourit au jeune policier dans la vingtaine qui lui ouvre galamment la portière du véhicule. L'inspectrice pose un regard enjoué sur Régi qui fronce légèrement les sourcils avant d'esquisser un petit sourire plutôt artificiel. La jeune femme quitte son siège pour se dresser devant l'homme en uniforme. D'un geste spontané, ce dernier tend la main à la jeune femme qui la saisit aussitôt.

« Un simple signe de la tête aurait suffi », songe Réginald avant d'appuyer sur l'accélérateur pour s'éloigner.

— Mon nom est Simon Quesnel. Je serai votre guide.

— Marianne Latreille. Pas de vouvoiement, s'il te plaît. Nous sommes loin d'une rencontre protocolaire, à mon avis.

Quesnel sourit en entendant la déclaration farfelue de l'inspectrice. De toute évidence, il est nouveau dans la police et Marianne songe même que c'est sa première journée sur le terrain, tellement il a l'air mal à l'aise.

— Tu as parfaitement raison, le tutoiement est plus approprié pour une bonne communication.

— En effet, c'est ce que je crois. Alors, venons-en au but de ma visite. Le meurtre a été commis dans la chambre de la victime, je crois ?

— Tout juste. Nous croyons qu'il a profité d'un moment d'inattention du juge pour s'introduire dans le domicile de ce dernier.

— À moins qu'il ait déjà été à bord du véhicule lorsque la victime y est montée, en quittant ses amis.

— C'est également une possibilité. Le résultat de l'enquête menée par mes collègues nous éclairera sûrement là-dessus. Allons, entre, je vais te conduire à la chambre.

Marianne pénètre dans le garage en compagnie de l'agent Quesnel. Après cinq minutes à tourner autour du véhicule sans trouver le moindre petit indice indiquant qu'un combat y ait été engagé quelques jours auparavant, la jeune femme signifie à son guide qu'elle est fin prête à inspecter la pièce dans laquelle le meurtre a été perpétré.

— Avant d'entrer, regarde ici, il y a une petite tache, dit le jeune homme. Ça semble être du sang. Il y avait une blessure sur le front de la victime. Alors il est possible que sa tête ait frappé le chambranle de la porte d'entrée. Cela pourrait indiquer que l'ex-juge a peut-être résisté à son agresseur. Encore là, le résultat des analyses pourra nous le confirmer.

Marianne approuve cette hypothèse, puis invite l'agent à poursuivre sa route.

La jeune inspectrice est ébahie par la somptuosité des pièces qu'ils ont à traverser avant d'atteindre l'escalier conduisant au premier. Ce dernier, qui compte une douzaine de marches, est gravi assez lentement pour permettre à Latreille de déceler un indice quelconque qui dénoterait une certaine résistance de la part du juge.

La chambre est immense, meublée avec un goût certain pour les antiquités. « Normal, songe Marianne. À l'âge où cet homme était rendu. Les personnes âgées adorent ce genre d'ameublement. » Le lit est couvert de sang séché. Le nettoyage n'a pas encore été effectué. Quesnel informe l'inspectrice qu'une équipe viendra plus tard dans la journée pour tout nettoyer, qu'elle avait eu l'ordre d'attendre que Réginald Simard et son équipe y aient terminé leur investigation. Ceci explique en partie l'odeur particulièrement désagréable qui flotte dans l'air. Une odeur de salon mortuaire, mêlée à celle de l'urine incrustée dans le matelas.

Sur le mur de gauche, une longue inscription en lettres sombres apparaît. Le message écrit avec le sang de Muloin. Marianne le lit et le relit : « Tu te fais vieux, Simard. Prends ta retraite. Tu n'arriveras jamais à m'attraper. Tu n'es bon qu'à faire le ménage. À la prochaine, Réginald. Lédo. »

L'inspectrice constate que l'assassin se répète dans ses messages. Qu'il a sûrement une imagination défaillante. Enfin, en ce qui concerne son vocabulaire et non ses meurtres.

La jeune femme secoue la tête avant de s'agenouiller près du lit. Bien entendu, le tapis a été scrupuleusement inspecté, mais ça ne coûte rien d'y jeter un autre coup d'œil. Elle se doit de refaire le travail déjà effectué par les policiers de Mériport pour ne pas avoir à se reprocher, plus tard, d'avoir négligé de procéder à une deuxième vérification pour corroborer la première.

— Monsieur Muloin devait posséder un ordinateur ?

— Comme tout le monde, oui. Enfin, presque tout le monde.

— Il a été vérifié, j'imagine ?

— Évidemment. On y a passé des heures, mais sans rien trouver de bien concret.

— Aucun indice ? Il devait sûrement y avoir une liste d'amis, de contacts, je ne sais pas, moi.

— Quelques amis, oui. Ces derniers ont été, ou seront, rencontrés sous peu.

— Rien d'autre ? Il n'a pas gardé de dossiers concernant les affaires dans lesquelles il a agi comme juge lorsqu'il était en fonction ?

— Je ne sais pas. Je ne suis qu'un agent, alors tu dois comprendre que l'on ne me met pas au courant de tous les détails de l'enquête.

La jeune femme hoche légèrement la tête. Il arrive trop souvent que les gradés gardent certaines informations pour eux-mêmes. Cette pratique nuit considérablement au bon déroulement des enquêtes.

Pendant plus d'une heure, Marianne explore pouce par pouce la chambre de Muloin sans rien découvrir de nouveau qui aiderait à élucider le mystère entourant la mort de ce dernier.

Soudain, le grésillement d'un téléphone résonne dans la pièce. Marianne sursaute légèrement alors que le regard amusé de son guide se pose sur elle. D'un signe de la tête, il indique à la jeune femme où se trouve le combiné avant de s'y rendre lui-même.

— Ici l'agent Quesnel de la police de Mériport, dit-il en se saisissant du combiné. Qui demandez-vous ?

Une forte respiration se fait entendre en guise de réponse. Le jeune agent fronce les sourcils. Il se rend compte de l'erreur qu'il vient de commettre en se nommant. Il aurait mieux valu que son interlocuteur ne sache pas que la police se trouve encore sur les lieux.

— À qui voulez-vous parler ?

Encore un silence ponctué de profondes respirations. Quesnel commence à perdre patience et insiste d'une voix forte et autoritaire pour que son interlocuteur daigne se prononcer.

— Encore au travail. L'homme au masque. Plourde va payer.

— Qu'est-ce que vous racontez ? Qui êtes-vous ? Qui est ce Plourde ? Parlez !

Une tonalité continue indique à Simon Quesnel que l'autre a coupé la communication. Le timbre de voix de l'individu dénotait un certain problème d'élocution, voire même un déséquilibre mental.

— De qui s'agissait-il, demande aussitôt Marianne ?

— Sans doute un farceur. Il n'a dit que trois courtes phrases. Si on peut appeler ça des phrases.

— Des phrases, comme ?

— Encore au travail. L'homme au masque. Plourde va payer.

L'inspectrice Latreille n'a pas à se répéter très longtemps ces quelques mots dans sa tête pour comprendre que l'homme au masque, en l'occurrence le tueur en série sur lequel ils font enquête, est en train de perpétrer un autre crime sur la personne d'un dénommé Plourde.

— Ça pourrait être Bernard Plourde, déclare subitement Quesnel. C'est l'ami de l'ex-juge Muloin. C'est d'ailleurs de chez lui que revenait Muloin lors de son agression.

— Tu as l'adresse ?

— Si je me souviens bien, pour l'avoir vue sur le dossier, c'est au 458 Dumont. C'est à peine à cinq minutes d'ici.

— Allons-y ! Tu as un véhicule, j'espère.

— Tu n'es pas trop observatrice, répond le jeune agent tout en s'élançant dans l'escalier menant au rez-de-chaussée. Une voiture patrouille stationnée le long du trottoir devant la maison, ça ne te dit rien ?

Marianne rougit légèrement. Bien entendu qu'elle l'a remarquée, cette voiture. Elle ne s'en rappelait tout simplement plus. Heureusement, Simon ne remarque pas son malaise, ce qui lui aurait permis de la narguer quelque peu pour rigoler.

En moins de quinze secondes, les deux policiers se retrouvent à bord de l'auto-patrouille qui s'élance sans perdre de temps sur la route, en direction du domicile de Bernard Plourde.

—Tu es où, demande aussitôt Marianne à Simard lorsque celui-ci répond sur son téléphone cellulaire ?

— J'ai quitté le poste à pieds, il y a près de quarante minutes. Je me suis arrêté pour boire un cola à une terrasse. Je voulais profiter un peu de la belle journée ensoleillée. Je me rends chez une des connaissances de l'ex-juge Muloin. Pourquoi, au juste ?

— Nous venons de recevoir un appel anonyme. Un meurtre est vraisemblablement en train de se commettre chez Bernard Plourde. Un ami de Muloin, selon Simon.

— Plourde… oui, c'est exact, c'est chez lui que Muloin et d'autres amis se réunissaient pour des parties de poker. Je te le donne dans le mille. C'est exactement là où je devais me rendre. Alors j'y serai d'ici peu, c'est tout près.

Marianne coupe la conversation. Du doigt, Quesnel lui indique que la maison de Plourde est en vue. Une immense demeure de pierres de trois étages, avec une tour en saillie dans le coin gauche, alors que sur le côté droit de la maison un immense garage double apparaît. Marianne évalue rapidement à plus d'un million de dollars cette résidence cossue qui jure par sa richesse dans une rue où la majorité des maisons sont beaucoup plus modestes.

L'auto-patrouille s'immobilise devant l'une des portes de garage et les deux occupants en sortent aussitôt. Pendant que Quesnel s'élance vers la porte, Marianne, pour sa part, contourne l'immense maison pour se retrouver dans la cour arrière. Une porte, donnant sans doute sur le garage, est entrouverte et ballotte légèrement au gré du vent. Marianne constate, avec une pointe de peur au ventre, que quelqu'un vient tout juste de quitter la résidence de Plourde. Instinctivement, elle dirige son regard vers le fond de la cour. Personne. Elle remarque cependant qu'une petite barrière de fer forgé permettant de sortir de l'enceinte formée d'une haute muraille de pierres est complètement ouverte.

En courant à toutes jambes, Marianne se rend à la barrière et quitte la grande cour, sans même penser au danger que cela pourrait comporter. Heureusement, personne ne l'attend à l'extérieur. Des yeux, elle fait un tour d'horizon. À première vue, tout semble calme. Pourtant, loin sur le trottoir, elle discerne une forme humaine qui se déplace à vive allure. Elle est persuadée que c'est un homme qui s'enfuit. Mue par un réflexe, la jeune femme s'élance aussitôt à fond de train sur le trottoir, avec l'évidente intention de rejoindre le fuyard. Cependant, ce dernier est sur le point d'atteindre le croisement d'une autre rue beaucoup plus achalandée.

Malgré qu'elle soit encore très loin de l'homme en fuite, Marianne constate que ce dernier retire quelque chose qu'il portait sur la tête. Un masque ! C'est ce qu'a révélé l'inconnu au téléphone. Il a clairement fait allusion à un homme masqué.

Bien que sa condition physique soit excellente, la jeune policière doit s'avouer vaincue. Le fuyard a beaucoup trop d'avance sur elle et, en plus, il a l'occasion de se mêler à ces nombreuses personnes qui déambulent sur le trottoir. Jamais elle ne réussira à l'épingler.

Marianne ralentit peu à peu son allure, pour finalement s'immobiliser, les mains sur les hanches, déçue de sa piètre performance. En réalité, elle n'avait aucune chance. Cependant son désir de toujours être la meilleure la rend extrêmement exigeante à son propre égard. Elle a de la difficulté à accepter la défaite. Défaut qu'elle se devra de corriger le plus rapidement possible.

Au bout de quelques secondes, l'inspectrice se retourne lentement pour se remettre en route vers la demeure de Plourde, où Simon Quesnel l'attend sûrement. Le klaxon d'une automobile invite Marianne à tourner la tête. De l'autre côté de la rue, à cinquante mètres derrière elle, une voiture d'un bleu métallique quitte la bordure du trottoir pour reprendre sa route. L'inspectrice fronce légèrement les sourcils. L'espace d'un instant, elle cherche quelque chose dans sa mémoire. Des voitures bleues, il y en a des milliers. Il est tout à fait normal d'en croiser de temps à autre. Alors, rien ne sert de se torturer les méninges pour tenter d'associer celle-ci à quelqu'un qu'elle connaît.

L'agent de police de Mériport se tient debout devant la porte arrière du garage pour intercepter la jeune femme dès son arrivée.

— As-tu trouvé quelque chose à l'intérieur ?

— Oui. Et ce n'est pas beau à voir.

— Un meurtre ?

— Horrible, en plus. Il s'agit bel et bien de Bernard Plourde. J'ai tout de suite avisé mon supérieur. Des renforts arrivent bientôt. Et toi, tu as fait quoi ?

— J'ai vu un fuyard sur le trottoir, mais je n'ai rien pu faire pour le rattraper. Il était beaucoup trop loin. Je ne pourrais même pas le reconnaître. Je suis désolée.

— Tu n'as pas à l'être. Tu as fait ce que tu pouvais, c'est ce qui compte.

— Allons. Je veux voir la victime. Où se trouve le corps ? Dans sa chambre, comme celui de Muloin ?

— Non, pas du tout. Il se trouve dans le garage.

Marianne pose un regard surpris et interrogateur sur le jeune homme. Ce dernier hoche la tête pour confirmer ses dires. Puis, de la main, il invite sa collègue à le suivre, mais non sans la prévenir, encore une fois, que la scène est vraiment dégoûtante.

L'immense garage double de Plourde ne contient qu'un seul véhicule, ce qui laisse un grand espace libre au beau milieu duquel le corps nu de Bernard Plourde est suspendu. Marianne se couvre la bouche de la main pour étouffer le cri d'horreur qui tente de sortir de sa gorge alors que, par un quelconque déplacement d'air, la victime se tourne lentement vers elle. Simon l'avait pourtant mise en garde.

Retenue par un câble fixé à une poutre de métal du plafond et noué sous ses bras, la victime est suspendue à soixante centimètres du sol. En dessous, un drain, d'environ dix centimètres et recouvert d'une plaque perforée, a peine à suffire pour évacuer le sang, encore chaud, du pauvre homme. Celui-ci a été atrocement mutilé. Toutes ses extrémités, ses doigts, ses orteils et son pénis, ont été sectionnées et traînent ici et là sur le plancher. Comme si ce n'était pas assez, assurément pour accélérer la mort de la proie, une large entaille dans le ventre, du pubis au sternum, laisse pendre les intestins. La bouche a été bâillonnée pour que personne n'entende les cris de l'infortuné.

Marianne ferme les yeux. Une autre affreuse vision qui la suivra dans ses cauchemars jusqu'à la fin de ses jours. En moins d'un mois, elle aura été confrontée à des crimes de plus en plus atroces. Elle devra s'y faire et se confectionner une carapace si elle persiste à vouloir réaliser son grand rêve, celui de devenir la meilleure inspectrice du pays.

Après avoir évacué tout l'air de ses poumons pour la renouveler avec du plus frais, elle ouvre enfin les yeux. Ces derniers se dirigent vers le véhicule stationné à côté. Une immense Cadillac blanche. Sur l'une des portières apparaît un mot. Un mot écrit en rouge. Le sang de Bernard Plourde. Ce mot: Lédo

Au moment où Marianne songe à se diriger vers l'inscription, la porte avant du garage s'ouvre brusquement. Réginald Simard entre en trombe, haletant comme s'il venait de courir le marathon. Un policier, portant képi, le suit de près, accompagné par un autre agent.

— J'étais à près de quinze minutes d'ici lorsque j'ai eu ton appel, explique aussitôt Régi. Je me suis mis à courir de toutes mes forces. Je n'ai plus l'endurance que j'avais il y a vingt ans. Heureusement, le capitaine Lord passait par là et il m'a reconnu.

Simard s'arrête de parler subitement en posant les yeux sur la victime. Cependant, ses traits demeurent de marbre. Une victime comme tant d'autres.

«Ce n'est jamais un spectacle très réjouissant, ce genre de scène de crime, mais on s'y fait», avait-il dit aux membres de son équipe lors de la toute première réunion à laquelle il les avait convoqués.

— Encore Donovan, lance-t-il avec hargne. Va falloir le coincer, celui-là. Il devient de plus en plus dangereux.

— Vous parlez de Léopold Donovan?

— Oui, Capitaine. C'est un véritable fléau ce gars-là.

— J'ai lu son dossier via mon ordinateur. Ça fait maintenant plusieurs années que l'on n'a pas entendu parler de lui. Du moins, en ce qui me concerne. J'ai cru comprendre qu'il s'était enfin rangé.

— Foutaise ! Donovan ne s'est jamais rangé et il ne se rangera jamais. C'est un rat de la pire espèce qui est prêt à tout pour me narguer. D'ailleurs, je suis vraiment surpris de constater qu'il n'y a aucune note qui me soit adressée ici.

— Il doit avoir été pris de court, comme on dit, intervient maladroitement Simon Quesnel. Il venait tout juste de quitter lorsque nous sommes arrivés, Marianne et moi.

— Marianne !

— Je veux dire, Mademoiselle Latreille… L'inspectrice Latreille.

— Oui, oui, je sais qui c'est, ricane méchamment Réginald Simard sous l'œil agacé de son équipière.

— Je lui ai couru après, enchaîne la jeune femme pour revenir à la conversation qui les intéresse tous. J'ai échoué. Mais comme l'a si bien dit l'agent Quesnel, l'assassin se trouvait sur les lieux à notre arrivée.

Simard n'écoute que d'une oreille ce que lui raconte Marianne. Il a les yeux rivés sur la victime.

— Il était de toute évidence encore en vie lorsqu'il a été charcuté, lance-t-il sans trop d'expression dans le timbre de sa voix.

— Qu'est-ce qui te fait dire ça, demande la jeune femme ?

— La peau sous ses bras, à l'endroit où passe le câble. Tu vois, elle est exagérément meurtrie, même déchirée. Il s'est débattu comme un diable dans l'eau bénite. Et si tu comptes comme moi, il a eu onze amputations. Ça fait mal, ça.

— J'imagine que ça dû être terrible, en effet.

— Comme il a été pressé dans son agression, il a finalement éventré sa victime avant de filer à l'anglaise. D'ailleurs, la preuve de tout ça, c'est qu'il n'a pas eu le temps de m'adresser l'un de ses foutus messages. Il ne faut surtout pas se leurrer sur le motif de ce nouveau meurtre. Il s'agit d'un autre affront à mon endroit. Rien de plus

Marianne demeure songeuse un long moment. Quelque chose cloche. Comment le tueur aurait-il pu se sentir pressé d'en finir avec sa victime ? Il ne savait pas que les forces de l'ordre étaient en route pour l'intercepter.

— Quelqu'un l'a forcément informé de l'arrivée des policiers.

— L'homme qui a fait l'appel anonyme, conclut Réginald. Ce petit farceur est soit de mèche avec Donovan, soit qu'il est tout simplement cinglé au point où il joue dangereusement avec le feu en dénonçant l'assassin ou que ce soit lui-même le meurtrier et qu'il a mal calculé le temps qu'il lui restait pour accomplir sa tâche.

— Donovan ne commettrait pas une telle erreur.

— Je te l'accorde. Ma dernière supposition ne tient pas la route. J'opte pour la deuxième.

— Notre équipe de spécialistes en scènes de crimes est en route. D'ici quelques heures nous connaîtrons beaucoup plus de détails sur ce massacre. Alors, retournons au poste si vous le voulez bien. Nous allons devoir regrouper toutes nos notes pour mieux cerner le profil du tueur…ainsi que du délateur. Celui-ci peut sûrement nous apprendre des choses. Il ne faut absolument rien négliger.

Simard reconnaît le sens des responsabilités que démontre le Capitaine Yvon Lord. D'un signe de la tête, il lui fait part de son approbation, puis se dirige aussitôt vers la sortie. En posant le pied à l'extérieur, il jette un coup d'œil à la magnifique plate-bande longeant l'immense terrain de Plourde. Ses traits se durcissent brusquement lorsque son regard, quittant les limites de la propriété, se pose sur une cabine téléphonique se dressant de l'autre côté de la rue.

Réginald lève un doigt en direction des autres policiers pour les inviter à l'attendre un moment. D'un pas assuré, il traverse la rue et s'engouffre aussitôt dans la cabine. Rapidement, il repère un bout de papier jaune traînant sur la tablette supportant le bottin téléphonique de l'endroit.

«C'est Louis Allard qui a avisé Marianne», se dit-il intérieurement. «C'est lui le délateur anonyme. Pourquoi agir de la sorte au lieu de se déclarer témoin de ces crimes? Et que faisait-il dans cette région alors qu'il demeure à Rivière-aux-Perches? Va falloir que j'aie une discussion sérieuse avec lui.»

Réginald enfouit le bout de papier au creux de sa poche, puis vient rejoindre ses collègues, déjà installés à l'air conditionné, dans la voiture du Capitaine. Seul Simon Quesnel demeure sur les lieux pour accueillir l'équipe de spécialistes.

Chapitre 18

Réginald et Marianne sont invités par Yvon Lord à souper dans un restaurant de Mériport. Le capitaine désire connaître l'opinion des deux inspecteurs sur le déroulement des enquêtes en cours, mais non de façon formelle. Devant un bon repas, arrosé d'une bouteille de vin, l'atmosphère se prêterait mieux à des échanges constructifs et peut-être même à des suggestions de solutions.

La conversation débute par des banalités, comme les nouvelles règles que le gouvernement veut implanter à l'intérieur des corps policiers de la province et qui pourraient inciter le syndicat à proposer à ses membres de se lancer dans une grève inutile. Il est aussi question des méthodes un peu trop brutales que certains policiers et certaines policières utilisent pour gérer des situations qui, somme toute, ne demandent qu'une simple surveillance sans intervention. On en vient également à discuter des agissements quelquefois inappropriés de Marcel Vincelette, sans toutefois le critiquer ouvertement, parce que, après tout, les trois policiers ne se connaissent pas suffisamment pour se risquer à dénigrer leur Directeur général. C'est si commun, et ce, dans toutes les sphères de la société, d'être mal interprété.

Heureusement, Marianne qui déteste parler de ces choses-là, réussit à faire bifurquer la conversation vers ce qui l'intéresse le plus, l'élucidation des meurtres qui, depuis quelques semaines, affligent son chef d'équipe. Elle aimerait tellement que l'assassin qui se prénomme Lédo soit mis sous verrous le plus tôt possible. Du moins, avant que Régi n'atteigne le jour de sa retraite.

— Toujours prête à te lancer à la poursuite des assassins, n'est-ce pas Marianne, ricane Simard.

— C'est mon boulot. Nous sommes en présence de quatre meurtres en deux semaines, je crois que ça vaut la peine qu'on s'y arrête un peu, non ? Cela me paraît pas mal plus important que les sautes d'humeur de monsieur Vincelette ou de l'abus de pouvoir qu'utilisent certains agents. Je ne dis pas que ces agissements ne sont pas répréhensibles, je dis que d'empêcher un tueur en série d'opérer est primordial.

Réginald ne cesse de sourire tout au long de l'explication de la jeune femme. Elle lui ressemble tellement alors qu'il en était à ses débuts comme inspecteur. Cependant, avec le temps et surtout avec le nombre impressionnant d'injustices auxquelles il a été confronté, la fougue des premières années s'est lentement, mais surtout malheureusement, estompée, ou, du moins, transformée, ce qui l'amène aujourd'hui, en fin de carrière, à regretter de ne pas avoir été assez efficace pour éliminer ces criminels qui continuent, en toute impunité, de faire d'innombrablcs victimes.

— Vous savez Capitaine Lord, dit Réginald en désignant son équipière, Marianne est le meilleur élément à être recruté à Sainte-Jasmine depuis des décennies. D'ici quelques années, elle fera mourir d'envie tous les policiers de la région.

Les joues empourprées, la jeune femme ne sait plus où regarder pour ne pas laisser paraître son malaise. Elle déteste recevoir des compliments de ce genre, considérant que ceux-ci peuvent engendrer de la jalousie et dégénérer en mesquinerie de la part de ses collègues. Néanmoins, ce soir, il n'y a que le capitaine Lord à leur table et ce dernier compte déjà de nombreuses années de service, donc la jalousie est écartée.

— J'ai cru remarquer qu'elle est une femme de grand talent, en effet, approuve le policier de Méricourt. Si un jour vous cherchez du travail, ma chère Marianne, vous serez la bienvenue dans mon escouade.

— Bon. Je vois que vous ne tenez pas du tout à discuter de Lédo. Alors je finis mon repas et je me sauve.

— Ne t'emballe pas comme ça, Marianne. Nous ne faisions que te taquiner. Bien sûr que le cas de Lédo nous intéresse. Même que, pour moi, il est devenu une obsession. Je ne dormirai jamais tranquille tant que Donovan sera en liberté, prêt à faire le mal.

— Ce n'est peut-être pas lui.

— Non ! Ne me dis pas que tu te ranges du côté de Dominique et de Vincelette ?

— Je me fie tout simplement à mon intuition.

— L'intuition féminine, lance Yvon Lord.

— Je parle de mon intuition d'inspectrice. Je parle de ma courte expérience dans ce domaine qui m'amène à réfléchir davantage que de faire des déductions, mais je parle aussi de faits qui semblent ne pas concorder avec les habitudes de Léopold Donovan.

— Comme quoi, insiste Simard pour que la jeune femme aille au bout de son idée ?

— Donovan n'est pas homme à s'en prendre à d'autres criminels. Il aime tout ce qui représente le mal dans la vie, alors pourquoi voudrait-il neutraliser justement ceux qui font le mal ?

— De quoi parlez-vous au juste ?

— On ne vous a rien dit, capitaine ? Les deux premiers meurtres revendiqués par ce Lédo étaient des hommes que la justice n'avait pas encore rejoints, ou qu'elle avait laissé filer. Alors, je le répète, Donovan n'est pas du genre à éliminer ceux qui ont déjoué la justice.

— Une façade. En agissant de la sorte, il espère que nous en venions tous à la même conclusion. À la tienne. De plus, qu'est-ce qui te dit que Muloin et Plourde ont quelque chose à se reprocher ?

Encore une fois, Marianne est tentée de lancer à la face de Réginald qu'elle a été agressée par Donovan, mais que celui-ci ne lui a fait aucun mal. Ce qui n'est pas dans ses habitudes. Au fond, elle commence à croire que ce vaurien s'est finalement rangé. Simard refuse de croire cette hypothèse.

— Marianne a peut-être raison, intervient Lord. Tout porte à croire qu'il s'agit de Donovan, mais il n'y a aucune preuve tangible. Donc le meurtrier peut-être n'importe qui.

— Ce serait une bonne chose si on accélérait l'enquête, suggère Réginald. Il faudrait dresser un portrait de la vie de l'ex-juge et de son ami le plus tôt possible.

Tout en prononçant ces dernières paroles, Réginald Simard fait un signe de la main au serveur pour attirer son attention, puis pointe la bouteille de vin vide. Un hochement de tête lui indique que dans peu de temps, une remplaçante atterrira sur leur table.

D'ores et déjà, le capitaine de police sait que leur conversation n'aboutira qu'à de l'obstination de la part de l'inspecteur Simard. L'alcool n'est jamais un bon conseiller dans des discussions sérieuses. Le tempérament bouillant de Réginald risquerait de compromettre la relation amicale qu'ils ont depuis le matin.

— Si vous n'y voyez pas d'inconvénient, dit le capitaine Lord, je crois que je vais me retirer. La journée a été dure et j'ai l'intention de me coucher tôt. Nous avons tous besoin de sommeil, d'ailleurs. Alors j'espère vous voir au bureau demain en matinée.

— Vous partez déjà ! La soirée commence à peine.

— Je n'ai pas vraiment l'habitude de boire de l'alcool, alors vous comprendrez que je ne me sens pas très bien présentement. Je préfère vous quitter, mais rien ne vous empêche de continuer sans moi.

— Comme vous voudrez, capitaine. Alors à demain.

Après un échange de poignées de mains chaleureuses, Yvon Lord tourne les talons et se dirige lentement vers la sortie, sous le regard amusé de Simard. Ce dernier secoue légèrement la tête. Si Lord avait été confronté plus souvent, dans sa carrière, au genre de meurtre commis dans sa ville ces derniers jours, lui aussi s'enivrerait de temps en temps.

Un serveur vient remplir les coupes des deux inspecteurs, puis dépose la bouteille dans le seau à moitié rempli de glaçons.

— Je n’ai pas l’habitude moi non plus de boire autant, dit timidement Marianne.

— Tu ne vas pas me laisser tomber, toi aussi ?

— Bien sûr que non, répond la jeune femme après un peu d’hésitation. Heureusement nous n’avons pas à conduire ce soir. Au fait, puisque nous parlons véhicule, peux-tu me dire pourquoi tu te rendais à pied chez Bernard Plourde, cet après-midi ?

Simard esquisse un sourire à l’endroit de sa compagne. Elle ne cesse jamais de parler boulot celle-là. C’est une vraie de vraie. Elle mérite grandement d’être félicitée par les grands patrons, mais ces ingrats sont vraiment trop avares de compliments.

— Le temps était beau et rien ne me pressait. Le capitaine Lord devait venir me rejoindre un peu plus tard, alors je me suis dit que marcher me ferait le plus grand bien et que je pourrais monter avec lui pour le retour au poste.

— Tu serais arrivé, probablement, en pleine séance de torture si tu avais été avec ton véhicule.

— Possiblement, en effet. Mais ce n’est pas le cas et c’est pourquoi le meurtrier court encore. Si tu veux mon avis, ma belle Marianne, ce n’est pas ce soir que toi et moi allons pouvoir lui mettre le grappin dessus.

— Je n’en doute pas une seconde. J’aurais du mal à tirer un éléphant dans un corridor, tellement j’ai la vue embrouillée.

— Allons. Un dernier verre, pour finir la bouteille, et nous partons.

Marianne avale rapidement le verre de vin que Réginald vient de lui verser. Il en est estomaqué. Pour une femme qui ne boit jamais d’alcool, elle n’y va pas avec le dos de la cuillère.

Simard se lève de table et invite Marianne à l’imiter. La jeune femme vacille un moment avant de reprendre son aplomb puis, supportée par Régi, elle réussit à marcher, sans trop de mal apparent, vers la sortie. Une fois à l’extérieur, les deux inspecteurs longent un étroit trottoir à demi éclairé et à côté duquel se dressent des unités de motel. Yvon Lord avait eu le nez fin en choisissant le restaurant adjacent à ces dernières.

— Voilà, fait Simard en s'immobilisant. Nous y sommes. Le 49 c'est ta chambre. Je suis au 50.

— J'aimerais bien t'offrir un dernier verre, lance Marianne en s'esclaffant, mais je n'ai rien à boire. Il n'est pas si tard que ça, après tout. Je n'ai pas réellement l'habitude de faire la fête, mais ce soir, j'en ai envie.

— J'ai une bouteille de whisky dans l'auto. Si tu veux, je peux aller la chercher.

— Merveilleux. Je t'attends.

Réginald se saisit de la clé que Marianne vient d'extraire de sa poche de jean, puis déverrouille la porte. Une fois le plafonnier allumé, il jette un œil à l'intérieur de la chambre avant de laisser la jeune femme y pénétrer. Déformation professionnelle, sans doute, mais surtout esprit protecteur.

— Je reviens dans deux minutes, dit Simard alors que sa collègue se dirige vers le lit.

Il ne faut pas plus de temps à Réginald pour s'emparer de la bouteille d'alcool qu'il range toujours au fond du coffre de sa voiture. Mais lorsqu'il retourne à l'unité de Marianne, il constate qu'à elle aussi, il ne lui a pas fallu plus de temps pour s'endormir.

Allongée en travers du lit, Marianne est plongée dans un profond sommeil. Ce dernier est survenu trop rapidement pour qu'elle puisse se dévêtir. Réginald serre les lèvres, puis s'assied sur le lit, tout près de sa collègue. Du bout des doigts, il caresse la belle chevelure blonde de cette dernière et effleure à quelques reprises la peau douce de ses joues.

Après un grand soupir, probablement de déception, le quinquagénaire se redresse, puis, avec délicatesse, il soulève légèrement le corps de Marianne afin de mieux le positionner pour la nuit. Malgré un peu de difficulté, il réussit à faire glisser la couverture sous les fesses et ensuite sous les pieds de la dormeuse, puis la recouvre à demi.

L'inspecteur se saisit alors de sa bouteille de whisky et, tout en gardant les yeux accrochés au beau visage de sa collègue jusqu'à la dernière seconde, il quitte l'unité 49.

Chapitre 19

Au volant de sa G5, François Deguire file à vive allure sur une petite route de campagne. C'est à peine s'il a le temps de lire le nom de l'endroit inscrit sur un panonceau vert : Rivière-aux-Perches. Le jeune homme laisse échapper un soupir de soulagement. Machinalement, il lève le pied de l'accélérateur et scrute les abords de la route en espérant déceler l'entrée de la propriété du garagiste à qui il avait confié sa voiture pendant près de trois semaines. Un problème électrique très difficile à régler, paraît-il.

Enfin, Deguire aperçoit, inscrite sur une boîte aux lettres, l'adresse qu'il recherche. La voiture s'engage dans une allée bordée de chaque côté par de hauts peupliers. Tout au bout, une maison vétuste se dresse tant bien que mal. L'entretien a, de toute évidence, été négligé depuis de très nombreuses années. Du moins c'est ce que perçoit le jeune inspecteur, alors qu'il se trouve encore à plus de cent mètres et que les rayons du soleil viennent troubler quelque peu sa vision.

La voiture rouge flamme quitte enfin le long couloir de terre battue pour se retrouver au beau milieu d'un grand espace vide escorté, cette fois, par un fouillis indescriptible. De vieilles carcasses d'autos gisent çà et là en désordre, certaines empilées les unes sur les autres, complètement dépouillées de leur contenu et accessoires.

Deguire n'en revient pas. C'est à cet endroit que des réparations ont été effectuées sur son propre véhicule ! Il en est estomaqué. Sa surprise est encore plus grande lorsqu'il pose les yeux sur un petit garage à sa gauche. Un bâtiment en piteux état, ressemblant étrangement à un ancien poulailler, dans lequel on a percé une large porte coulissante. Cette dernière est fermée.

L'inspecteur abaisse les paupières et soupire profondément comme pour effacer de sa vue cette désolation qui l'entoure. Un bric-à-brac où s'entremêlent pièces d'autos, vieux barils de métal à demi rongés par la rouille, palettes de bois en piles chambranlantes, des tondeuses, des souffleurs, des scies à chaîne, etc… Bref, une panoplie extraordinaire d'articles et de machinerie brisés d'aucune utilité.

Cependant, un peu en retrait, un seul véhicule bleu, en parfaite condition, se détache de toute cette ferraille. Deguire la reconnaît, c'est la voiture qu'il a eu le plaisir de conduire pendant quelques semaines, celle du propriétaire de l'endroit. Il est donc là. Au moins il ne s'est pas déplacé pour rien.

D'un pas incertain, il se dirige vers la maison qui, soit dit en passant, se révèle être encore plus en mauvais état que ce qu'il avait cru à prime abord. C'est inconcevable qu'un être humain puisse vivre dans un lieu pareil. Pourtant, cet endroit n'est pas unique, il en existe un grand nombre et peu de gens font l'effort de comprendre le pourquoi de ce genre de négligence. La détresse humaine en est, la plupart du temps, la cause. Des gens, souvent atteints d'une maladie mentale, qui sont laissés à eux-mêmes, n'ont aucune idée de leur état. Le drame, c'est que ces personnes en détresses, la plupart du temps, sont répugnantes aux yeux des gens dits normaux et ne doivent compter que sur leurs très faibles moyens pour survivre.

Les planches de la grande galerie se tordent de douleur à chacun des pas du jeune homme alors qu'il s'approche de la porte à demi disloquée. La saleté recouvrant la vitre empêche Deguire de voir quoi que ce soit à l'intérieur de la maison. Il doit donc se résigner à frapper. S'il n'était pas inspecteur de police, il quitterait à toute vitesse cet endroit peu invitant. Cependant, il se doit d'aller jusqu'au bout. Les quelques détails qu'il a relevés dans un des dossiers contenus dans le classeur de son supérieur l'incitent à aller de l'avant. Il doit en avoir le cœur net.

Encore quelque peu hésitant, il réussit néanmoins à frapper à la porte dont la vitre vibre sous le léger impact. Deguire appuie l'une de ses mains sur cette dernière pour la retenir au cas où elle se détacherait de son cadrage rongé par la pourriture.

— Il y a quelqu'un ? crie modérément le policier.

Comme il s'y attendait, il ne reçoit aucune réponse. Si ça se trouve, l'occupant du taudis se dissimule derrière l'une des fenêtres et épie ses moindres gestes. Deguire recule de deux pas et jette un œil à travers celle se trouvant à sa droite. Encore une fois, la saleté l'empêche de discerner quoi que ce soit. La fenêtre de gauche n'offre rien de plus que sa voisine. La frustration grimpe de quelques degrés sur l'échelle de tolérance du jeune inspecteur. Il frappe une seconde fois la porte en y mettant un peu plus de vigueur. La vibration de la vitre en est par le fait même accentuée, ce qui contribue davantage à l'exaspération de Deguire.

— Louis, es-tu là ? Réponds ! Es-tu là ?

Au moment où sa patience est sur le point de s'évaporer totalement dans l'attente, un bruit infernal fait sursauter violemment le jeune homme. Son regard se dirige instantanément vers le garage. L'immense porte coulissante a été poussée vers la gauche. Deguire quitte la galerie et à pas lent se dirige vers l'antre du mécanicien. Ce dernier doit assurément avoir entendu ses appels, alors pourquoi faire autant de mystère en ne répondant pas ?

Un chapelet d'ampoules électriques brille tout au fond du bâtiment, mais n'arrive pas à chasser toutes les ombres se dressant ici et là. Causées par des amoncellements de pièces d'auto, ces dernières dissimulent avec succès la personne qui a ouvert l'énorme porte.

— C'est toi, Louis ? À quoi joues-tu au juste ? Fais pas l'idiot. Montre-toi, s'il te plaît.

Alors que le silence continue de régner en maître, la peur envahit peu à peu Deguire. Sans faire de mouvement brusque, il porte une main à son arme accrochée à sa ceinture. Ses patrons l'ont pourtant averti de ne s'en servir qu'en situation extrême ou de légitime défense. Ici, il n'est attaqué en aucune façon, mais sa peur est plus forte que son bon sens.

Encore un pas et le jeune inspecteur pose un pied à l'intérieur du garage. Il dégaine aussitôt son arme et la pointe vers l'avant. Il se doit d'être prêt à toute éventualité. Après tout, le nom de son garagiste se retrouve confiné dans l'un des dossiers de Simard et la courte description qui s'y rattache ne reflète pas exactement la réalité. Il y a quelque chose de mystérieux là-dedans, ou, à tout le moins, de louche.

— Bouuuuu !

Deguire sursaute violemment et se retourne vers la droite. Son index se crispe par réflexe et actionne la gâchette de l'arme. La détonation retentit, tel un coup de canon se répercutant sur tous les murs du garage. Hébété, le policier n'arrive plus à faire le moindre mouvement. Son geste est impardonnable. De ses yeux désemparés, il tente de scruter la demi-obscurité que provoque un amas de ferraille afin de déceler la présence d'un éventuel corps.

— Tu es fou, Deguire ! Qu'est-ce qui te prend ?

— Je suis désolé, Louis, réussit à répondre l'inspecteur du bout de ses lèvres tremblotantes, en reconnaissant la voix. J'ai paniqué.

— Et tu crois que tout peut se pardonner par un simple : « désolé » ?

— Je t'en prie, ne m'en veux pas. Je ne sais pas ce qui m'a passé par la tête. J'ai commis une grave erreur de jugement. Mais tu dois également avouer que ce n'était pas trop intelligent de ta part de vouloir me surprendre de la sorte.

Quelques secondes de silence indiquent à François que l'offensé songe sérieusement à passer l'éponge sur ce malheureux événement. Du revers de la main, il essuie des larmes qui pendent au coin de ses yeux. En posant un geste aussi inconsidéré, il aurait pu tuer un innocent. Ce court épisode de sa vie, il s'en souviendra chaque fois qu'il entrera dans un endroit sombre. Un malheureux incident qui va contribuer grandement à son apprentissage.

— Bon, d'accord. Je veux bien admettre que c'était une erreur de notre part. Rengaine ton arme, s'il te plaît. Je vais sortir.

Deguire secoue légèrement la tête en prenant conscience qu'il tient encore son neuf millimètres dans sa main. Rapidement, il le range dans sa gaine et pose les yeux sur l'homme qui vient de quitter l'abri d'une énorme colonne de bois.

— Heureusement que tu n'es pas un expert au tir au pistolet.

— Je suis content que tu ne sois pas blessé. Sincèrement, je ne comprends pas ce qui s'est passé. C'est peut-être à cause de l'endroit. Faut bien que tu avoues que ta propriété tout entière est lugubre à souhait. On se croirait dans un de ces films d'épouvante.

— Exagère pas, quand même. Il y a un certain désordre, mais je suis persuadé que tu as déjà vu pire.

Deguire serre les lèvres pour s'interdire une réplique qui pourrait sans doute vexer son vis-à-vis. Mieux vaut changer de sujet pour ne pas déclencher une avalanche de remarques désobligeantes. D'ailleurs, si François espère des réponses franches à ses questions, il se doit de ne pas pousser Louis Allard au bord de la mauvaise humeur.

— Ça fait longtemps que tu habites cet endroit ?

— Depuis quelques années. En fait, ça fait neuf ans.

— Je comprends. C'est la maison de tes parents ?

— Si on peut dire.

— Si on peut dire ?

— Disons qu'ils étaient mes parents adoptifs. Non officiel, je veux dire. Je n'ai pas eu une enfance facile. Tu sais ce que c'est, attouchements, agressions sexuelles de la part de mon vrai père et de mes oncles. Un seul de ceux-ci me procurait de la vraie tendresse, mais la loi est venue s'interposer entre nous. Alors je me suis révolté et, vers l'âge de seize ans, malgré mon attachement pour cet oncle, j'ai dénoncé mes tortionnaires, ce qui m'a valu d'être placé dans une famille d'accueil. Je suis tombé ici. Des gens formidables qui m'ont aussitôt considéré comme leur propre fils. Malheureusement, ils sont tous deux décédés dans un accident de voiture il y a quelques années. J'étais leur seul héritier.

— Et tes vrais parents, tu ne les as pas revus ?

— Tu poses beaucoup de questions aujourd'hui, lance le mécanicien en se glissant une gomme à mâcher dans la bouche. Tu veux savoir quoi, au juste ? Tu es ici en tant que client ou en tant qu'inspecteur de police ?

Deguire fronce légèrement les sourcils. Cette dernière question de la part du jeune garagiste l'intrigue réellement. Jamais il n'a révélé à Allard qu'il faisait partie de la police. Leurs contacts précédents avaient eu lieu soit par téléphone, soit à son domicile et, à chaque fois, la conversation avait été de très courte durée. Même si une certaine confiance s'était aussitôt installée entre eux, aucun détail de leur vie privée respective n'avait été révélé. De plus, il réalise tout à coup que le mécanicien est venu livrer son véhicule dans le stationnement du poste de police.

Louis Allard se rend compte de sa bévue. Pendant un instant, il épie la réaction de Deguire, puis fait entendre un léger ricanement.

— Tu te demandes comment il se fait que je sois au courant de tes fonctions ? C'est bien simple : après être allé chercher ton auto chez toi pour la réparer, j'ai demandé une vérification du numéro de série de celle-ci. Que veux-tu, j'aime bien m'informer sur la crédibilité de mes clients. La personne qui m'a répondu était très bavàrde et m'a révélé certains renseignements qu'en réalité je n'avais pas à savoir. Mais comme tu peux le constater, les gens ne sont pas tous des professionnels comme nous. N'est-ce pas ?

Deguire sourit à son tour. Allard lui a toujours semblé être un homme honnête et il accepte volontiers les explications de ce dernier.

— Je comprends très bien. Mais si on revenait à ta dernière question. Je suis effectivement ici en tant qu'inspecteur. Je te rassure immédiatement, tu n'es accusé de rien et il n'y a aucune plainte contre toi. J'ai tout simplement vu ton nom inscrit dans l'un de nos dossiers et la description que l'on y fait de toi ne correspond pas avec la personne que je connais. Je me suis dit que tu pourrais peut-être m'expliquer.

— Et on me décrivait de quelle manière, au juste ? Grand et mince ?

— La description physique était assez fidèle, mais c'est sur le plan du comportement que ça m'a interpellé.

— Je dois te dire que je suis de nature très timide. Lorsque je me trouve dans des situations délicates, il s'opère un genre de métamorphose en moi et, à ce moment-là, on dirait qu'un second Louis Allard fait surface. Un Louis Allard qui a d'énormes difficultés d'élocution. Ne me demande pas comment et pourquoi se produit ce phénomène, je n'en sais foutrement rien. Même les docteurs s'y perdent.

— Tu as réponse à tout, à ce que je vois.

— C'est la vérité ! Tu en doutes ?

— Pas du tout, Louis. Je ne fais que mon travail. Et le travail d'inspecteur, c'est d'aller au fond des choses.

— Je comprends. Alors, je crois que notre entretien en a encore pour un certain temps. Si tu veux bien me suivre, nous serions plus à l'aise à l'intérieur de la maison. Tu veux une bière ?

— En service ?

— Je ne dirai rien à tes supérieurs. Faisons comme s'il s'agissait d'une visite amicale plutôt que formelle.

Deguire hoche imperceptiblement la tête et accepte l'entente d'Allard. Après tout, il n'est pas exactement en service puisqu'il a obtenu son congé jusqu'à lundi. De la main, il indique à son hôte de prendre les devants. Ce dernier, tout souriant, se met en branle aussitôt et file droit vers son taudis. Le jeune policier lui emboîte le pas, résolu à faire de cet interrogatoire un véritable succès. De cette façon, il pourra prouver à Simard sa véritable valeur au sein du corps policier de Sainte-Jasmine.

L'intérieur de la maison n'est guère mieux que l'extérieur. Le désordre y est également à l'honneur. Allard s'empresse de débarrasser un fauteuil de son fardeau constitué de vieux journaux et de quelques cannettes de bière vides. François s'y installe avec hésitation, une légère grimace de dégoût accrochée à son visage.

— Fais comme chez toi. Mets-toi à ton aise, je t'apporte une bière.

Allard se fraie un chemin jusqu'à la cuisine. Deguire en profite pour faire un tour d'horizon du regard. Sur la petite table basse, au milieu du salon, l'inspecteur remarque la présence de deux assiettes sales, l'une en face de l'autre, se cachant sous une boîte blanche ayant renfermé une pizza. Deux verres accompagnent une bouteille de vin vide, couchée au milieu d'un petit groupement de cannettes de bières dont certaines sont tordues et d'autres, littéralement écrasées. De toute évidence, Allard a récemment accueilli un visiteur avec lequel il a partagé un repas.

— Voilà ta bière, lance le garagiste alors que Deguire vient tout juste de regagner son fauteuil.

— Merci.

— Maintenant, les choses sérieuses. Pose-moi tes questions. J'essaierai d'y répondre avec le plus d'honnêteté possible.

Deguire approuve de la tête. Il fouille un instant dans l'une des poches arrière de son pantalon et en ressort un petit calepin dans lequel il y a consigné quelques questions avant de se rendre à la propriété d'Allard.

— Premièrement. Dans le dossier que j'ai consulté, il y est écrit que tu t'es rendu au poste de police pour faire une déposition concernant un meurtre. Un meurtre dont tu avais été témoin. Comment se fait-il que tu te trouvais dans un coin aussi perdu que l'endroit où Régis Letang a été assassiné ?

— Pure coïncidence. Je me baladais dans le coin en voiture et j'ai vu deux hommes qui entraient dans cette maison abandonnée. L'un d'eux pointait un pistolet en direction de l'autre. Je me suis stationné un peu plus loin et me suis rendu à l'une des fenêtres de la maison. Celle donnant sur la salle à manger.

— Pourquoi ne pas avoir appelé les flics ?

— Je n'avais pas mon portable avec moi.

— D'accord. Et tu es demeuré tout ce temps à cette même fenêtre ?

— Oui. En fait je n'y suis resté que quelques minutes, c'est tout.

Deguire fronce les sourcils, puis pose un regard interrogateur sur le grassouillet. Des tas de questions viennent assaillir le cerveau de l'inspecteur. Cependant, il commence à douter de la véracité des réponses que Louis Allard pourrait lui apporter.

— Il y a quelque chose qui cloche dans ta déposition, Louis. Tu dis n'avoir été là que quelques minutes alors que le médecin légiste a déclaré que la victime a enduré ses supplices pendant des heures. Tu as également déclaré que le meurtrier lui a donné un bain pour le purifier. Alors que je sais pertinemment que, de la fenêtre où tu prétends t'être trouvé, la salle de bain n'est pas visible. Elle n'est visible d'aucune fenêtre, en fait. Tu peux m'expliquer ça?

Allard baisse la tête, un sourire nerveux accroché aux lèvres. Il s'agit plutôt d'une grimace de déception. Il a vraiment été maladroit dans ses déclarations. C'était une très mauvaise idée que d'accepter de répondre aux questions de Deguire. Malheureusement, le mal est fait. Il n'a plus le choix.

— En effet, j'ai menti sur presque toute la ligne.

— Tu étais bien là lors du meurtre de Régis Letang. Mais pas comme témoin, comme acteur principal, n'est-ce pas?

Le rire de Louis Allard se répercute aussitôt dans toute la pièce comme si Deguire venait de lui raconter une excellente blague, hilarante à souhait. Puis, aussi soudainement qu'ils s'étaient déridés, ses traits se figent pour offrir au regard de l'inspecteur un faciès des plus sérieux.

— Tu es complètement dans le champ, mon pauvre Deguire. Je ne suis pas le meurtrier que vous cherchez, même si je sais de qui il s'agit depuis peu. Tout comme je ne suis pas le grand timide que j'ai bien voulu te faire croire tout à l'heure. On pourrait plutôt dire que je suis un grand comédien. J'ai joué le déficient mental à quelques reprises pour vous embrouiller, toi et ton super chef que j'ai d'ailleurs rencontré dans un bar de danseuses nues. Il ne m'a pas été facile de lui faire croire que j'étais un malade mental.

— Quoi qu'il en soit, comédien ou non, tu vas devoir m'accompagner jusqu'au poste

— J'en doute. Tu ne peux m'y obliger. Tu n'as aucun mandat.

Le jeune inspecteur demeure sans bouger pendant de longues secondes. Allard a raison, il n'a pas de mandat pour l'arrêter. Mais il ne peut tout de même pas se résigner à laisser filer un témoin aussi important, peut-être le complice ou pire, l'assassin lui-même. D'un seul mouvement, il quitte prestement son fauteuil tout en dégainant son arme et en la pointant vers son hôte.

— Désolé de te décevoir, mais tu viens avec moi. Si tu dis la vérité et que tu n'es pas le tueur, alors tu n'as pas à avoir peur.

Encore une fois, le rire du mécanicien vient agacer les oreilles du policier. Allard est, de toute évidence, un fou, un déséquilibré.

Tout à coup, Deguire entend un déclic derrière lui. Un déclic qui ne laisse aucun doute dans son esprit. Quelqu'un vient d'amorcer une arme quelconque. Aussitôt il sent, sur sa nuque, la froideur d'un canon de fusil.

— Jette ton arme, ordonne une voix de femme. Louis n'ira nulle part. Toi non plus, d'ailleurs.

— À mon tour d'être désolé, inspecteur Deguire, ricane Allard. Je crois que tu n'aurais jamais dû te présenter ici.

Une fois désarmé, le canon menaçant se retire et François en profite pour tourner légèrement la tête en direction de la complice du mécanicien. Ses yeux s'agrandissent démesurément.

— Toi ! C'est toi qui lui fournissais tous les renseignements ?

Un violent coup porté derrière la tête vient instantanément plonger Deguire dans le noir total. Il sombre dans l'inconscience.

Chapitre 20

Après un bon déjeuner au restaurant du motel, Réginald et Marianne se rendent au poste de police de Mériport. De là, accompagnés par le capitaine Lord et d'une autre jeune policière, experte en informatique, ils filent vers la résidence de Bernard Plourde.

Tout au long du trajet, les deux collègues de Sainte-Jasmine gardent le silence, seul le capitaine se lance dans des explications que personne n'entend. Marianne a une gueule de bois pour la première fois de sa vie et se promet, intérieurement, que ce sera la dernière. Réginald, un peu plus habitué à l'alcool, n'en ressent que de légers effets, mais sa tête est remplie d'un tout autre malaise, Marianne Latreille. Si la jeune femme ne s'était pas endormie en rentrant au motel, la veille, il aurait tenté de la séduire et de passer la nuit dans son lit. Si tel avait été le cas, il aurait pu rejeter la faute sur l'alcool et non sur un élan d'amour envers sa coéquipière. Par contre, il ne se serait senti coupable en aucune façon, car même si Carole a toujours fait le maximum pour cacher sa relation avec Charles, il n'en reste pas moins qu'il le sait. Il le sait, pour les avoir vus ensemble, il y a de ça quelques années.

— Nous y voilà enfin.

Arraché brusquement hors de ses pensées, Simard sursaute en entendant le capitaine claironner, avec soulagement, qu'ils sont arrivés chez Plourde.

Une camionnette blanche est stationnée dans l'entrée. Il s'agit d'une équipe de professionnels du nettoyage. Réginald songe un instant qu'il est peut-être un peu tôt pour faire le grand nettoyage, mais cela n'est pas de son ressort. Les dirigeants de la police de Mériport ont pris cette décision, ils doivent savoir ce qu'ils fonts. Cependant, en agissant trop rapidement, ils risquent de faire disparaître de très précieux indices.

Pendant une vingtaine de minutes, Caroline Kirouac tente avec acharnement de trouver le mot de passe qui lui permettrait de faire une incursion dans l'ordinateur personnel de Bernard Plourde. Ce n'est pas une pratique très répandue pour les personnes d'un certain âge de verrouiller de la sorte leur ordinateur. Celui de son grand ami, Désiré Muloin, n'en possédait pas et il a été très facile d'y entrer pour l'explorer à fond. Soit dit en passant, ce dernier n'avait rien à cacher.

Durant ce temps, les trois autres policiers errent ici et là dans la demeure de Plourde, fouinant dans tous les recoins en quête d'indices. De nombreuses photos garnissent les murs des chambres à coucher et du salon, alors que d'autres s'alignent sur le manteau de la cheminée. Des photos de famille, pour la plupart. Marianne comprend que Plourde a trois enfants, trois filles, et que ces dernières lui ont donné trois petits-fils et une petite-fille.

— Ca y est, explose tout à coup la jeune informaticienne. J'ai enfin réussi.

Tous s'empressent de rejoindre Caroline qui affiche un large sourire de satisfaction. Cette tâche n'est jamais simple et parfois il faut des heures et des heures pour trouver un mot de passe. Souvent ce dernier est relié à une des activités du propriétaire de l'ordinateur. Cette fois, il s'agissait du nom de l'un de ses petits-fils, Nathan, mais inversé, nahtan.

La policière Kirouac ouvre la page des documents et, un à un, elle met en surbrillance chacun des fichiers y apparaissant.

— Va falloir tous les ouvrir, finit-elle par dire. Une bonne cinquantaine.

— Il doit bien y en avoir un qui indique une liste de noms quelconques.

— Il ne faut pas trop espérer d'y obtenir des renseignements, Marianne. Ce n'est qu'un ordinateur, après tout. L'assassin n'y a certainement pas inscrit son emploi du temps du 25 juillet.

La jeune inspectrice lance un regard rempli de reproches en direction de son chef d'équipe qui lui sourit malgré tout.

— Très souvent, un ordinateur renferme le motif d'un meurtre. Si le meurtrier a pris la peine de torturer le pauvre monsieur Plourde, c'est qu'il avait une raison de le faire. Et c'est dans cet ordinateur que se trouve peut-être la réponse à nos questions. Va falloir que tu fasses une mise à jour sur ta façon de travailler, Régi.

— Trop vieux pour ça.

Kirouac ouvre le dossier de la galerie d'images. Une série de photos déroulent sur l'écran. Des photos de familles, semblables à celles qui apparaissent un peu partout dans la maison. Cependant dans l'ordinateur, il y en a des centaines et des centaines.

— Il doit y avoir d'autres fichiers qui pourraient nous intéresser davantage, lance Simard avec de l'exaspération dans le ton de la voix.

— Vous n'aimez pas les enfants, ironise le capitaine Lord ?

— Je n'ai rien dit de tel. J'aime les enfants, mais dans le cas qui nous intéresse, j'ai l'impression que nous perdons notre temps.

Tout à coup, l'informaticienne arrête le déroulement des photos. Elle se recule tout au fond de sa chaise et bascule la tête vers l'arrière.

— Mon Dieu ! ! !

Tous les yeux se figent instantanément. La consternation est apparente sur tous les visages. Une larme roule sur la joue de Marianne et vient choir sur l'une des mains du capitaine Lord. Ce dernier n'en a pas conscience et reste accroché à ce qu'il voit.

— Le voilà, ton motif, dit Réginald. Tu voulais en trouver un. Eh bien ! C'est fait.

L'agent Kirouac passe à la photo suivante. Elle est aussi dégoûtante que la précédente. La troisième n'est guère mieux et toutes les suivantes sont du même genre. Des photos d'enfants. De jeunes enfants, garçons et filles. Des enfants nus. Des enfants nus dans des positions dégradantes, suggestives.

— Un pédophile ! Il s'agit d'un salaud de pédophile !

Marianne est sur le point de craquer. C'est sa première expérience du genre. Des hommes et des femmes ça passe, même si la pornographie est avilissante, mais des enfants innocents, non ! Plourde a bien mérité son sort. Elle n'a plus aucune pitié pour ce monstre. S'il n'en tenait qu'à elle, l'affaire serait close et elle retournerait à Sainte-Jasmine sur-le-champ. Elle serait même prête à décorer l'assassin d'une médaille pour son geste. Cependant, en songeant à sa mission comme policière, celle de faire respecter la loi, elle regrette aussitôt cette pensée.

— Il y a aussi des vidéos. Vous voulez que j'en démarre une ?

Après l'approbation de ses collègues, Caroline appuie sur le bouton de démarrage de la vidéo. Tous les traits de son visage se crispent. Elle est complètement dégoûtée par ce qu'elle voit même si, contrairement à Marianne, elle est souvent confrontée à ce genre de spectacle. Cependant, jamais elle ne pourra s'y habituer.

— Muloin ! Désiré Muloin aussi, crie le capitaine Lord. Ils sont complices.

En effet. La vidéo montre l'ex-juge en pleine action avec une fillette de dix ou onze ans. En arrière-plan, on aperçoit le reflet de Bernard Plourde dans un miroir. C'est lui qui tient la caméra. C'est lui, le cinéaste. L'abject personnage.

— Sa propre petite-fille, ajoute Yvon Lord C'est Amélie Muloin, la fille de son fils Richard.

Réginald détourne ses yeux mouillés et s'écarte du petit groupe pour aller se laisser choir dans un fauteuil, en retrait. Ce genre de dépouillement de la preuve ne lui a jamais plu. Un policier se doit d'être, dans certaines circonstances, coriace et dur, mais lorsqu'il s'agit de maltraitance d'enfants, sa sensibilité prend immanquablement le dessus. Tout comme toute personne normale, il a de la difficulté à gérer ces situations et, même s'il n'a pas le droit de le dire ouvertement, il prône la vengeance au détriment du pardon.

— Tu crois encore que c'est Léopold Donovan, demande Marianne Latreille en prenant place près de Simard ?

— Léopold Donovan doit être arrêté avant qu'il ne commette d'autres crimes.

— Tu esquives ma question, Régi.

— Tu veux que je te dise quoi au juste ? Que c'est un ange ?

— Tu sais très bien ce que je veux dire. Ce genre de meurtre ne ressemble pas du tout à ceux commis par Donovan. Si nos efforts portent sur une personne qui n'a rien à voir avec ces meurtres, ça veut dire que nous perdons un temps très précieux.

Réginald se vide littéralement les poumons en laissant échapper un long soupir. Il aurait tellement voulu que tous les policiers se mettent à la recherche de Léopold Donovan afin de le faire enfin payer pour les crimes qu'il a commis sans être puni. Il ne peut se résigner à l'idée que son pire cauchemar ne soit plus suspect dans les causes de meurtres qui sont en cours.

— Il n'en reste pas moins que c'est un monstre.

— Nous l'aurons un jour, Régi. Il finira sa vie derrière les barreaux, je te le promets. Mais pour l'instant, nous devons nous concentrer sur le meurtrier qui court les rues. Certes, il semble ne s'attaquer qu'à des criminels, mais personne n'a le droit de se faire justice. Il y a des tribunaux pour ça. De plus, cet homme ou cette femme risque un jour de s'en prendre à des innocents.

Simard se lève, puis se détourne de Marianne pour aller se planter devant un mur rempli de photos. Il a trop de mal à accepter l'éventualité que Donovan ne soit plus sur la liste des suspects.

— Nous n'avons plus rien à faire ici, Régi. Retournons à Sainte-Jasmine pour notre rapport à Vincelette. Ensuite, profitons de la fin de semaine avant de reprendre le collier, lundi matin.

Le quinquagénaire hoche la tête en signe d'impuissance. Deux jours de repos ne seront sûrement pas de trop pour digérer l'affreuse évidence.

Cependant, tout au fond de lui-même, il se refuse à jeter la serviette. Donovan demeurera toujours sa cible principale. Et ce, jusqu'à ce qu'il le neutralise pour de bon. Si Plourde n'avait pas commis la stupidité de garder toutes ces photos et vidéos dans son ordinateur, Léopold Donovan serait encore le suspect numéro un.

— Bonjour, dit Marianne. Ici l'inspectrice Latreille. Qui est à l'appareil, je vous prie ?

— L'agent Demers. Élisabeth est absente pour la journée. Que puis-je pour vous ?

— Avisez Monsieur Brunet que les inspecteurs Simard et Latreille ont terminé à Mériport et qu'ils rentrent pour leur rapport. Il comprendra.

— D'accord, je fais le message immédiatement.

Chapitre 21

Pour la dixième fois, Dominique Brunet jette un œil à sa montre-bracelet. Il est déjà presque dix heures. Son vis-à-vis, Jean Roux, laisse paraître également des signes d'impatience. Réginald Simard est, de son côté, perdu dans ses pensées alors que Marianne Latreille feuillette un vieux magasine trouvé dans un coin.

— Tu comptes nous faire attendre combien de temps comme ça, demande l'adjoint du directeur ?

— Il nous avait promis d'être à son poste, ce matin. Je ne comprends pas. Il n'a pas contacté la secrétaire pour déclarer son absence. J'ai moi-même tenté de le rejoindre à son domicile, mais il ne répond pas. Tulane est allé vérifier dans l'immeuble au cas où il aurait tout bonnement oublié que nous avions une réunion.

— Je te l'avais pourtant dit que ce jeune-là n'avait rien d'un policier. Un incapable, un incompétent, tout simplement.

— Régi, je t'en prie. Ce n'est pas le moment de déblatérer contre Deguire. Nous savons tous que tu as de la rancœur envers lui. Ça n'a rien à voir avec le fait qu'il ne soit pas ici, ce matin, comme entendu.

Au moment où Simard allait en rajouter sur les inaptitudes du jeune homme, quelqu'un frappe à la porte de la salle de réunion. Étant la plus près de la porte, Marianne s'empresse d'ouvrir cette dernière.

Une jolie jeune femme rousse, aux yeux verts, pénètre aussitôt dans la pièce. Ondulant légèrement des hanches, elle se rend près de Jean Roux pour lui remettre un bout de papier.

— Qu'y a-t-il, Élisabeth ?

— Il s'agit d'un certain Benoît Sauvageau. Notaire de Mériport. Il désirait parler à François Deguire. Il avait rendez-vous avec lui vendredi, mais François ne s'est pas présenté à son bureau. J'ai cru bon de prendre ses coordonnées en note pour vous les remettre. À vous ou à monsieur Brunet.

— C'est assez inquiétant. Quoiqu'en pense une certaine personne dans cette pièce, Deguire n'est pas du genre à faire faux bond à qui que ce soit.

— Bon, d'accord, Dominique. Je ne suis peut-être pas un admirateur de Deguire, mais je ne lui veux aucun mal. Je te l'accorde, ce n'est pas dans ses habitudes de s'absenter sans prévenir. Tu es satisfait ?

— Tout à fait, Régi. Je voudrais que toi et tes équipiers me le retrouviez le plus tôt possible. Quant à toi, Élisabeth, tu peux retourner à ton poste et, si tu reçois un appel de Deguire, viens aussitôt m'en avertir.

— Ce sera fait.

Avec le même déhanchement qu'à son entrée, Élisabeth sort de la pièce, mais non pas sans avoir jeté un rapide regard en direction de Réginald Simard. Ce dernier cligne de l'œil et esquisse un sourire.

Ces petites marques d'attention, dénotant une certaine complicité, n'échappent pas à Marianne, mais la jeune inspectrice baisse la tête, désintéressée par ce genre de familiarité.

— Nous allons nous rendre au domicile de Deguire, toi et moi, dit nonchalamment Simard à l'endroit de Marianne. Je sais qu'il y a une clé de cachée pour déverrouiller la porte arrière.

— Je sais ça aussi. J'ai la même habitude. Et Xavier ?

— Je vais le laisser continuer son enquête sur Letang.

Tulane arrive au moment où les deux acolytes passent la porte pour s'engager dans le corridor. D'un hochement négatif de la tête, il indique à Régi que sa recherche s'est avérée infructueuse. Deguire n'est nulle part dans l'immeuble.

— Personne ne l'a aperçu ce matin, confirme-t-il. Certaines affaires l'ont peut-être obligé à demeurer plus longtemps à Mériport.

— Il ne s'est pas pointé à son rendez-vous chez le notaire.

Tulane reste songeur de longues secondes. De toute évidence il tente de trouver une explication au comportement de son collègue.

— Sa voiture. J'ai remarqué, mercredi passé, que sa nouvelle voiture avait été livrée.

— Sa nouvelle voiture ? Il s'est acheté un nouveau véhicule. Ça explique en quoi son absence de ce matin ?

— Il s'agit d'une voiture usagée qu'il a achetée il y a près de trois semaines, mais comme un problème électrique l'empêchait de démarrer, l'ancien propriétaire, un garagiste, l'a gardée chez lui pour la réparer.

— Je ne vois pas du tout où tu veux en venir, Xavier, lance Marianne un peu désorientée par l'explication du jeune homme.

— Il a peut-être eu des ennuis de voiture dans un coin perdu et il lui a été impossible de communiquer avec...

— Voyons, coupe Simard avec une pointe d'exaspération dans le ton de sa voix. Tu regardes trop de film de peur, toi. Deguire a un cellulaire, alors rien de plus simple pour se faire dépanner et surtout pour nous aviser.

— Mais Régi, c'était une idée, comme ça. Mieux vaut avoir des idées un peu farfelues que pas en avoir du tout. C'est toi-même qui nous as appris ça, lors de notre formation.

Réginald pose une main sur l'épaule du jeune homme et approuve de la tête. Tulane a raison. Dans une telle situation, il ne faut jamais rejeter l'hypothèse la moins probable, car il arrive souvent que celle-ci s'avère être la bonne.

— Demande aux autorités policières de Mériport de porter une attention particulière à une voiture, répondant à la description de celle de Deguire, qui pourrait être en panne ou même avoir eu un accident. C'est dans cette région que devait se rendre Deguire. Prends contact avec le capitaine Yvon Lord. Nous le connaissons, c'est un homme bien.

Après une dernière tape sur l'épaule du jeune inspecteur, Simard indique à Marianne de le suivre, puis tous deux se dirigent vers la sortie.

Une fois à l'extérieur, Marianne est prise d'une étrange sensation. Celle d'être épiée. Machinalement, elle se retourne et lève les yeux en direction de la grande porte vitrée de l'immeuble. Une silhouette s'éloigne aussitôt comme pour se soustraire aux regards de la jeune inspectrice. Cette dernière n'en est pas certaine, mais elle croit avoir reconnu la secrétaire. Pourquoi Élisabeth les aurait-elle épiés de la sorte ? Coïncidence. Elle devait être en pause.

La voiture de Réginald file tout droit vers la sortie de la ville. En moins de cinq minutes, les deux policiers se retrouvent devant la demeure de François Deguire. La clé leur permettant d'entrer se trouve accrochée sous une grande galerie en bois derrière la maison. Simard s'en saisit et déverrouille rapidement la porte.

— Nous cherchons quoi, au juste ? demande Marianne en posant les yeux sur le désordre régnant dans la cuisine.

— Premièrement, faisons le tour de toutes les pièces. Je sais qu'il n'y a aucun véhicule devant la maison, ce qui prouve son absence, mais mieux vaut s'en assurer. Ensuite on fouillera les papiers et les lettres qui traînent. Même qu'il y a sûrement des notes qui pourraient nous mettre sur une piste. Tout le monde laisse traîner des notes quelconques.

Comme prévu, Deguire n'est pas là. Marianne se lance donc à l'assaut du vaisselier de la petite salle à manger sur lequel un amoncellement de papiers de toutes sortes apparaît.

De son côté, Réginald inspecte le salon, ainsi qu'une pièce dans laquelle se trouve l'ordinateur du jeune homme. Une paperasse impressionnante apparaît également à cet endroit.

De toute évidence, ils en auront pour des heures et des heures à fouiller sans trop savoir au juste ce qu'ils cherchent.

Presque découragé, Simard se laisse choir dans le fauteuil devant l'ordinateur, puis, après de longues secondes d'hésitation, il s'empare d'une pile de feuillets à éplucher.

Au bout d'une vingtaine de minutes, Régi lance dans un coin du bureau une liasse de notes inintéressantes, puis se couvre le visage de ses mains et expire fortement l'air de ses poumons. Il a nettement l'impression de perdre son temps. Cependant, il se doit de ne rien négliger pour retrouver le jeune Deguire.

L'inspecteur, après s'être massé doucement les paupières, ouvre les yeux et les pose par hasard sur un petit tableau de liège accroché au mur, à sa droite. Une dizaine de notes y sont accrochées. Simard écarquille soudainement les yeux. Dans le coin inférieur du tableau, un petit papier se démarque des autres par sa couleur. Un papier jaune. Une enveloppe de gomme à mâcher. Comme celle qu'il a vue à St-Samuel-des-Monts, à Mériport, ainsi qu'au bar de danseuses où il avait rencontré Louis Allard.

— Régi ! crie Marianne. Viens voir ce que j'ai trouvé. Tu n'en reviendras pas.

Perdu dans ses pensées, c'est à peine si l'inspecteur Simard entend l'appel de la jeune femme. Sa découverte s'avère, sans aucun doute possible, plus importante que celle de Marianne, cependant il ne peut lui en faire part puisque, depuis le début, il a gardé secret ce détail important.

Malgré tout, il quitte son fauteuil pour s'enquérir de la trouvaille de sa partenaire.

— Regarde-moi ça, dit aussitôt Marianne en lui tendant une feuille de papier. On dirait un genre de contrat de vente.

Réginald s'empare du document et y pose les yeux. Cette fois, c'est la consternation. Comment est-ce possible ?

Il s'agit en effet d'un papier concernant la vente d'un véhicule, une Pursuit G5 de couleur rouge. Une vente faite entre François Deguire et un certain Louis Allard. La livraison de la voiture sera faite après que la réparation de cette dernière soit effectuée.

— À mon avis, il serait étonnant qu'il s'agisse là d'une coïncidence. Il ne peut s'agir d'un autre Louis Allard.

— Je ne sais plus que penser, Marianne. Deguire aurait dû nous aviser qu'il connaissait ce mystérieux témoin.

— Tu te trompes, Régi. Si ça se trouve, François ne sait même pas qu'Allard est venu faire une déposition au poste. Rappelle-toi, c'est exactement cette même journée que tu l'as renvoyé chez lui parce qu'il était en retard au boulot.

— Tu as raison. Et comme Deguire n'est jamais disposé à étudier les dossiers en cours, il n'a pas lu la déposition de ce Louis Allard.

— Qu'est-ce qu'on fait ?

Simard regarde Marianne dans les yeux. Si la situation s'y prêtait, il lui dirait qu'elle a les plus beaux yeux de la terre, mais voilà que le plus important, pour l'instant, c'est de retrouver leur coéquipier.

— Nous avons l'adresse d'Allard. Alors, cela dit sans jeu de mots, allons lui rendre une petite visite.

— J'avise le poste de notre destination, dit Marianne en extirpant son cellulaire de son fourreau de cuir.

Chapitre 22

La grande cour encombrée de squelettes d'autos donne froid dans le dos à Marianne. Pour sa part, Réginald n'en est nullement impressionné. Dans sa longue carrière de policier, il a eu à enquêter dans des endroits beaucoup moins accueillants, jusqu'à fouiller dans des dépotoirs et même dans des conduites d'égouts. Un bric-à-brac de la sorte est donc presque un paradis.

Entre deux immenses tas de ferraille, une voiture en bon état est stationnée et semble épier les nouveaux arrivants.

— Ça pourrait être la voiture de François, fait remarquer la jeune femme.

— Il y a plus d'une auto rouge en circulation. Ça ne veut pas nécessairement dire qu'elle appartient à Deguire. Mais c'est tout de même une possibilité, je te l'accorde.

Lentement, les deux inspecteurs se dirigent vers la maison. Simard connaît le propriétaire pour l'avoir rencontré dans le bar de danseuses et il est parfaitement conscient qu'il s'agit d'un homme aux comportements imprévisibles. D'un côté, il a toutes les apparences d'un déficient intellectuel, mais par contre, il a assez d'intelligence pour suivre les agissements d'un tueur en série sans pourtant se faire repérer. C'est à n'y rien comprendre. Simard se doit d'avoir une vraie conversation avec ce Louis Allard pour qu'il lui révèle tout ce qu'il sait.

Après une longue hésitation, l'inspectrice Latreille frappe à la porte avec assez de fermeté. Les vibrations de la vitre la font reculer d'un pas. Au bout d'une vingtaine de secondes, la jeune femme récidive. Même résultat : aucune réponse.

— Entrons.

— Régi. Je ne sais pas si nous devrions.

Simard ne donne pas le temps à Marianne de réfléchir davantage et tourne la poignée. À leur grande surprise, la porte obéit et s'ouvre. La prudence est de mise et, en protecteur, Réginald devance sa coéquipière pour être le premier au combat, le cas échéant.

— Il y a quelqu'un ? Allard, réponds !

N'obtenant pas de réponse, Simard invite, d'un signe de tête, la jeune femme à le suivre.

La pièce est lugubre. Un désordre infernal y règne. Mais ce qui frappe le plus le couple de policiers, c'est cet amalgame d'odeurs qui flottent dans l'air. Un véritable nuage de poussière est visible dans les rayons du soleil entrants par les fenêtres souillées. La qualité de l'air est réellement affreuse. La chaleur de l'été, n'aidant en rien, le rend presque suffocant.

Réginald et Marianne, une main posée sur la crosse de leur arme, traversent lentement le salon pour ensuite longer un petit corridor long d'au plus quatre mètres duquel apparaît l'embrasure d'une porte. Simard y jette un coup d'œil. Il s'agit d'une chambre à coucher. Cette dernière n'est guère mieux que les autres pièces, car le désordre est complet. Cependant, le policier est persuadé qu'elle a servi il y a très peu de temps, car une odeur de sueur s'y dégage.

Après une grimace dénotant un certain dédain, Simard se remet en marche, suivi de sa partenaire. Ils débouchent enfin dans la cuisine. L'endroit est très sombre puisque les rideaux, curieusement opaques pour une cuisine, recouvrent les deux petites fenêtres. Bien qu'une odeur de gaz les agresse légèrement, Marianne et Réginald y pénètrent précautionneusement, tous les sens aux aguets.

Soudain, provenant d'une pièce adjacente qui s'avère être la salle à manger, les cris étouffés d'une personne attirent leur attention. Obéissant à un réflexe, les policiers tournent leur regard dans la direction d'où provient ce qui maintenant semble être une plainte.

Encore là, les rideaux ont été tirés. Mais malgré la pénombre, les deux collègues peuvent distinguer une forme humaine apparaissant près de la grande table meublant le centre de la pièce. C'est un homme. Une bande brillante apparaît au niveau de sa bouche. Il a été bâillonné par un ruban adhésif de couleur argent.

— Ouvre les rideaux, Marianne, ordonne Simard en s'élançant vers le prisonnier. C'est François.

En effet, il s'agit bien de François Deguire. Ses bras sont attachés au dossier de la chaise sur laquelle il est assis. Dans son cou, une coulisse brunâtre apparaît, résultat apparent d'une blessure à la tête. Le jeune homme se débat avec le peu de force qu'il lui reste et ses cris, toujours refoulés par le bâillon, ne cessent de se faire entendre. Simard en est même agacé. Alors il s'empresse d'arracher le plus délicatement possible le ruban adhésif.

— Partez d'ici ! crie aussitôt Deguire. Sauvez-vous.

— Calme-toi, petit. Tu n'as plus rien à craindre. Marianne et moi allons te sortir d'ici.

— Ne vous préoccupez pas de moi et filez au plus vite. Tout va sauter. Allard vous a piégés. Partez avant qu'il ne soit trop tard.

— Nous ne t'abandonnerons pas, François, dit la jeune femme alors qu'elle s'apprête à actionner un commutateur pour éclairer la pièce.

— Nonnnnnnn. Ne fais pas ça. Partez.

Marianne s'immobilise. L'odeur du gaz devient de plus en plus forte. Il n'y a pas de doute là-dessus, s'il y a la moindre étincelle de produite, ce sera l'explosion. Comme l'a si bien dit Deguire, Allard a tout prévu. Donc, le seul fait d'actionner un commutateur pourrait être fatal.

Régi passe derrière la chaise occupée par le jeune inspecteur et constate avec désarroi que les membres de ce dernier sont entravés par des chaînes et qu'un cadenas complète le tout.

— Nom de Dieu. Ce n'est pas possible !

— Partez, je vous en supplie. Il n'y a rien d'autre à faire. Tout va sauter d'une seconde à l'autre. Il a relié un genre de retardateur après la cuisinière au gaz pour provoquer une flamme.

Simard traverse la salle à manger en courant et se rend à la cuisinière. Le dispositif est bien là. Il ne reste à peine qu'une seule minute avant que le point zéro ne soit atteint. Régi se sent blanchir. Il pose la main sur le retardateur afin de l'arracher de la prise de courant intégrée à la cuisinière, mais doit suspendre son geste. Un fil noir y est rattaché, reliant la prise de courant à une petite lampe posée un peu plus loin.

En retirant le retardateur, il permet au courant d'actionner la petite lampe provoquant ainsi une étincelle meurtrière dans son mécanisme. Arracher le fil noir équivaudrait à déclencher lui-même l'explosion car, encore là, une étincelle serait produite.

Réginald est désemparé. Moins de trente secondes. Il ne voit qu'une seule issue. Accepter d'abandonner François Deguire à son sort pour sauver la vie de Marianne et la sienne.

Avec la rapidité de l'éclair, il fond littéralement sur la jeune femme, toujours en train de tenter l'impossible pour retirer la chaîne. Il la saisit par un bras pour l'attirer en direction du petit corridor.

Comme il s'y attendait, Marianne résiste avec une fougue inouïe, hurlant sa peur et son incompréhension. Il est inconcevable d'abandonner ainsi un être humain à un sort aussi atroce. Personne ne peut continuer à vivre avec un poids pareil sur la conscience.

— Nous n'avons pas le choix, Marianne. Il faut quitter.

— Va-t-en, Marianne. Tu n'y peux plus rien. Vite, le temps presse.

Les forces décuplées par la frayeur qu'engendre en lui la situation, Simard entoure les bras de Marianne afin de l'immobiliser et la soulève carrément pour filer le plus rapidement possible vers la sortie. À deux occasions il perd momentanément l'équilibre, une première fois en se heurtant à un meuble et une seconde fois en posant le pied sur une cannette de bière vide. Heureusement, il réussit à se ressaisir à temps pour finalement se retrouver à l'air libre.

Bien que Marianne continue de hurler à tue-tête, Simard la remet sur ses pieds et la force à courir avec lui. La jeune femme n'a d'autre choix que d'obtempérer, constatant qu'il est inutile de résister davantage.

Alors que le couple de policiers n'est éloigné du taudis que d'une quinzaine de mètres, une forte déflagration se fait entendre. La terre tremble soudainement sous eux et un vent torride vient leur lécher le dos, alors qu'ils plongent derrière un amoncellement de ferraille.

Afin de protéger sa compagne, Simard s'empresse de la recouvrir de son corps tandis que des milliers de débris volent dans tous les sens. Ils demeurent ainsi pendant de longues secondes, la tête enfouie sous leurs bras pour éviter de graves blessures.

Une fois que les matériaux ainsi que le contenu de la maison ont enfin cessé de virevolter dans tous les sens, Réginald ose un regard par-delà leur mur de protection. Tout n'est que désolation. Les flammes vrombissantes enveloppent les restes du taudis. Simard a une pensée pour son équipier. Même si les atomes crochus n'étaient pas apparents entre eux, jamais il n'aurait souhaité que le jeune homme termine sa vie d'une façon aussi brutale. Ce genre de mort doit être réservé aux criminels.

Les pleurs de la jeune femme incitent l'inspecteur à refaire surface et à délaisser ce sentiment d'amertume qui le tenaille. Car pour lui, il s'agit bien là d'une injustice du sort. Deguire n'avait pas à être là. Ici il ne faut pas, par respect pour la victime, parler d'imprudence, mais plutôt de sens du devoir. Si François Deguire est venu rendre visite à Louis Allard, c'était assurément pour le bien d'une enquête en cours et personne n'a le droit de le blâmer. Simard veillera lui-même à ce que le jeune homme soit honoré pour son courage et non pour sa témérité.

De longues minutes se passent sans qu'aucune parole ne soit prononcée. Marianne se doit de récupérer au maximum avant de se remettre sur pieds. Dans sa tête elle revoit le jeune homme, impuissant, se débattre dans ses chaînes. Il était conscient qu'il ne quitterait pas cette maison en vie. De plus, il n'a pas eu le temps de fournir d'explications pour ce dénouement tragique. Il a bien sûr affirmé qu'il s'agissait bel et bien de Louis Allard, mais le mystèrc demeure tout entier en ce qui a trait au motif. Ce salaud doit absolument payer cher ce meurtre odieux.

Lcntement, Régi se redresse et tend une main à sa compagne. Il n'y a plus rien à faire ici, sinon d'appeler les pompiers ainsi que du renfort policier pour venir prendre la relève.

Là où se trouvait quelques minutes auparavant la Pursuit rouge, il n'y a qu'un vide. Allard l'a probablement utilisée pour s'enfuir. C'est donc dire que ce monstre était sur place à leur arrivée. Réginald tourne la tête vers son propre véhicule. Les pneus du devant sont à plat. L'ignoble personnage avait tout prévu et attendait la visite des policiers. Quelqu'un doit le renseigner, ce n'est tout de même pas un devin.

Marianne, qui jusqu'ici gardait les yeux mi-clos, daigne enfin examiner la scène. Tout n'est que désolation autour d'elle. Des débris jonchent à profusion le sol.

Tout à coup, son regard se pose sur un objet insolite. Mais un objet qu'elle reconnaît pour l'avoir déjà vu une semaine auparavant. Un masque. De gorille. La surprise est de taille. Il ne s'agit pas là d'une coïncidence. Cette découverte rend indubitablement Allard complice de Donovan.

Comment pourrait-elle raconter tout ça à Réginald? Lui avouer que Léopold Donovan, sans pourtant s'identifier clairement comme tel, est venu l'agresser dans sa propre demeure en compagnie de celui qui vient d'assassiner leur collègue de travail. Si elle n'avait pas gardé secret cet événement, leur enquête les aurait peut-être menés plus rapidement sur les traces de Louis Allard. Le mal est fait. Impossible de reculer dans le temps. Tôt ou tard elle devra se résigner à faire face à la musique et affronter les reproches de son supérieur. Mais pas maintenant.

Chapitre 23

La nuit est agitée. Réginald Simard n'arrive pas à fermer l'œil tellement l'inquiétude le ronge jusqu'à la moelle. L'un de ses équipiers a perdu inutilement la vie par sa faute. Il aurait dû prévenir ce genre de situation et mettre un terme aux agissements de cet Allard de malheur qui a le nez fourré partout. Pourquoi ne pas avoir été lui rendre visite auparavant ? Le jour même de sa venue au poste de police. Non, il était absent à ce moment-là. Le lendemain aurait été tout aussi indiqué.

D'ailleurs, Simard ne cesse de se questionner sur le pourquoi de cette déposition. S'il est lui-même un meurtrier, alors quelle était sa motivation pour se présenter ainsi devant ceux qui étaient susceptibles de l'arrêter ? Un défi ! Ça ne peut être que ça. Son but est de ridiculiser au maximum les policiers qui sont sur cette affaire de tueur en série. C'est peut-être lui-même qu'il veut confronter. Réginald se promet de le museler avant qu'il ne soit trop tard.

— Tu ne dors pas encore, mon chéri ?

Simard sursaute et se retourne vivement vers Carole. Cette dernière, appuyée sur un coude, le regarde droit dans les yeux. Connaissant très bien son conjoint, elle comprend ce qu'il ressent. Elle sait pertinemment qu'il se culpabilise pour la mort du jeune Deguire.

— Je dois prendre de l'âge, finit-il par répondre. Je me sens épuisé, cependant je n'arrive pas à dormir pour reprendre mes forces. Il y a trop de tragédies dans ma tête, je crois.

— Tu n'as pas songé à une préretraite ?

— Jamais. Il me reste moins d'un an pour régler des dizaines de dossiers, alors pas question que je me dérobe de mon devoir.

— Au risque d'affecter ta santé ? De ne plus pouvoir apprécier les bonheurs que nous pourrions vivre tous les deux ? Tu songes à moi de temps en temps, dis-moi ?

Comme à son habitude, Simard laisse échapper un long soupir en guise de réponse. Ce n'est pas vraiment le moment de se perdre dans ce genre de discussion. L'un de ses équipiers a perdu la vie, aujourd'hui même, et Carole est fin prête à planifier sa retraite. En la devançant, par surcroît.

— Je vais essayer de dormir, dit simplement Régi en se retournant.

Le bruissement des draps lui indique que Carole a fait de même et qu'ils sont maintenant dos à dos. C'est la meilleure position à adopter pour le moment.

Régi ferme les yeux puis, au bout de quelques minutes, il réussit finalement à s'endormir, en emportant dans ses rêves l'image de sa collègue Marianne Latreille.

*

Simard n'a pas droit à son déjeuner habituel. Carole est demeurée au lit pour récupérer. L'attitude de son mari l'a perturbée toute la nuit, si bien qu'elle a eu beaucoup de mal à se reposer.

Après avoir avalé deux rôties accompagnées de fromage et de confiture de fraises, l'inspecteur enfile ses vêtements et quitte le domicile. Bien qu'il ne soit que six heures trente, le soleil a déjà pris de l'altitude et la chaleur s'annonce d'ores et déjà accablante. Heureusement, Simard ne prévoit pas aller sur le terrain aujourd'hui. Il s'occupera, en compagnie de Marianne, à établir un rapport complet sur les événements de la veille. Il pourra aussi, de son bureau, coordonner les recherches qu'effectueront de nombreux agents pour retrouver Louis Allard. Il est à prévoir, également, qu'il devra subir les foudres de Vincelette qui ne manquera sûrement pas sa chance de lui taper dessus.

Simard s'arrête au beau milieu du petit trottoir menant à son garage. Pendant de longues secondes, il demeure ainsi, sans bouger, plongé littéralement dans ses pensées les plus profondes.

Une autre affaire lui tient à cœur depuis un certain temps, mais il n'a pas eu le loisir de s'en occuper convenablement. Avec ce qui vient d'arriver à son jeune coéquipier François Deguire, il n'est plus tout à fait convaincu de sa mission comme inspecteur. Carole a sans doute raison. Il est peut-être temps pour lui de raccrocher.

Un tintamarre du tonnerre l'extirpe brusquement de son immobilisme. Une voiture vient de se stationner en klaxonnant en bordure du trottoir, devant sa résidence. C'est Xavier Tulane.

— Que fais-tu là de si bonne heure ? demande Simard alors que le jeune homme sort de son véhicule. En plus, tu veux réveiller tout le voisinage ?

— Une nouvelle des plus importantes à te communiquer, chef.

— De quoi s'agit-il encore ? Ne me dis pas qu'il est arrivé malheur à Marianne ?

— Pas du tout. Il s'agit d'une bonne nouvelle, cette fois. En passant, Régi. Je suis sincèrement désolé pour ce qui est arrivé à François. J'imagine que ça t'a beaucoup secoué.

— Tu ne peux pas savoir à quel point. Allons, c'est quoi ta bonne nouvelle ?

— Donovan…

— Quoi, Donovan, coupe aussitôt Simard ?

— Il a été arrêté.

— Arrêté !

— Oui. Pour une ridicule contravention. Il roulait à plus de cent-vingt kilomètres à l'heure dans une zone de soixante-dix.

Réginald ferme les yeux tout en expulsant, encore une fois, tout l'air contenu dans ses poumons. Ce geste, il le commet à chaque fois qu'une bonne nouvelle est assombrie par une moins bonne. C'est ce qu'il se plaît à appeler : l'euphorie d'un court instant.

— Une contravention ne fait pas de lui un criminel pour autant, Xavier. Il ne sera pas détenu pour quelque chose d'aussi insignifiant.

— C'est arrivé à Rivière-aux-Perches. Vincelette a obtenu qu'il soit retenu pendant vingt-quatre heures. Ça donne au moins le temps de lui faire subir un interrogatoire. De plus, je ne sais pas si tu l'as oublié, mais il a agressé des policiers à La-Pointe-Delorme

— Ces deux imbéciles n'ont même pas vu son visage. Alors il lui sera très facile de les contredire. Aucune accusation ne sera portée contre lui. Tu sais, il possède d'excellents avocats, tu peux me croire.

— Je suis certain que quelqu'un d'habile pourrait le faire craquer jusqu'à lui faire cracher le morceau.

— De quel morceau parles-tu ? Du meurtre de Letang ? Celui de Michaud ? De Muloin ? De Plourde ? Lequel ? De François ? Non. Il n'y a aucune preuve qu'il soit mêlé à tout ça.

— Alors là, Régi, je ne comprends plus rien. Ça fait des semaines que tu nous casses la tête avec le fait que Léopold Donovan est le meurtrier que nous cherchons et que tu espères l'avoir entre les mains pour le faire parler. Maintenant que tu as la chance de réaliser ton rêve, tu rebrousses chemin et tu le déclares presque innocent. Ç'est à n'y rien comprendre. Vraiment !

Simard lève la tête pour s'accrocher les yeux aux nuages. Xavier a entièrement raison. Sa réaction négative ne correspond pas du tout avec ce qu'il prône depuis tellement de temps.

— Quel est le nom de celui qui va l'interroger ? J'imagine que c'est un policier de Rivière-aux-Perches ? Je pourrais communiquer avec lui pour le mettre au courant des soupçons que j'ai concernant Donovan.

— Vincelette a également obtenu que ce soit toi.

Tulane croit voir briller une lueur dans le regard de son chef. Sans nul doute qu'il s'agit d'une lueur d'espoir. L'espoir d'enfin coincer Donovan.

— Régi. Tu vas finalement avoir ta chance de confronter Lédo.

— Lédo. Enfin, oui. Et si ce n'est pas lui, c'est quand même un criminel qu'il faut neutraliser. Merci d'être venu m'avertir de son arrestation.

— Je passais dans le coin, ironise Xavier.

— On se retrouve au poste. À plus tard.

Chapitre 24

— Simard ! Comment vas-tu, vieux frère ?

— Ferme la, Donovan ! Je ne suis pas ton frère.

— Quel manque de savoir-vivre ! Je vais demander à ce qu'un autre inspecteur m'interroge. Je pourrais lui apprendre des choses, n'est-ce pas Régi ?

— Où étais-tu au début de la semaine du huit juillet ?

— Wow ! Quelle belle entrée en matière pour un gars qui a fait un excès de vitesse.

— Je me fous de ta contravention, Donovan. Réponds tout simplement à mes questions.

— D'accord, d'accord. En Floride avec ma copine et des amis. Tu peux aller les voir si tu veux. À la condition que tu me promettes de ne pas sauter ma copine. Tu aimes les jeunes, toi, sacré tombeur !

— Tu es revenu au pays quand, au juste ?

— Dis-moi, Simard. Est-ce que notre entretien est entendu par quelqu'un d'autre ? J'imagine qu'il y a de petits écornifleurs de l'autre côté de la vitre. Nous sommes peut-être filmés, sait-on jamais. Je ne voudrais pas t'impliquer dans quoi que ce soit de répréhensible, si tu vois ce que je veux dire.

— Réponds à ma question !

— Le quinze. Tu sais, Simard, tu m'ennuies avec tes questions à la con. Tu n'aimerais pas mieux que ce soit moi qui te pose les questions ? Comme ça, tout le monde y trouverait son compte. On pourrait tellement s'amuser. Tu veux qu'on essaie ? Une question. Une seule !

Réginald sait déjà qu'il n'arrivera pas à faire parler Donovan, qu'il n'en retirera rien de valable. Ce salaud sait exactement comment agir pour faire mal paraître ceux qui ont le malheur de l'interroger. La meilleure façon d'en finir avec Léopold Donovan, c'est de trouver le moyen de l'éliminer, tout simplement. Une ordure comme lui ne mérite rien de moins.

Donovan semble lire dans les pensées du policier. Il sait exactement ce qu'il lui passe présentement par la tête. Son sourire disparaît l'espace d'un moment.

Simard referme le dossier posé devant lui. Il plonge son regard dans celui de son vis-à-vis et y voit de la satisfaction. Celle qui brille dans le regard des vainqueurs.

— Dis donc, Simard. Je t'invite à prendre un verre. Tu peux amener ta belle Marianne, elle a un corps superbe. Tu l'as déjà vu nue ? Non ! Eh bien moi, oui. Elle ne te l'a pas dit ? Je te raconterai ça. Aussitôt qu'on me laisse partir, je t'appelle. D'accord ? De toute façon, je suis persuadé qu'on va se revoir bientôt.

Régi hoche affirmativement la tête, puis se lève lentement de sa chaise et, sans rien rajouter, se dirige vers la porte de sortie qu'il emprunte aussitôt.

De l'autre côté, Vincelette est furieux. Il a pris la peine de se déplacer expressément pour assister à ce qu'il croyait être un interrogatoire extraordinaire. Que, selon Dominique Brunet, il allait enfin constater de visu la compétence d'un vrai inspecteur. Un inspecteur de grande expérience.

— Mais veux-tu bien me dire ce que tu as fait là, Simard ? Tu es un incapable. Je me demande comment il se fait que tu sois encore au service de la police de Sainte-Jasmine.

Réginald demeure muet et accueille avec une certaine indifférence les invectives de son directeur. De toute manière, il s'était fait à l'idée d'être traité de la sorte. De plus, le comportement de Vincelette est justifié. Il n'a pas été à la hauteur. Il ne le pouvait tout simplement pas. Donovan est un homme dangereux, autant dans ses gestes que dans ses paroles. Un manipulateur de haut niveau.

— Tu devrais avoir honte, Simard. En ce qui me concerne, moi, j'aurais honte même de prononcer ton nom dans une quelconque réunion. J'espère bien ne jamais avoir à le faire.

Esquissant un semblant de sourire, Régi fixe narquoisement Vincelette alors que ce dernier, surpris de cette réaction, a un léger mouvement de recul.

— Va te faire foutre, Vincelette. Tu me fais chier !

Ces quelques mots jettent la consternation dans tout le petit groupe de policiers présents. Vincelette demeure sans voix, le chef de police de Rivière-aux-Perches fronce démesurément les sourcils, son assistant laisse échapper un murmure d'indignation, alors que Brunet baisse simplement la tête. Cependant, celui-ci effectue ce mouvement pour dissimuler aux autres à quel point il savoure pleinement les paroles de son ami Régi. Vincelette ne l'a jamais porté dans son cœur et a toujours eu des paroles blessantes envers lui. Ce sentiment, que l'on pourrait considérer comme du mépris, est réciproque. La carrière du directeur général n'est pas des plus reluisantes et l'inspecteur en connaît certains passages qu'il se refuse de divulguer pour l'instant.

Simard porte la pointe des doigts de sa main droite à son front pour saluer Vincelette avec un petit air effronté peint sur le visage. Il fait volte-face et, lentement, accompagné d'un étonnant silence, il quitte la pièce.

Chapitre 25

Après avoir insisté, et sous prétexte d'espérer avoir un véritable entretien d'homme à homme avec lui, Régi a réussi à obtenir l'adresse de la résidence actuelle de Léopold Donovan. Il n'a pas eu le choix de la révéler aux policiers de Rivière-aux-Perches

Il a toujours été en bons termes avec Élisabeth, la secrétaire du poste. D'ailleurs, ils se sont, à quelques occasions, échangé certaines confidences. Ce qui les élève, d'une certaine façon, au rang d'amis. Du moins c'est ce que croit l'inspecteur.

— Personne ne sera au courant, Élisabeth. Je te le promets.

— Ça pourrait me coûter mon poste, tu sais. Vincelette m'a interdit de te fournir le moindre renseignement.

— Tu n'as rien à craindre.

— J'ai confiance. Alors voilà. Il est au 230, chemin du Lac, à Côte-Monoir. Surtout Régi, ne va pas commettre d'imprudence. Quand comptes-tu lui rendre visite ?

— Ce soir. Ne t'en fais pas, je ferai attention. Je te remercie de tout mon cœur. Je te revaudrai ça.

Simard coupe aussitôt la conversation et remet son cellulaire dans le coffre à gants de sa voiture. Il n'est pas du tout étonné que Donovan demeure dans la région où Allard habitait. Côte-Monoir est à peine à huit kilomètres de Rivière-aux-Perches.

Après s'être frictionné le cuir chevelu pendant de longues secondes, Régi jette un œil à sa montre. On est au milieu de l'avant-midi. Bien sûr qu'il ne s'est pas rendu au poste ce matin. Vincelette devait l'attendre de pied ferme pour lui signifier sa suspension, sinon son congédiement. Cela n'a plus d'importance. Si tout se déroule comme prévu, demain il ira lui-même annoncer à Vincelette qu'il prend sa retraite. Et si ce directeur prétentieux refuse de lui permettre de s'en prévaloir avant terme, pour mieux le sanctionner, alors il remettra sa démission. Il en a marre de faire la marionnette pour une justice qui, au nom des droits de la personne, permet à des criminels de jouir impunément de leur liberté alors que les victimes, elles, n'arrivent plus à vivre, mais plutôt à exister. Cette situation est absolument inconcevable, voire absurde, et pourtant elle existe.

Pour la seconde fois, Réginald regarde le cadran de sa montre. À peine trois minutes se sont écoulées depuis sa dernière vérification.

Légèrement exaspéré par ce temps qui s'évertue à le faire languir, l'inspecteur fait démarrer sa voiture et s'engage aussitôt sur la route menant à Sainte-Jasmine. Il compte s'engouffrer au fond d'un restaurant dans lequel il n'a pas l'habitude de se rendre. Il n'a aucunement l'intention de rencontrer qui que ce soit qui fasse partie du corps policier. Sauf peut-être Marianne. Régi a appris de la bouche de Tulane que cette dernière a été mise au repos, suite au traumatisme engendré par leur intervention sur la propriété de Louis Allard. Le décès affreux de François Deguire l'a profondément affectée, mais Simard est persuadé qu'elle s'en remettra rapidement. C'est une femme d'une grande force de caractère et, avec l'âge, elle atteindra de très hauts sommets comme inspectrice.

L'image de la jeune femme continue de s'incruster dans sa tête. Il a pour elle un profond attachement et peut-être que s'il continuait à la côtoyer, un autre sentiment viendrait s'installer entre eux.

C'est décidé, en fin d'après-midi, il ira lui faire un petit clin d'œil. Histoire de discuter un peu avant de rendre visite à Donovan. D'ici là, il vaudrait mieux songer à la façon dont il abordera le scélérat. Il mérite vraiment un traitement tout à fait particulier.

*

Simard stationne sa voiture derrière celle de Marianne. Il est heureux de constater que cette dernière est à la maison. Il est réellement anxieux par rapport à son état de santé. La perte d'un collègue est toujours traumatisante, mais avec l'aide d'un ami, il est beaucoup plus facile de traverser une épreuve semblable. Cette pensée le motive à aller de l'avant, et il s'engage sur le trottoir menant à la maison.

Régi frappe à la porte avant. Pendant de longues secondes, en attendant une réponse, il examine les alentours de la résidence. Il devra complimenter sa jeune équipière sur sa façon d'entretenir son terrain pour qu'il soit aussi resplendissant. L'aménagement y a été fait avec goût.

L'inspecteur frappe une seconde fois, mais en y mettant un peu plus de vigueur. Marianne pourrait dormir. Tout à fait normal qu'une personne mise au repos en profite pour passer la plus grande partie de son temps au lit.

Pourtant, Simard a bien l'intention d'avoir une conversation avec la jolie blonde. Après une troisième tentative sans succès, il contourne la petite maison pour se retrouver devant la porte arrière. Encore là, pas de réponse. À ce qu'il sache, Marianne n'a pas le sommeil très profond, du moins, c'est ce qu'elle a déclaré, un jour, lors d'une de leurs discussions.

Réginald baisse la tête et pose les yeux sur une grosse grenouille verte en plastique apparaissant en bordure d'une plate-bande. Ce genre de décoration est très souvent utilisé pour cacher une clé de secours. D'ailleurs, pas plus tard qu'avant-hier, Marianne lui a avoué être une de ces personnes qui ont cette habitude.

De longues secondes s'écoulent encore avant que Réginald se décide enfin à déplacer la grenouille. La clé est bien là. Il s'en empare. Après quelques coups sur la porte et encore quelques secondes d'hésitation, il insère la clé dans la serrure et en actionne le mécanisme.

— Marianne ! Marianne, tu es là ?

Régi traverse la cuisine, jette un œil au salon et à la pièce servant de bureau à la jeune femme. Personne. Simard gravit lentement l'escalier menant à l'étage supérieur.

— Marianne ! C'est moi, Régi.

La première pièce est, selon toute apparence, une chambre à débarras. Une multitude de boîtes et d'objets divers s'y accumulent, sans toutefois être en désordre.

La seconde est bel et bien la chambre à coucher de Marianne. Il y fait sombre, puisque les rideaux sont tirés. Elle n'y est pas. Simard fronce les sourcils. Le lit est défait. Sur la table de chevet de gauche, la petite lampe est renversée. Sur le plancher, gît un cadran antique dont la lunette est brisée. Les aiguilles, devenues inertes, indiquent quinze heures.

L'inspecteur avance d'un pas. Il se sent blanchir. Ce n'est pourtant pas dans son habitude d'avoir une telle réaction. Un bout de papier apparaît sur la taie d'oreiller. D'un seul bond, Simard se retrouve à sa hauteur et s'en saisit rapidement.

« Si tu veux la revoir, longe le Chemin-du-Lac à vingt-et-une heures précises, ce soir. Seul. Lédo »

Régi se sent défaillir. Impossible, ça ne peut pas être Lédo ! Mais qui que ce soit, s'il fait le moindre mal à Marianne, il va le payer cher. Donovan est sûrement derrière tout ça, puisque c'est justement sur cette route qu'il demeure. Il ne peut s'agir d'une coïncidence.

Une étrange sensation vient tout à coup tenailler l'inspecteur. Pourquoi est-ce précisément aujourd'hui que l'on kidnappe Marianne pour l'attirer dans un piège alors qu'il devait se rendre à la demeure de Donovan ? De plus, pourquoi la note ne précise-t-elle pas que le Chemin-du-Lac est situé à Côte-Monoir ? Comment le ou les ravisseurs savaient-ils que Marianne n'allait pas au travail aujourd'hui ?

Toutes les réponses, du moins les hypothèses, le rattachent à la secrétaire. Ce qui l'amène à se poser la vraie question : Pourquoi Élisabeth ferait-elle une chose pareille ?

La seule alternative qui se présente à lui pour en avoir le cœur net, c'est de se rendre à ce rendez-vous et d'en finir une fois pour toutes avec Donovan.

La note en boule au creux de sa main, Simard dévale l'escalier pour filer vers l'extérieur. Il s'arrête brusquement, au moment où il atteint son véhicule. Sur le sol, tout près de la portière, un point jaunâtre attire son attention. Sachant pertinemment de quoi il s'agit, Régi s'en empare. Un emballage de gomme à mâcher. Allard. Une autre preuve que lui et Léopold Donovan sont complices.

Chapitre 26

Le soleil frôle l'horizon lorsque l'auto de Réginald Simard s'engage sur le Chemin-du-Lac. Il commence à faire sombre, mais c'est normal puisqu'il est vingt heures cinquante. Par contre, c'est trop tôt pour le rendez-vous. L'inspecteur connaît très bien Léopold Donovan pour savoir que c'est un être très pointilleux sur l'exactitude. Donc, pour prévenir toute mauvaise réaction de la part du criminel, Régi immobilise son véhicule en bordure de la route. Il se doit d'attendre vingt et une heures précises pour longer le Chemin-du-Lac. Ce laps de temps va lui permettre de réfléchir à sa manière de procéder pour sauver Marianne.

Il ne sait pas trop pourquoi, mais un mauvais pressentiment se pointe de plus en plus en lui et vient troubler son subconscient. Bien sûr qu'il s'inquiète énormément pour son amie. Il espère que ses conditions de détention sont acceptables et qu'elle n'est maltraitée en aucune façon. Mais il y a autre chose. Il a la nette impression d'arriver au bout de sa route. Que le néant ne se trouve qu'à un seul pas devant. Tout ceci le rend mal à l'aise.

Réginald secoue la tête pour se ressaisir et chasser ces pensées négatives de son esprit. Quoi qu'il en soit, l'enlèvement de la jeune femme est le dernier méfait de Donovan et de son acolyte dans cette vie. Le dossier sera clos dès la fin de la soirée. Simard est déterminé à en finir une fois pour toutes.

L'auto se remet en branle. Cette fois c'est l'heure. Par précaution, Régi lève le pied de l'accélérateur. Rien ne sert d'aller trop vite. De chaque côté, il n'y a que des arbres bordant le chemin. Toutefois, ici et là s'ouvrent des entrées menant à des résidences. Le coin n'est pas très peuplé mais, advenant un pépin, il pourra toujours aller cogner à une porte.

Loin devant, une haute flamme attire l'attention du conducteur. Sûrement une mise en scène pour attirer son attention. Donovan est un cinglé.

— Tu vas voir, salaud, lequel des deux est le plus fou.

La voiture ralentit davantage. Cent mètres devant, et à dix mètres sur le côté de la route, s'élève un immense feu de joie. Simard scrute les environs pour tenter de déceler une présence quelconque. Malgré la mauvaise situation dans laquelle il se trouve, Régi esquisse un sourire en songeant que, depuis longtemps, c'est lui le chat dans le jeu du chat et de la souris, alors que ce soir, il se voit dans l'obligation d'inverser les rôles.

Par contre, il n'a pas perdu sa confiance. Encore une fois, il sortira vainqueur de cette aventure pour faire triompher la justice.

Le triangle enflammé n'est plus qu'à vingt mètres. Le moment est arrivé. Le véhicule s'immobilise. Régi hésite un court instant avant d'en sortir, puis, déterminé à en finir, il se retrouve à l'extérieur.

Lentement, il fait un tour d'horizon du regard. Ses yeux se fixent sur les flammes. Derrière elles, quelque chose attire son attention. Une forme allongée et pâle se détache du tableau sombre de la forêt. Sa vision est beaucoup trop floue pour discerner avec exactitude de quoi il s'agit.

Réginald avance de quelques pas. Tout devient clair. Marianne est ligotée à un arbre. Elle est complètement nue. Donovan n'a aucune décence.

Choqué par cette mise en scène de mauvais goût, Simard s'empresse de bondir par-dessus le fossé le séparant de la prisonnière, puis s'élance, tête baissée, dans sa direction.

— Pas si vite Réginald, crie une voix. Ne bouge plus. Jette ton arme.

Simard reconnait la voix de son ennemi Donovan, quoique celle-ci lui semble légèrement caverneuse. Il est bien évident que ce monstre se trouvait prêt à l'intercepter. Bien que l'inspecteur en ait été conscient, il a consenti à jouer le jeu. Tout en lançant son neuf millimètres sur le sol, il se retourne vers la droite pour faire face à son interlocuteur. Simard reconnaît le physique de Donovan, mais sa tête est recouverte entièrement d'un masque en latex à l'effigie de Hulk.

Réginald secoue la tête de gauche à droite pour démontrer à quel point il considère ce déguisement inutile et enfantin compte tenu de la situation.

L'homme au masque n'est qu'à cinq ou six enjambées. De plus, il a les mains vides.

— Libère-la immédiatement, salaud !

— On a tout notre temps, Régi. Nous pourrions discuter un peu, tu ne crois pas ? De plus, j'ai pensé que ça te ferait plaisir de te rincer l'œil un peu. Donovan te l'avait dit qu'elle avait un corps superbe, non ?

— Je n'ai rien à te dire. Sauf, que tu n'es qu'un sale pervers.

Simard avance d'un pas en direction du ravisseur, mais interrompt aussitôt son geste en apercevant un revolver apparaître dans la main de ce dernier.

— Allons, Régi. Tu ne vas pas t'en tirer comme ça. La jolie Marianne a droit à des explications. Approche-toi d'elle pour qu'elle nous entende bien. Je ne veux pas qu'elle rate quoi que ce soit. On ne sait jamais. J'aurai peut-être un élan de générosité si elle m'accorde certaines petites faveurs. Tu vois ce que je veux dire, n'est-ce pas, Régi ? Alors, en supposant que je lui laisse la vie sauve, elle aura sans aucun doute un super rapport à remettre à ton copain Vincelette.

De la pointe du canon de son arme, l'homme invite Simard à s'exécuter. Pour la première fois depuis son arrivée, il pose franchement son regard sur son équipière. Malgré la situation, il la trouve très jolie et il se promet, intérieurement, que personne ne lui fera de mal tant qu'il sera en vie. Il s'arrête à deux mètres d'elle.

Une profonde détresse ternit le regard de la prisonnière, tellement elle se sent profondément humiliée d'être exposée ainsi, complètement nue, livrée aux regards de son supérieur et ami. Son corps, appuyé à un gros arbre, est immobilisé par un câble de nylon à la hauteur des cuisses et un autre passant sous ses seins. Un bâillon lui refuse d'exprimer sa colère.

— Laisse-la partir, Donovan. Elle n'a rien à voir là-dedans.

— Tu es sourd ou quoi, Simard ! Je n'ai pas encore décidé de son sort. Alors arrête de me supplier comme un gamin. En plus. Cesse de m'appeler Donovan.

Hulk détourne les yeux un instant pour les diriger vers Marianne. Narquoisement, il laisse échapper un profond soupir, comme s'il se résignait ne pas posséder la jeune femme.

— Enlève-lui son bâillon.

Instinctivement, le regard de Réginald se tourne vers sa compagne. De derrière l'arbre auquel elle est attachée, un homme émerge du noir. Un homme de forte taille, au crâne rasé. Louis Allard !

— Tu connais mon nouvel ami, Régi ? C'est grâce à lui et à sa compagne si j'en sais autant sur toi.

Tout en arborant un immense sourire, le grassouillet salue le policier d'une légère courbette, puis, d'un geste brusque, arrache le ruban adhésif recouvrant les lèvres de Marianne.

— Vous allez me le payer, crie instantanément la jeune femme en furie. Je vais vous abattre comme des chiens !

— Wow ! Décidément ça devient une habitude de tuer les gens dans votre équipe.

— Détache-moi, ordure et tu verras bien que j'en suis capable.

— Ça suffit, à présent, crie à son tour le masqué d'une voix dénotant une certaine exaspération. Tu vas te la fermer et écouter ce que j'ai à te dire, ma petite. Je veux que tu sois au courant de tout avant que j'enlève la vie à ce petit enquêteur de merde.

— J'en ai rien à foutre de tes explications. Et moi, je sais très bien qui tu es. Tu étais en compagnie de ce tas de graisse quand tu m'as rendu visite la semaine dernière. J'ai vu son masque de gorille brûler devant son taudis. De plus, tu n'avais pas ce ridicule masque lorsque vous êtes venu me kidnapper cet après-midi. Sache qu'une caméra, intégrée à mon ordinateur, fonctionne en permanence chez-moi. Tu es cuit, Donovan.

Hulk demeure sans parole pendant quelques secondes, puis, de sa main libre, il retire lentement son masque.

— Je suis vraiment désolé. Tu viens de m'obliger à prendre une décision extrêmement difficile. J'espère tout de même profiter un peu de ton superbe corps avant de te supprimer. Mais avant tout, je tiens à te mettre au courant de certains faits.

— Donovan. Ne dis rien que tu pourrais regretter. Je te jure que …

— Ta gueule ! Lédo !

Les invectives que Marianne s'apprête à lancer à son bourreau se meurent brusquement sur ses lèvres. Son kidnappeur se réjouit littéralement de l'hébétude figée sur les traits de la jeune femme.

Allard qui était disparu depuis quelques minutes, réapparaît soudain non loin de Simard. Dans l'une de ses mains, il tient un sac noir en toile et, dans l'autre, une cagoule de même couleur.

— J'ai trouvé ça, dissimulée tout au fond du coffre de ta voiture, dit le grassouillet en lançant la cagoule aux pieds de l'inspecteur. T'as oublié de te vêtir convenablement pour venir nous voir, on dirait Simard.

— Allons Régi, enchaîne Donovan. Mets-la.

— Qu'est-ce que ça veut dire, tout ça, demande Marianne d'une voix incertaine ?

— Ne les écoute pas. Ce ne sont que des déchets de la société, ces gars-là. Des ordures de la pire espèce.

Le rire de Donovan s'élève instantanément. Régi le ressent jusqu'au plus profond de son être et il sait pertinemment qu'il ne pourra se soustraire à la vengeance de son pire ennemi.

— Je vais te le dire, moi, ce qu'est la vraie nature de ton ami flic.

Simard esquisse un geste en direction de Donovan, mais il est aussitôt ramené à l'ordre par l'arme que Louis Allard vient d'arracher de sa ceinture.

— Il était une fois, commence Donovan en se rapprochant de Marianne au point où elle peut sentir son haleine, un policier incompétent qui ne réussissait jamais à trouver les preuves nécessaires pour faire condamner les criminels. Cet inspecteur décide alors de se faire justice lui-même. Son petit manège se poursuit durant quelques années sans que personne ne se doute de quoi que ce soit. Malheureusement pour lui, jamais il n'a réussi à mettre la main sur le criminel le plus intelligent, c'est-à-dire, moi. Alors le justicier masqué décide, ce mois-ci, de mettre les bouchées doubles et, par surcroît, tente de me faire porter le chapeau. Encore là, il n'a pas de chance puisque depuis quelques temps, un jeune homme, nommé Louis Allard, épie ses moindres gestes. Soit dit en passant, son oncle, qui s'était vu accusé injustement d'agression sexuelle, puis innocenté par un juge, a été éliminé par le justicier. Régis Letang. Tu connais ?

— Arrête Donovan. Personne ne va croire cette histoire farfelue.

— Ils n'auront qu'à fouiller tes dossiers pour faire un lien avec eux et les meurtres commis dernièrement, ainsi que ceux qui étaient prévus à ton programme. Les dossiers rouges, ça te dit quelque chose ? Non ? À moins qu'il n'y en ait d'une autre couleur.

Régi baisse la tête et, du regard, fouille les herbes non loin du grand feu. Son revolver s'y trouve. Il doit absolument le repérer. Malheureusement, il se pourrait même que ce soit lui que Louis Allard tient dans sa main.

— Est-ce que tout ça est vrai, Régi ?

Simard lève des yeux remplis de tristesse en direction de la jeune femme qui a délaissé sa colère pour de l'inquiétude. La réaction de Régi est en quelque sorte une confirmation. Cependant, elle n'arrive pas à y croire. Un homme qui prône la justice et qui répète, à ceux qui veulent l'entendre, qu'il ne faut jamais se faire justice soi-même.

— Toutes ces pourritures ne méritaient pas de vivre. Ils n'avaient pas le droit de s'amuser tout à leur aise alors que les victimes dépérissent jour après jour. Une de ces victimes, une jeune fille de seize ans, s'est suicidée après avoir subi des agressions à répétition de la part de Désiré Muloin. Personne n'en a jamais parlé, de cette affaire. Muloin était un homme influent à Mériport. Il ne fera plus de mal à présent. La justice est trop clémente envers tous ces pervers. On dirait même que la société les protège. Alors j'ai décidé d'éliminer ces ordures en leur infligeant de terribles souffrances.

— Lédo. L'éliminateur d'ordures. C'est ça?

Simard baisse la tête encore une fois. En utilisant ce diminutif et en affichant des notes le narguant, il espérait que Donovan sorte de l'ombre et fasse une erreur qui le conduirait derrière les barreaux. Mais encore mieux, il espérait pouvoir le coincer et l'éliminer. Malheureusement, Donovan est trop intelligent pour tomber dans le panneau.

— C'est exact. Ça fait des semaines que je joue la comédie à tous. J'espère vraiment que tu ne m'en veux pas d'avoir agi de la sorte.

— Je n'en sais rien, Régi. Il me faudrait du temps pour réfléchir à tout ça.

— Comme c'est touchant, Régi. Arrête, tu vas me faire pleurer.

— Tu n'as pas de cœur. Comment pourrais-tu pleurer?

— Et toi, la belle Marianne, continue Donovan sans se préoccuper des dernières paroles de l'inspecteur, je suis désolé, à mon tour de te décevoir, mais du temps, il ne t'en reste pas suffisamment pour réfléchir.

Le rire de Louis Allard résonne tout à coup. Jusqu'ici, il n'a pas eu de réaction, puisque Donovan ne lui en a pas donné l'occasion. À vrai dire, Allard n'est, en fait, qu'un instrument entre les mains du criminel. Un homme frustré qui, de par son lien privilégié avec Élisabeth, s'est intéressé à l'inspecteur Simard. La secrétaire du poste de police de Sainte-Jasmine s'était rendue compte de certains comportements étranges de Réginald et en avait fait part à son petit ami.

Réginald comprend que les deux scélérats vont passer aux actes dans peu de temps. Tout dans l'attitude d'Allard le démontre très clairement, d'ailleurs. Il est de plus en plus fébrile et a de la difficulté à rester en place sans bouger. Une lueur de malice se superpose aux reflets des flammes dans ses yeux, un rictus sur ses lèvres apparaît régulièrement et une sueur abondante détrempe ses vêtements. Simard reconnaît dans ces symptômes, le prélude à une agression. Il n'y a plus de temps à perdre. Il lui faut agir immédiatement, sinon il sera trop tard.

Encore une fois, Régi tente de retracer son revolver, mais n'y parvient toujours pas.

— Apporte le bidon, fait Donovan d'un ton monocorde. Nous allons déplacer le feu de joie.

Avec empressement, Allard se détourne pour filer dans le noir. C'est le moment ou jamais. Donovan est seul. Régi s'éclaircit la voix pour attirer l'attention de Marianne. Cette dernière tourne les yeux dans sa direction et décèle un léger hochement de tête de la part de son collègue. Le signal est sans équivoque.

— Dis-moi, Donovan, lance soudainement la jeune femme. Tu dis espérer profiter de mon corps avant de me tuer. Permets-moi d'en douter. J'ai la nette impression que tu ne sais pas quoi faire avec une femme, que tu préfères les jeunes filles prépubères.

Léopold Donovan éclate de rire en entendant ces paroles et, machinalement, il tourne la tête en direction de sa prisonnière. Tout en continuant de se dilater la rate comme un imbécile, il appuie le canon de son arme sous le menton de Marianne, puis approche son visage du sien, et, du bout de la langue, caresse sa joue. Cette dernière tente un mouvement de recul alors que sa bouche est tordue par une grimace de dégoût.

— Tu aimes ça, avoue, siffle Donovan en englobant, de sa main libre, l'un des seins de la captive.

Ce faisant, le scélérat délaisse presque entièrement l'attention qu'il portait jusqu'ici à Simard. Ce dernier se doit d'en profiter. De plus, le geste répugnant posé sur sa compagne le met hors de lui.

Avec la rapidité d'un félin, Régi s'élance vers Donovan. D'une main experte, il écarte celle de son adversaire qui tient toujours l'arme. Un combat s'engage aussitôt. L'effet de surprise procure un avantage marquant à l'inspecteur et ce dernier ne rate pas sa chance d'en profiter. Il martèle avec rage le visage de Donovan provoquant à chaque coup, de longs filets de sang qui viennent souiller la peau de Marianne.

— Je vais te retourner en enfer, maudit salaud, hurle Simard.

Donovan est trop sonné pour entendre quoi que ce soit. Les coups pleuvent avec un acharnement déconcertant. Cependant, l'allure de Régi est brusquement stoppée. Un coup de tonnerre retentit. Sans avoir eu le temps de prévenir son ami policier, Marianne est témoin d'un affreux drame. Louis Allard, le canon de l'arme encore fumant, se rapproche dangereusement de Réginald. De toute évidence, il a la ferme intention d'en finir avec celui qui a assassiné son oncle Régis. Malgré sa déviance, c'était un homme bon qui lui offrait une multitude de cadeaux alors qu'il était enfant.

— À ton tour de payer pour tes crimes, le flic !

Cette fois, la balle tirée par Allard atteint son but et vient se loger à quelques centimètres à peine au-dessus du cœur. Marianne échappe un cri d'effroi en voyant l'immense tache sombre apparaître sur la chemise de Réginald. Ce dernier s'abat lourdement sur le sol. La douleur est vive et il se tord de tous côtés. Allard avance d'un autre pas et pointe son arme sur la tempe du blessé

Tout à coup, au loin, le son d'une sirène s'élève. Louis Allard se tourne pour mieux tendre l'oreille. Il s'agit de plusieurs autos de police. Dans quelques minutes, elles seront là. Pas question que ces fauteurs de troubles viennent l'empêcher de réaliser le rêve qu'il caresse depuis des années.

— Qui a bien pu les aviser de ce qui se passe ici, grogne le grassouillet en pivotant sur lui-même pour faire face au policier.

— C'est moi, fait une voix de femme.

Au moment même où les liens retenant Marianne tombent, la silhouette d'une femme quitte l'abri de l'arbre. Cette dernière jette un couteau sur le sol, ainsi qu'une couverture pour permettre à la captive de cacher sa nudité.

— Je suis vraiment désolée, Louis.

— Élisabeth ! Pourquoi ?

— Il y a eu assez de morts. Il faut que ça cesse.

Toujours allongé dans l'herbe, Simard suit la conversation. Il ne peut croire qu'Élisabeth soit la complice de ces assassins. Elle avait pourtant toute sa confiance. Comment a-t-il pu se faire duper de la sorte ? Elle regrette peut-être de s'être acoquinée avec Allard et, maintenant, elle tente de se racheter. Mais voilà, en croyant lui sauver la vie, elle le condamne à faire face à l'injustice des hommes. Il ne veut pas qu'une telle chose se produise.

Marianne vient s'accroupir près de son ami pour s'enquérir de sa blessure. Il perd beaucoup de sang. S'il ne reçoit pas de soins immédiatement, il risque de mourir.

Allard est furieux. Pourquoi l'amour de sa vie lui fait-elle faux bond de la sorte ? Tout se déroulait pourtant à merveille. Simard est neutralisé et jamais plus il ne fera de mal à qui que ce soit.

— Je ne comprends pas, Élisabeth.

— Eh bien moi, je comprends que cette salope est une traîtresse, crie Donovan, en se redressant, arme au poing.

D'un seul mouvement, il tend le bras, met en joue la jeune secrétaire et appuie sur la détente. Le bruit sourd de la détonation fait sursauter Marianne qui voit Élisabeth effondrer mollement sur le sol, un trou sanglant au beau milieu du front.

Allard hurle de stupéfaction. Il esquisse un pas en direction de sa bien-aimée, mais se ravise aussitôt pour finalement pointer son arme vers Donovan. Ce dernier avait prévenu le coup et appuie, pour la seconde fois, sur la détente. Touché en plein cœur, Louis Allard s'abat à son tour dans l'herbe, à deux mètres du brasier.

Alors Donovan baisse les yeux sur Marianne. La jeune femme est terrifiée. Elle tente de se relever, mais perd l'équilibre et tombe à la renverse.

— C'est à ton tour, belle blonde. J'aurais voulu te faire la faveur de connaître ce qu'est un vrai homme, mais je n'ai pas le temps. Alors adieu.

Donovan avance d'un pas puis se penche au-dessus de Marianne. Lentement, il pointe le canon de son arme sur sa tempe.

Cependant, avant même qu'il ne puisse faire feu, il ressent une violente douleur à la gorge. La blessure est cuisante. Instinctivement, il se redresse tout en laissant tomber son revolver pour tenter de colmater le trou béant d'où s'échappe un flot de lave.

Les forces commencent à quitter Donovan, si bien qu'il doit se laisser choir sur les genoux. Ses yeux éperdus cherchent autour de lui la cause de cette blessure. Simard est là, le couteau d'Élisabeth à la main et un sourire tordu sur les lèvres. Léopold Donovan prend une profonde inspiration, puis, les yeux éteints, s'étale, face première, sur le sol. Simard se réjouit en entendant siffler le dernier souffle de son ennemi.

Chapitre 27

— Accroche-toi, pleure Marianne, alors qu'elle tient la tête de Simard appuyée sur sa poitrine maintenant dissimulée par la couverture. Les secours arrivent.

Effectivement, le son des sirènes se rapproche. Dans moins de deux minutes, la police arrivera sur les lieux du règlement de compte.

— Je ne veux pas passer ma retraite en prison. J'ai beaucoup mieux à faire. Tu dois m'aider à monter en voiture. Je ne veux pas qu'on me retrouve ici.

— C'est impossible Régi. Il ne te reste plus de force. Ta seule chance de survivre c'est de ne pas bouger. Je t'en conjure, reste avec moi.

L'inspecteur sourit. Un sourire triste. Il se sent beaucoup trop faible pour penser se rendre seul à son véhicule. Il n'a donc pas le choix. Désespérément, il tend le bras afin d'atteindre l'arme que Donovan a laissé tomber un peu plus tôt. Elle est hors de portée. Simard plonge un regard suppliant dans celui de Marianne. Cette dernière frémit. Il ne peut absolument pas lui demander une telle chose. Il est hors de question qu'elle soit complice d'un suicide. Son destin n'est pas d'enlever des vies, mais bien d'en sauver.

— N'y compte pas, Régi.

— Je t'en supplie Marianne. Si tu as un tant soit peu de respect et de compassion pour moi, tu ne me refuseras pas cette faveur.

— Je ne te laisserai pas faire ça. Personne n'a le droit de porter atteinte à sa vie, ni à celle des autres. D'ailleurs j'ai du mal à comprendre que tu sois celui que nous cherchons depuis des semaines. Jamais je ne t'aurais cru capable de commettre de telles atrocités.

— La plus grande atrocité, c'est de laisser vivre tous ces déments qui sèment le mal autour d'eux. Chacun de leurs délits engendre plusieurs victimes, soit la personne agressée ainsi que les membres de son entourage. Ce n'est pas ce que j'appelle la justice. Cette dernière ne leurs inflige que des sentences insignifiantes. Tous ces pervers doivent payer de leur vie leurs méfaits, et ce, dans les pires douleurs. Et cette foutue charte des droits de la personne que l'on ne cesse d'abroger pour ajouter des droits aux criminels.

Marianne ferme les yeux. Régi a raison de critiquer vertement le système judiciaire qui n'est pas assez sévère. Cependant, les lois et leur application relèvent de ce système et nul n'a le droit de s'y substituer. Pas même Réginald Simard.

Tout autour, les reflets des gyrophares viennent troubler la nuit qu'un feu agonisant a peine à percer depuis quelques minutes.

Des voix se font entendre. Des ordres sont lancés pour qu'on se dépêche à prodiguer des soins au blessé. Par prévention, une ambulance a accompagné le cortège policier. Un ambulancier et une ambulancière s'empressent de stabiliser Simard et de le déposer sur une civière.

Un peu plus loin, Marianne regarde son ami être glissé à bord du véhicule. Elle espère de tout cœur qu'il s'en tirera. Le fait que toutes les personnes qui pourraient témoigner contre lui soient mortes lui donne un certain avantage. Quant à elle, l'appellation de Lédo sera reliée à un diminutif pour Léopold Donovan. Sur ce point, Simard aura son appuie. Et, avec de la chance, peut-être qu'on lui offrira tout simplement de prendre sa retraire un peu plus tôt que prévu.

Au moment où les portes du véhicule médical se referment, Régi lève la main en signe d'au revoir. Marianne fond en larmes. Elle ne sait pas pourquoi, mais elle a la nette impression qu'elle vient de voir son ami et chef d'équipe pour la dernière fois.

Aussitôt, on place un masque à oxygène sur le visage du policier, puis, avec une rapidité inouïe, la plaie est nettoyée et recouverte d'un pansement. Pour terminer, une poche de soluté est installée.

Le véhicule roule maintenant à vive allure sur le Chemin-du-Lac. Simard tourne difficilement la tête vers l'ambulancier, demeuré à son côté. Les regards de celui-ci sont dirigés vers l'avant du véhicule et, par le rétroviseur, il admire les yeux de la conductrice.

Réginald prend une profonde inspiration. Sa main cherche un court moment sous sa chemise à moitié déchirée et se pose enfin sur le manche du couteau qu'il avait bien pris soin de dissimuler dans sa ceinture. Il ferme les yeux, une larme s'échappe.

Il n'est pas question que l'esprit de Léopold Donovan vienne le hanter en prison. C'est plutôt lui qui ira le narguer en enfer.

Dissimulée sous la couverture posée sur lui par l'ambulancier, la main armée de Simard se dirige vers l'intérieur de sa cuisse. Il a déjà perdu une grande quantité de sang, alors une profonde incision, sectionnant l'artère fémorale, le conduira tout droit à la mort.

Pourtant, au moment où la pointe de l'arme touche sa peau, Réginald interrompt son geste. Dans sa tête, des dossiers viennent envahir son subconscient. Des dossiers couleurs de ténèbres. L'un d'eux se démarque des autres et vient effrontément le narguer, voire même, le défier.

Encore une fois, Simard effectue une longue inspiration, puis, au moment où il laisse filer l'air de ses poumons, ses doigts, jusqu'ici crispés sur le manche du couteau, se relâchent lentement pour finalement libérer l'arme.

Réginald ferme ses yeux remplis de larmes. L'enfer devra attendre encore un moment.

Deuxième partie

Au département de la police de Sainte-Jasmine rien ne va plus. Les enquêtes, qui s'accumulent à un rythme effarant, n'aboutissent à rien. Le directeur général, Marcel Vincelette, ne sait plus où donner de la tête. Ce n'est que maintenant qu'il prend réellement conscience de la valeur de Réginald Simard, cet inspecteur au tempérament quelque peu rébarbatif. Il a été démis de ses fonctions, pour insubordination, alors qu'il était encore hospitalisé après les événements tragiques survenus sur le Chemin du Lac à Côte Monoir. D'ailleurs tous les équipiers de Simard ont été terriblement touchés par cet événement et par le sort réservé au vétéran inspecteur. Ce dernier n'a toujours vécu que pour la justice et il se révoltait lorsqu'un criminel réussissait à sortir d'un palais de justice par la porte d'en avant. Ses actes répréhensibles n'ont pas été révélés à Vincelette. L'inspectrice Latreille a affirmé sous serment que Léopold Donovan était le responsable des meurtres ignobles commis lors de l'affaire Lédo. Un peu sceptique par rapport aux affirmations de la jeune femme, et pour sauver la face aux yeux de la population, Marcel Vincelette a passé un accord avec Réginald Simard.

Aussitôt sorti de l'hôpital dans lequel il doit séjourner quelques jours, l'ex-inspecteur devra quitter définitivement Sainte-Jasmine pour ne plus jamais y revenir, ni même s'en approcher. Il devra respecter un rayon de cent kilomètres. De plus, Réginald Simard ne pourra plus jamais travailler pour un corps policier quelconque et ne jamais collaborer à aucune enquête, ni même divulguer des détails concernant ses dossiers en cours. Mais la mesure la plus difficile à accepter, c'est de plus jamais entrer en contact, de quelque façon que ce soit, avec ses anciens et anciennes collègues.

« Si jamais tu contreviens à ces exigences, je te fais un procès et, crois-moi, je réussirai à te faire coffrer pour le reste de tes jours. Je t'en donne ma parole ».

Le sexagénaire fait une pause, tout en narguant son vis-à-vis d'un sourire comme il n'en a jamais eu auparavant.

« Si on te demande la raison de ton congédiement, tu avoueras ton insubordination. Je n'ai pas du tout apprécié ta façon de me rabrouer après ton médiocre interrogatoire avec Donovan, à Rivière-aux-Perches. Alors c'est la raison que tu invoqueras pour ton renvoi. Et ne parles surtout pas, à qui que ce soit, des exigences que je t'impose. Est-ce bien clair ? »

Ce fut les dernières paroles que Vincelette a adressées à Simard avant de lui tourner le dos et de disparaître de sa vue.

Par ailleurs, l'inspectrice Marianne Latreille, actrice de première ligne lors de l'opération qui s'était avérée un véritable carnage à Côte Monoir, avait été gravement affectée par ce dénouement tragique. Mais le fait le plus troublant avait été d'apprendre la vraie identité de Lédo. Elle ne pouvait se convaincre que son chef et ami avait pu commettre tous ces meurtres horribles. Malgré tout, Régi avait peut-être été, du moins inconsciemment, plus qu'un coéquipier, puisqu'à chaque fois que son souvenir refait surface dans sa tête, elle ressent un pincement au plus profond de son cœur.

Lors de son interrogatoire, au lendemain de la tragédie, et ce, malgré le traumatisme qu'elle avait subi, la jolie inspectrice n'avait eu que des éloges à faire concernant Simard. Jamais, dans ses déclarations, elle n'avait fait allusion au comportement non orthodoxe de son superviseur. Au contraire, son témoignage avait fait en sorte d'incriminer plutôt Léopold Donovan dans la plupart des délits commis lors des derniers mois. Ces mêmes déclarations avaient effacé, du moins en apparence, les soupçons de Vincelette envers son subalterne Réginald Simard, absolvant du même coup ce dernier quant à son implication directe dans l'élimination d'individus aux comportements répréhensibles, mais impunis.

« Se faire justice soi-même est un grave délit. Laisser errer un meurtrier parmi les innocents, c'est de la folie pure et simple ».

Ce sont ces phrases que Réginald Simard avait criées à Marcel Vincelette alors que ce dernier quittait sa chambre à l’hôpital de Sainte-Jasmine.

Chapitre 28

Même si le soleil brille de tous ses feux à l'extérieur, les rideaux tirés de la grande fenêtre gardent plongée dans la pénombre la chambre de la jeune femme de trente-deux ans. L'odeur de renfermé est poignante tellement il y a longtemps que la pièce n'a pas été aérée convenablement. Mais cette odeur n'est pas la seule source de puanteur. Aussi incroyable que cela puisse paraître, un relent de transpiration vient également agacer les narines. Pour l'hygiène on repassera. Les draps doivent sûrement avoir oublié ce qu'est le savon à lessive dilué dans de l'eau fraîche.

Un martèlement incongru vient tout à coup faire se soulever l'une des paupières de la dormeuse. Celle-ci laisse échapper un juron avant de se recouvrir entièrement la tête d'un oreiller d'une couleur incertaine. C'est la quatrième fois cette semaine que quelqu'un vient ainsi tenter de troubler la quiétude de l'occupante de la maison. Elle n'a rien demandé à qui que ce soit, alors qu'on la laisse dans sa désolation. Si jamais elle sent un besoin irrésistible de crier à l'aide alors, à ce moment-là, elle ouvrira sa porte à une âme charitable, mais seulement à ce moment-là. D'ici à ce que cela se produite, qu'on lui foute la sainte paix !

Cependant, contrairement aux autres jours, où les coups portés s'atténuaient au bout de cinq minutes, voilà que, cette fois, ils redoublent chaque secondes. L'agacement de la femme grimpe au même rythme que les secousses sismiques que doit endurer la porte d'entrée. Elle grogne son impatience, hurle presque sa colère et crispe ses doigts avec une force inouïe sur le coussin d'écailles de Sarrazin dont le tissu risque de se rompre à tout moment.

Pourquoi ne la laisse-t-on pas tranquille avec sa conscience ? Cette dernière est la seule à pouvoir influencer, un tant soit peu, la direction que prendra son avenir. Malgré sa courte expérience, elle en a marre de faire face à tous ces événements qui ne font que démontrer à quel point le genre humain est sur une pente descendante. Les journaux, quoique pas toujours fidèles aux événements, sont la preuve incontestable que le monde entier est malade. Si l'on pouvait se projeter dans le temps, on pourrait constater, sans aucun doute possible, que dans un millier d'années, la planète sera à nouveau déserte. Que la race humaine aura subi une éradication par sa seule bêtise.

Encore une fois, les bruits assourdissants, provoqués par un poing énergisé d'une grande détermination, viennent ramener dans le présent l'esprit de la pauvre locataire de la maison.

Exaspérée par les agissements de l'intrus, la trentenaire lance sans ménagement dans un coin son oreiller qui s'éventre en faisant entendre un son se rapprochant de celui d'une maraca. Puis, avec colère, elle rejette sur le côté la couverture souillée qu'elle tenait remontée jusqu'à son cou. Brusquement, elle se redresse dans son lit pour se retrouver en position assise. Sa tête lui fait affreusement mal. Rien de surprenant là-dedans si l'on considère la quantité de bouteilles de boisson, vidées de leur contenu, qui jonchent le tapis recouvrant le plancher de la chambre.

La jeune femme ferme les yeux un instant, expire bruyamment l'air de ses poumons, puis glisse à plusieurs reprises ses mains grandes ouvertes dans sa longue tignasse en bataille.

« Il va voir à qui il a affaire, cet imbécile-là, se dit-elle en permettant à ses jambes de s'extirper hors du lit. Je vais lui en faire du tapage dans sa tête, moi ».

Bien décidée à s'en prendre physiquement à ce foutu gêneur, elle quitte enfin son lit et s'engage, avec néanmoins un certain déséquilibre, dans l'escalier menant au rez-de-chaussée. S'adossant quelques secondes au mur du corridor conduisant à la porte d'entrée, elle respire profondément une dernièrement fois, comme pour se donner du courage. Puis, d'un tiroir de bureau, elle s'empare d'un revolver. Un neuf millimètres chargé à bloc. De quoi impressionner n'importe quel visiteur.

— Allez-vous en d'ici, crie la jeune femme d'une voix gutturale qui démontre avec une évidence certaine qu'elle n'a pas été utilisée depuis des jours. Laissez-moi tranquille et allez-vous faire foutre.

— Ouvre-moi ! Je t'ordonne d'ouvrir immédiatement cette porte.

Cette fois, la jeune claustrée reconnaît la voix de l'homme. Il s'agit de nul autre que son patron. Ça fait des jours et des jours qu'elle n'a pas donné signe de vie à qui que ce soit. D'ailleurs, elle n'en avait tout simplement pas le désir. Ou plutôt, elle n'en ressentait pas le besoin. Pourtant, elle devra bien faire face à la musique tôt ou tard. Ce moment est peut-être venu. Trop tôt, mais tout de même, il est malheureusement venu.

D'une main tremblante, elle tourne la poignée de la porte. Celle-ci s'entrebâille lentement, confirmant ainsi l'identité du visiteur indésirable, mais inévitable.

Soudain, les traits de l'homme se figent, ses yeux s'agrandissent, ses lèvres se contractent pour former un « O », puis, d'un mouvement brusque, il tourne le dos à son hôtesse.

Cette dernière comprend instantanément le pourquoi de cette transformation de physionomie opérée sur son vis-à-vis. Elle referme brutalement la porte et se tourne lentement vers un grand miroir accroché à sa droite. Pendant de longues secondes, elle demeure médusée par son reflet. C'est la première fois de toute sa vie qu'elle se sent aussi laide et c'est sa négligence des dernières semaines qui en est la cause. De plus, elle n'a pour vêtements qu'un soutien-gorge et un slip dont la propreté laisse beaucoup à désirer. Ses longs cheveux blonds sont ternes et semblent avoir été trempé dans de l'huile tellement ils sont gras. Ses yeux d'un bleu grisâtre sont encerclés par des cernes brunâtres jurant au maximum dans ce visage à la peau cadavérique. De plus, rien pour agrémenter la situation, de son corps tout entier émane une odeur presque nauséabonde.

La jeune femme remet en place son neuf millimètres, puis extirpe un coupe-vent d'une garde-robe à sa gauche pour l'enfiler aussitôt.

Enveloppée d'une gêne sans borne, elle ouvre finalement la porte, tout en se gardant bien de relever la tête.

— Dieu du ciel, Marianne ! Qu'est-ce qui t'arrive ? Ça fait des jours que je viens frapper à ta porte sans résultat. Je ne t'ai jamais vu dans un état pareil. J'aurais dû prendre la clé que tu caches derrière, mais je ne voulais pas le faire sans ta permission. Ça n'a aucun sens de te laisser aller de la sorte.

— Pas de grand sermon. Je t'en prie, Dominique. Je n'ai pas le cœur d'entendre qui que ce soit me faire des reproches ou me critiquer.

Brunet serre les lèvres comme pour retenir un commentaire qui, sûrement, aurait engendré une violente réaction de la part de sa subalterne. Ce n'est d'ailleurs pas son style de provoquer les gens. Il est plutôt du genre à avoir une bonne écoute et, surtout, de privilégier l'empathie dans la plupart des situations. Il a toujours obtenu de meilleurs résultats en agissant de la sorte et les personnes finissent, la plupart du temps, à se confier à lui en se sentant ainsi écoutées.

L'homme pose les yeux sur la jeune femme comme pour évaluer son état. Ce dernier est vraiment pitoyable. Comment peut-il l'aider à remonter la pente ? En parlant, bien sûr.

— Tu m'offres un café ?

Marianne hésite un instant. Elle tourne la tête en direction de la cuisine. Le décor est désolant. L'endroit n'est pas trop approprié pour une discussion, mais elle ne veut pas non plus quitter la maison. D'ailleurs elle en aurait pour au moins une heure à se préparer pour être le moindrement présentable.

Avec une grimace torturant tous ses traits, démontrant ainsi son malaise, elle s'efface devant Dominique Brunet pour permettre à celui-ci d'entrer. Après une première inspiration, il constate à quel point la déchéance a frappé la résidente de cette demeure. Dès lors, l'inspecteur chef sait qu'il aura du travail à faire avec Marianne pour lui redonner le goût de vivre. En définitive, pour la convaincre qu'elle n'avait aucun pouvoir sur le déroulement de la fin de l'enquête que l'on a classée sous l'appellation : Lédo.

Chapitre 29

Toutes les têtes se retournent au passage de Marianne Latreille lorsqu'elle longe le corridor menant au bureau de l'ex-inspecteur Réginald Simard. La décision de reprendre du service après cette affreuse tragédie, qui l'a confrontée à la mort de près, n'a pas été facile à prendre. N'eût été de Dominique Brunet, la jeune femme n'aurait jamais remis les pieds dans cet établissement. D'ailleurs, elle n'aurait jamais même envisagé de continuer sa carrière d'inspectrice à Sainte-Jasmine. Les douloureux souvenirs qui la torturent depuis près de deux mois n'ont certainement pas fini de la hanter et elle se devra de composer avec cette réalité.

L'inspectrice s'arrête devant la porte de son ancien chef d'équipe. Le nom de Réginald Simard a été retiré pour faire place à celui de Marianne Latreille. Une larme roule sur sa joue en apercevant la petite plaque cuivrée. Dans son cœur, elle est persuadée de ne pas mériter cette place que d'autres inspecteurs convoitaient depuis longtemps. Même des inspecteurs de d'autres juridictions. Parmi les plus jeunes, il y a, bien entendu, Xavier Tulane. Ce dernier n'a jamais vraiment apprécié la compagnie de Marianne, la jalousant sur son sens d'analyse que lui ne possède pas suffisamment pour en faire un candidat au poste de chef d'équipe. En outre, elle considère que l'inspecteur est irremplaçable.

— Tu vas y arriver, Marianne, dit simplement Brunet en lui posant une main amicale sur l'épaule. Tu sais, Régi ne voyait que toi pour lui succéder à sa retraite. Alors, fais-lui confiance. Il a toujours été un homme avec un jugement extraordinaire, du moins en ce qui concerne son personnel. S'il n'avait pas cru en toi, il m'aurait proposé quelqu'un d'autre.

— Peu importe. Je dois t'avouer que je ne suis pas du tout à l'aise d'occuper ce poste. Par contre, je le ferai pour respecter la confiance que Régi a en moi et je vais tenter de continuer son œuvre.

— Pas de la même façon, j'espère ?

— Que veux-tu dire, Dominique ?

— Tu le sais très bicn, Marianne. Vincelette a tout avalé des déclarations que tu as faites. Il a, bien sûr, été un peu septiquc au début, mais tout de même, il a accepté ta version. Je me demande toujours pourquoi, d'ailleurs.

— Alors où est le problème ?

— Je ne suis pas Marcel Vincelette. Je ne te dis pas que tu as mal agi en faisant porter le chapeau à Donovan, mais je sais pertinemment qu'il n'était pas responsable des derniers meurtres.

— Qui, alors ?

— Marianne, Marianne. Ne joue pas à ça avec moi. Nous le savons très bien tous les deux que Réginald Simard était l'homme que nous cherchions. Il était en croisade contre l'injusticc. Une mission noble, en soi, mais les moyens utilisés ne l'étaient pas du tout. Alors quand tu dis que tu veux continuer son œuvre, ça me fait peur un peu.

— C'est toi qui es venu me chercher chez-moi, Dominique. Je ne demandais pas mieux que de rester hors circuit. Me trouver un autre travail, quoi. Mais tu as insisté pour que je reprenne du service, alors ne me dis pas que maintenant tu vas vouloir me lier les pieds et les mains et faire de moi une des marionnettes de Marcel Vincelette !

— Pas du tout. Tu es libre d'enquêter à ta manière. Ce que je veux dire, c'est que j'espère que tu le feras en respectant les règles dont l'humanité s'est dotée. Tu comprends, Marianne, notre devoir n'est pas de prononcer des sentences. Ce n'est pas à nous de juger et de condamner les criminels. Notre travail consiste à amener ceux-ci devant le tribunal pour que des personnes compétentes les jugent équitablement.

— Comme Désiré Muloin, ou encore, Bernard Plourde ? Tu crois que ces monstres étaient assez impartiaux pour prononcer des sentences adéquates selon les crimes commis. Ils étaient eux-mêmes des parvenus.

— Là n'est pas la question. Ce que je te demande, c'est de ne pas te faire justice toi-même comme l'a fait Régi.

— T'en fais pas. Je n'en ai aucunement l'intention. Tu peux dormir tranquille. Je ferai mon travail proprement, mais avec fermeté, ça tu dois t'y attendre.

— C'est ce que je voulais entendre. Merci, Marianne, de me rassurer de la sorte.

— Bon. Maintenant, si tu le veux bien et si tu n'as rien d'autre à rajouter, j'aimerais me plonger dans les dossiers de Régi et les classer selon mes propres critères.

— Je comprends. J'en ferais tout autant à ta place. Alors, amuse-toi bien. Il y a des cas qui réclament une certaine urgence et qui n'ont pas progressés depuis le départ de Régi. Ce serait bien de t'y attaquer au plus vite. Tu constateras aussi que personne n'a fouillé dans ses dossiers. Vincelette a voulu que tu sois la première à y jeter un coup d'œil.

— Je n'en doute pas, ironise la jeune femme avec un ton de scepticisme.

Brunet sourit à l'inspectrice avant de faire volte-face et de prendre la direction de son propre bureau. Il se devra de garder un œil sur elle car cette dernière ne l'a pas du tout convaincu dans son désir de faire respecter la justice tout en observant les règles.

Pourtant, de son côté, Marianne a la ferme intention de ne pas agir de la même façon que son prédécesseur, mais qu'elle fera tout pour que les criminels écopent du maximum des peines prévues par la loi, même si celle-ci est beaucoup trop clémente.

La jeune inspectrice se dirige lentement vers le grand classeur appuyé contre le mur du fond. Elle tend fébrilement la main vers le tiroir du haut. Un certain malaise se propage dans son corps, s'étendant de ses poumons, qui se compressent légèrement, à son cœur qui palpite, jusqu'à sa gorge qui se serre. Le fait d'être sur le point d'entrer dans les secrets de Réginald Simard la trouble énormément. Une question la tourmente sans cesse depuis que Dominique lui a annoncé quelle sera sa nouvelle fonction au sein de la police de Sainte-Jasmine. Sera-t-elle à la hauteur des attentes, et de Brunet et de Vincelette ? Elle en doute. Cependant elle sait que son réel devoir est de faire incarcérer les criminels.

Le premier tiroir s'ouvre sur une suite de dossiers de couleur beige. Des cas qui ne demandent qu'un simple suivi, puisque ceux-ci ont été en grande partie résolus de façon satisfaisante. Des cas plus sérieux se retrouvent confinés dans le second tiroir. Des cas de violences conjugales, de voies de faits, des altercations qui finissent mal entre voisins, etc… D'autres inspecteurs doivent assurément s'en être occupés.

Marianne ouvre le troisième tiroir. Devant, confinés dans des chemises bleues, il y a les dossiers de cas résolus concernant des délits graves. La jeune femme sent sa figure s'empourprer instantanément de colère. Derrière la suite des chemises bleues, l'espace est vide. Nerveusement, elle glisse la main pour fouiller davantage, mais sans succès. Comme elle l'avait bien supposé, quelqu'un a fait disparaître les dossiers les plus importants pour ne laisser que les cas plus légers. Du moins, ceux qui ne concernent pas des meurtriers ou qui ont été fermés définitivement.

L'inspectrice se saisit du combiné téléphonique et appuie rageusement sur trois touches.

— Personne n'a fouillé dans les dossiers, hein !

— Non, personne. Marcel l'a interdit depuis…

— Comment il se fait que les dossiers rouges ne s'y trouvent plus ?

— Je t'assure que ni moi ni Vincelette n'avons demandé à qui que ce soit de les prendre. Je vais tout faire en mon pouvoir pour qu'ils te soient restitués.

Marianne n'attend pas que Dominique la baratine davantage et elle coupe brusquement la communication. Comment a-t-elle pu être aussi dupe pour croire en l'honnêteté de Marcel Vincelette, un homme qui a toujours été arrogant avec ses subalternes et qui n'a jamais accepté réellement la présence des femmes dans un corps policier ? Il n'allait surtout pas se gêner pour parcourir les dossiers de Simard. Peut-être même va-t-il en confier la responsabilité à quelqu'un d'autre.

La jeune inspectrice se sent alors envahie par une vague démoralisatrice. Son estime de soi effectue une descente dangereuse qui pourrait la mener à vouloir abandonner définitivement ses nouvelles fonctions. Ce mal-être pourrait, également, l'éloigner de sa profession. Celle qui meuble son esprit depuis sa préadolescence. Histoire de la motiver, ses parents lui ont affirmé que du sang de fin limier coulait dans ses veines.

Marianne, jusqu'ici face au mur du fond de la pièce, se retourne vivement avec l'intention d'extérioriser sa rage en balayant de la main tout ce qui traîne sur son nouveau bureau. Cependant, elle arrête brusquement son geste. Avec un large sourire accroché dans la figure, un jeune homme, aux cheveux châtains et aux yeux verts, se tient là, bien droit, une pile de dossiers rouges dans les bras.

— Mais qu'est-ce que ça veut dire ?

— Tout simplement que tu m'en dois une.

— T'avais pas le droit de subtiliser ces dossiers, Xavier. Ils appartenaient à Régi. C'est une infraction très grave aux règles établies dans ce poste.

Tulane dépose lentement son trésor devant la jeune femme. D'un simple geste de la main, il sollicite la permission de s'asseoir. Elle lui accorde volontiers, malgré qu'elle se sente un peu mal à l'aise de se retrouver dans une telle position de supériorité.

— T'as le choix, Marianne. Tu peux, sur le champ, me dénoncer à Vincelette et ainsi mettre fin à ma carrière d'inspecteur, ou, au contraire, me féliciter de m'en être temporairement appropriés. Après avoir entendu mes explications, bien sûr.

— Je ne vois vraiment pas quel genre d'explications tu pourrais me fournir pour me faire approuver ton geste.

— Prends quelques minutes pour m'écouter et tu verras bien. Il sera encore temps de me balancer à ce cher Vincelette et ainsi te débarrasser de moi pour de bon.

Marianne lève légèrement la tête tout en la secouant légèrement. Elle fait la moue quelques secondes pour manifester son mécontentement et pour l'aider à réfléchir. Xavier Tulane aurait bien pu conserver ces fameux dossiers à l'abri de tous les regards et jamais personne, à part lui, n'aurait pu les consulter. Cependant, il vient, en quelque sorte, se livrer en sachant très bien qu'il s'expose à une punition exemplaire.

— Alors, pourquoi as-tu volé ces dossiers ?

— Pas volé. Je tiens à le préciser. Je ne les ai pas volés.

— Tu veux peut-être me faire croire que tu as fait ça pour moi ?

— Pour toi. Pour moi. Peu importe, je l'ai fait pour la personne qui remplacerait Réginald Simard. Je ne te cacherai pas que j'aurais beaucoup aimé être nommé à ce poste. Mais, après mûre réflexion, je suis persuadé qu'ils ont fait le bon choix. Tu seras à la hauteur et j'espère de tout cœur être dans ton équipe pour t'épauler. Et surtout, ne va pas croire que je suis en train de t'amadouer pour que tu sois plus indulgente à mon égard. Je le dis très sincèrement, tu peux en être certaine.

— Explique-moi d'abord ton geste et je verrai après si tu es aussi sincère que tu le prétends.

— D'accord. Tu sais, il s'est passé beaucoup de choses après l'affaire Lédo. Tu ne te souviens peut-être pas de tout, car tu semblais vivre dans un autre monde à ce moment-là. Tous ces morts sur le Chemin-du-Lac et le renvoi injuste de Régi t'ont profondément affectée et je comprends très bien qu'une multitude de détails t'aient échappé. J'aimais aussi notre chef, mais pas de la même façon que toi. Je veux dire…

— Viens-en au fait, Xavier. Tu n'as pas à discuter sur mes états d'âme.

— Tu as raison, je m'en excuse. Lorsqu'on a annoncé à Vincelette la façon dont l'affaire Lédo s'était terminée, je me trouvais à proximité de lui. Il n'a même pas sourcillé. Mais, au bout de quelques secondes, je crois que je l'ai vu sourire. Très légèrement, bien sûr, mais il a tout de même souri. C'était réellement très déplacé de sa part, car la vie de Régi était en jeu à ce moment-là. Ensuite, il s'est approché de Dominique qui, soit dit en passant, avait les larmes aux yeux, craignant le pire pour son ami. Donc, Vincelette a aussitôt maugréé un ordre à Brunet. Il lui a ordonné de se saisir des dossiers rouges de Régi dès son retour au poste, de les conserver chez lui sans les consulter et de les lui remettre en main propre. Comme tu le sais, Dominique s'est rendu au chevet de Régi et y est demeuré une partie de la nuit.

Marianne plonge son regard dans celui de Xavier Tulane pour tenter de déceler un signe quelconque qui pourrait trahir un mensonge. Elle ne détecte rien du côté de ses traits et rien non plus de négatif du côté des signaux non verbaux que pourraient lui renvoyer ses gestes. Son intuition lui suggère donc de croire les paroles du jeune homme. Vincelette est sans contredit une ordure, mais, en tant que chef d'équipe, elle ne peut se permettre de formuler à haute voix une telle dénomination.

— J'imagine que c'est après avoir entendu cet ordre que tu es venu voler…soustraire les dossiers ?

— Tout à fait. Par contre, j'ai dû photocopier quelques pages des dossiers de Léopold Donovan et de ceux de Letang, Michaud, Muloin, Plourde et Allard. Fallait bien leur donner un peu de matière pour se poser des questions. J'ai tout de même pris bien soin de ne pas compromettre Régi de quelque façon que ce soit. Tout ce qui concerne ses décisions personnelles n'a jamais été révélé à personne. Alors tous ses petits secrets t'appartiennent.

— Nous appartiennent, tu veux dire. Même si tu me le jurais, je ne croirai jamais que tu n'y a pas jeté un œil.

Tulane esquisse un léger sourire, prouvant ainsi à Marianne qu'elle a raison de ce côté.

— Cela va de soi. Je les ai tous parcourus d'une couverture à l'autre, dès le premier soir de leur subtilisation. Par contre, je dois avouer que j'ai été un peu déçu de leur contenu. Il n'y avait rien de clair dans le fait que Régi ait été le fameux justicier que nous recherchions, mais j'ai tout de même pu en déduire que c'était bien lui. Cependant, un point positif, il n'y avait rien d'incriminant pour Régi dans les dossiers rouges. Alors je suis revenu dans son bureau à la première heure.

— Tu cherchais quoi, au juste ?

Encore une fois, Xavier adresse un immense sourire à sa chef, puis quitte son fauteuil pour aller refermer la porte encore ouverte du bureau. De retour devant la jeune femme, il se penche et se saisit de quelques dossiers à la couverture noire qu'il avait pris la peine de déposer, à son insu, sur le fauteuil voisin à son arrivée.

Marianne fronce les sourcils en apercevant ces nouveaux dossiers. Jamais Régi n'a parlé de ces documents dans des chemises noires. C'est elle que Simard avait choisi pour le remplacer, alors pourquoi ne pas lui avoir dévoilé l'existence de ces derniers. La jeune femme blonde se trouve quelque peu déçue de ne pas être la première à les consulter.

— Je sais ce que tu penses, Marianne. J'aurais la même réaction à ta place. Cependant, même si ton opinion sur moi n'est pas des plus favorables, je peux t'affirmer que je n'ai pas regardé ces dossiers. Je me suis dit que je le ferais le jour où… Enfin. Je caressais l'espoir d'être nommé comme chef d'équipe des inspecteurs. Selon les dires de nos patrons, les chances étaient minces pour que tu reprennes du service.

— Pourquoi avoir décidé de me les remettre maintenant et sans même en avoir pris connaissance ?

— Pour te prouver ma loyauté. J'ai, bien entendu, traversé une période de désaveu. Je t'ai même haïe pendant un certain temps. Une courte période, cependant. Puis, en prenant le temps de m'évaluer en tant qu'inspecteur, j'en suis venu à la conclusion que tu avais beaucoup plus d'aptitudes que moi pour diriger l'équipe. Régi avait raison de croire en tes possibilités.

Légèrement désarçonnée, Marianne demeure un long moment à digérer les dernières paroles de son subalterne. Ils n'ont jamais été réellement des amis, bien qu'ils aient évolué dans la même équipe pendant un certain temps. Tulane semblait la jalouser. Sûrement à cause de la bonne relation qu'elle entretenait avec Réginald Simard.

Dans les yeux du jeune homme, l'inspectrice ne décèle rien d'autre que de la sincérité. Encore une fois, son intuition la pousse à le croire. Après quelques secondes, elle en conclut qu'elle peut lui faire confiance.

— Je te remercie pour ta franchise. J'apprécie énormément ta décision de n'avoir pas lu ces dossiers. Je vais les mettre en lieu sûr pour ne pas qu'ils tombent entre les mains de Vincelette.

— N'en dit rien à Dominique, également. Non pas qu'il soit assez mesquin pour te créer des problèmes. Mais, par conscience professionnelle, il ne peut rien refuser à Vincelette, alors je crois qu'il serait préférable que tu l'écartes de tes confidences.

— Sage suggestion, approuve Marianne alors qu'elle sait très bien que Brunet est au courant, lui aussi, pour les agissements de Régi. Je vais parcourir ces dossiers avec un grand intérêt. Et si j'ai besoin d'en parler à quelqu'un, je te ferai signe.

En entendant cette phrase, les pupilles de Xavier s'agrandissent instantanément. Il se félicite intérieurement d'avoir agi comme il l'a fait. Il est persuadé qu'un jour ou l'autre, Marianne lui retournera l'ascenseur.

— Merci. Merci pour ne pas dénoncer mon petit larcin à Vincelette. Il me congédierait sur-le-champ. Ils ont déployé beaucoup d'efforts, tu sais, pour récupérer les dossiers rouges. Ils sont même entrés chez toi pour effectuer des recherches, alors que tu étais complètement givrée. Soit dit en passant, tu l'étais presqu'en permanence. Bien sûr, ils n'ont rien trouvé et, par la suite, ils sont retournés chez toi pour te relancer, mais cette fois en frappant tout simplement à la porte.

— Les salauds !

— Je ne te le fais pas dire. Ils ont profité de ta détresse pour tenter de te ravir ces dossiers-là. Ils semblent avoir une importance capitale pour notre directeur général.

— C'était peut-être les noirs qui l'intéressaient le plus.

— Je ne pourrais pas l'affirmer, mais je crois que personne d'autre que nous n'est au courant de l'existence de ces dossiers. De plus, je dois t'indiquer un petit détail qui m'avait échappé au début, mais que j'ai réalisé pas plus tard qu'hier alors que Dominique annonçait ton retour au bercail.

— Un petit détail ?

— Tu remarqueras, sur le dossier du dessus, qu'il est le premier de six. Or, il n'y en a que cinq. C'est le dernier qui brille par son absence.

— Tu ne sais pas où il pourrait se trouver ?

— Pas la moindre idée, en effet.

— Alors nous allons tout mettre en œuvre pour le trouver. Encore une fois, je te remercie et te félicite pour ton initiative.

Xavier Tulane hoche légèrement la tête en signe d'approbation et de satisfaction. Il a la ferme conviction d'avoir fait son devoir. Maintenant c'est à Marianne Latreille de jouer. Ce qu'elle découvrira dans les dossiers noirs changera peut-être sa vie, ou du moins, sa façon de l'aborder. Quoi qu'il en soit, le jeune homme espère profondément être tenu au courant.

Après s'être levé de son fauteuil, le jeune inspecteur porte deux doigts à son front pour saluer sa vis-à-vis qui lui répond par un sourire.

— Tu as fait un bon travail, Xavier. Je te revaudrai ça.

Chapitre 30

De retour à la maison et malgré la tentation de plonger à pieds joints dans la lecture des dossiers noirs, Marianne a tenu à mettre un peu d'ordre dans la petite pièce lui servant de bureau. Avec stupéfaction, elle constate que Xavier avait raison. Des marques d'effraction sont apparentes. Pas pour pénétrer dans la maison, puisque son patron sait très bien qu'une clé est cachée à l'arrière, sous une grenouille décorative. Cependant, de très petites égratignures près du mécanisme de verrouillage de son classeur prouvent que quelqu'un l'a forcé. Un réel fouillis règne dans tous les tiroirs de son bureau d'ordinateur alors qu'elle s'est toujours vantée d'être une maniaque du rangement.

Une fois la pièce remise dans un état acceptable, la jeune femme se laisse choir dans son fauteuil préféré, à côté duquel, elle avait déposé les dossiers noirs en arrivant. Elle ferme les yeux, histoire de chercher tout le courage nécessaire pour faire face aux minutes qui suivront. Elle appréhende énormément ce qu'elle pourrait trouver dans ces pages mystérieuses que Régi avait si bien dissimulées. Au fait. Où étaient ces dossiers ? L'idée de poser la question à Tulane ne lui a pas traversé l'esprit au moment où le jeune homme se trouvait devant elle. Xavier répondra plus tard à cette interrogation. Il est plus important, pour l'instant, de prendre connaissance de ces foutus dossiers.

L'inspectrice se lève brusquement. Pas question de se lancer dans une lecture fastidieuse sans, au préalable, s'être versé un verre de whisky. En moins de deux minutes, elle s'exécute et revient à son fauteuil en tenant dans ses mains un verre de son nectar préféré sur lequel flottent quelques glaçons.

Avant de tremper les lèvres dans son breuvage, Marianne se remémore, l'espace d'un moment, cette fin de soirée à Mériport, en compagnie du Capitaine Yvon Lord et de Régi. Celui-ci, une fois rendu au motel, lui avait offert de prendre un dernier verre, du whisky, avant de se coucher. Comme une conne, elle s'était endormie. C'est peut-être par regret de ce foutu moment qu'elle a pris goût à cette boisson, La préférée de Régi.

Une autre pensée la traverse. Pourquoi Réginald n'a-t-il pas donné signe de vie depuis les tragiques événements qui sont responsables de son renvoi du corps policier ? Il aurait pu au moins l'appeler pour lui expliquer sa décision de quitter définitivement Sainte-Jasmine. Il ne se sentait peut-être pas la force de lui fournir toutes les explications sur ses comportements de justicier. Il a peut-être eu peur de sa réaction, de se faire juger trop sévèrement.

De l'index replié, la jeune femme essuie une larme au coin de l'œil. Ce genre de petits souvenirs refait surface de temps à autre et, à chaque fois, elle se sent envahie par la nostalgie du passé. Ce passé qu'elle aurait pu changer en donnant une petite chance à Réginald Simard de lui avouer ses sentiments. Au contraire, elle se montrait trop distante pour l'encourager à lui révéler son amour.

Marianne demeure encore un moment songeuse, un air mélancolique accroché au visage, puis, d'un geste machinal, porte le verre de whisky à ses lèvres et en vide tout le liquide ambré. Elle grimace en observant les glaçons qui tourbillonnent dans leur contenant. L'inspectrice retourne au salon et en revient avec une bouteille qu'elle dépose sur une petite table à son côté.

Les yeux remplis de fatigue, Marianne regarde les dossiers noirs posés sur ses genoux. Un autre verre de whisky la décide enfin à abandonner l'idée de les parcourir pour l'instant. L'alcool n'est vraiment pas désigné pour cette tâche. Ses vapeurs pourraient, en quelque sorte, en fausser leur compréhension.

Même si le contenu de ces mystérieux dossiers l'intrigue énormément, elle ne veut absolument pas en prendre connaissance dans l'état où elle se trouve présentement. Elle les range donc dans un petit classeur escortant son bureau d'ordinateur.

Après trois autres consommations, la jeune femme prend la direction de sa chambre. Cette dernière se trouve à l'étage supérieur. Elle s'arrête donc au pied de l'escalier, qui lui semble instable pour l'instant, et évalue la situation. Conclusion : le risque de chute est trop grand. Le divan du salon est la meilleure alternative qui se présente et, par dépit, l'inspectrice se résout à s'y rendre, mais tout en chancelant légèrement.

Une fois étendue, le sommeil ne tarde pas à l'envelopper de ses rêves. Plutôt de ses cauchemars. Elle en fait très régulièrement depuis près de deux mois. D'ailleurs, ils sont devenus, pour elle, de véritables compagnons de ses nuits.

À quatre heures du matin, un bruit infernal oblige la dormeuse à ouvrir les yeux. Des coups répétés sur la porte d'entrée de la maison. On tente d'enfoncer cette dernière.

Malgré un certain inconfort encore présent en raison du whisky, Marianne se redresse rapidement sur le divan. Instinctivement, elle porte une main à la hauteur de sa ceinture. Son arme n'y est pas. Normal, elle s'est départie de ses vêtements de travail aussitôt revenue à la maison et a rangé son neuf millimètres dans le tiroir habituel. Celui-ci fait partie d'un petit bureau reposant à deux mètres de la porte d'entrée. Ce serait trop hasardeux pour elle de tenter de l'atteindre car la porte, qui est à proximité, pourrait céder à tout moment.

À toute vitesse, Marianne s'élance vers son bureau de travail et s'empare de son cellulaire qu'elle avait laissé traîner en compagnie d'un verre vide.

Sans hésiter un seul instant, l'inspectrice appuie sur quelques touches en espérant de tout son cœur qu'elle obtiendra rapidement une réponse à son appel.

— Xavier !

— Marianne ! Qu'y a-t-il ?

— Quelqu'un essai d'enfoncer ma porte.

Un craquement assourdissant vient, du même coup, corroborer l'affirmation de la jeune femme. Des bruits de pas précipités succèdent au fracas de la porte. Il y a, de toute évidence, plusieurs intrus. Marianne sent la panique s'infiltrer en elle pour s'emparer de son esprit.

— Tiens bon ! J'arrive !

Marianne n'a pas l'occasion d'ajouter la moindre parole. Trois hommes surgissent devant elle. L'un d'eux lui arrache son cellulaire et, d'un même mouvement, le fracasse sur le plancher.

— Qui êtes-vous ? Que me voulez-vous ?

— Ta gueule !

Une solide droite au menton vient étourdir la jeune femme. Elle sent plier ses genoux sous l'impact. Un autre coup, porté cette fois à main ouverte par un second antagoniste, l'atteint en pleine figure. La douleur est cuisante, mais cette dernière attaque l'aide néanmoins à reprendre ses sens.

Le troisième homme, plus mince et plus élégant, d'une certaine manière, se pointe devant elle en souriant à pleines dents. Il dévisage longuement la jeune femme comme pour se délecter de la peur qui afflige ses traits. Par expérience, Marianne sait pertinemment que, d'après les rictus qui torturent les lèvres de l'homme, l'assaut est imminent. Lorsqu'elle décèle un tel comportement chez un individu, Régi lui a toujours dit que la meilleure défense était de passer à l'action le plus rapidement possible. Contrer l'attaque par l'attaque.

Pendant ce temps, les deux autres criminels s'en donnent à cœur joie dans la pièce en renversant tout ce qui se trouve sous leurs mains, faisant virevolter l'abondante paperasse que l'inspectrice a accumulée au fil des ans.

Désespérément, Marianne allonge la jambe et son pied atteint, de plein fouet, l'entrejambe du troisième agresseur. Celui-ci laisse échapper un grognement mêlé de douleur et de rage.

Pendant une trentaine de secondes, une pluie de coups s'abat sur la jeune inspectrice. Son corps tout entier s'engourdit peu à peu et, bientôt, elle ne ressent plus rien, sauf un terrible ballottement.

Puis, sans prévenir, alors que la pauvre Marianne se retrouve au sol, couchée sur le dos, elle voit ses vêtements de nuit arrachés brutalement.

Ses yeux, presque fermés et ensanglantés, tentent de s'écarquiller lorsqu'elle aperçoit se dresser devant elle l'homme qu'elle avait frappé un peu plus tôt. Son pantalon est baissé jusqu'aux genoux. Marianne est désemparée. Deux paires de mains puissantes la retiennent fermement au plancher. L'agression est inévitable

Le violeur se jette littéralement sur elle. Sans ménagement, il la fait pivoter de façon à ce qu'elle se retrouve en position ventrale. L'intention du scélérat est claire : il veut la sodomiser.

Bien que son corps soit parcouru par de nombreux spasmes, la jeune inspectrice ressent, tout à coup, une douleur atroce alors qu'elle est pourfendue et déchirée. Des hurlements horribles fusent de la gorge de la suppliciée à chacun des nombreux coups de rein portés à répétition par l'odieux agresseur.

— Vas-y Charly ! Défonce-la, la chienne !

— Fais-la saigner jusqu'à ce qu'elle crève !

Le dénommé Charly redouble d'ardeur à chacun des encouragements de ses acolytes. Marianne crie à s'en fendre l'âme, tellement la douleur devient intolérable. Cependant, mis à part les trois ignobles personnages, personne ne l'entend.

Bientôt, tout s'embrouille dans son esprit. Elle est à la limite du supportable. Encore une poussée vicieuse du violeur et elle sombrera, sans nul doute, dans l'inconscience. Même sa gorge refuse à sa souffrance de s'extérioriser. Ses muscles se relâchent peu à peu. Son conscient est maintenant prêt à abdiquer.

Tout à coup, le son d'une sirène s'élève à l'extérieur et se rapproche rapidement de la demeure de Marianne. Les trois intrus s'immobilisent instantanément. Bien sûr, ils s'attendaient à une intervention policière, mais pas en si peu de temps.

Le violeur se relève brusquement tout en remontant son pantalon jusqu'à la taille.

— Ce n'est qu'un avant-goût de ton calvaire, putain, lance-t-il avant de frapper brutalement, du bout de son pied, dans les côtes de sa victime. Tu vas te souvenir de moi à chaque fois que tu poseras ton cul sur une chaise.

Voulant imiter leur ami Charly, les deux autres salauds s'en donne à cœur joie pendant encore quelques secondes en frappant à plusieurs reprises le corps inerte de la femme.

— Vite ! Foutons le camp par l'arrière.

— Le message !

Le fameux Charly sourit, puis extirpe un bout de papier de la poche arrière de son pantalon et le dépose sur Marianne en ricanant.

Chapitre 31

Marianne soulève péniblement ses paupières, encore affligées d'une extrême lourdeur.

Un silence de mort règne autour d'elle et, malgré qu'il soit légèrement flou, le décor se présentant à ses yeux lui est inconnu. Cependant, sa décoration et son odeur le trahissent. Une chambre d'hôpital. Rien de bien surprenant car la jeune femme se rappelle, dans les moindres détails, l'agression sauvage qu'elle a subie de la part de trois horribles brutes. Même si les événements se sont déroulés à vive allure, elle a parfaitement en mémoire le visage de ses assaillants.

Avec un peu de difficulté, Marianne tourne la tête pour s'enquérir de la précarité de son état. Un bref tour d'horizon lui révèle qu'elle n'est rattachée qu'à une poche de soluté, rien de plus. Du moins, en apparence. Elle tente de se retourner davantage. Une douleur plus aiguë, au niveau du rectum, la fait grimacer.

Cependant, ce n'est pas exclusivement les blessures à son corps qui lui font le plus mal. C'est plutôt qu'un être sans scrupules se soit permis de faire fi de son intimité et qu'il l'ait profanée sans retenue, avec une bestialité inouïe.

Des larmes roulent tout doucement sur les joues de Marianne. Sa profession d'inspectrice de police vaut-elle la peine de subir de telles atrocités pour tenter de faire régner un semblant de justice ? À quoi bon risquer de perdre sa dignité, voire même sa vie, pour aider des gens qui, très souvent, ne veulent pas se faire aider ?

Un mouvement à sa gauche vient brusquement la sortir de ses réflexions pessimistes. Une infirmière s'approche d'elle en arborant un large sourire que Marianne juge sincère.

— Bonjour Madame Latreille. Comment vous sentez-vous ce matin ?

— Comme quelqu'un qui a été écrasé par un rouleau compresseur. Depuis combien de temps suis-je ici ?

— Deux jours. Votre corps était dans un état lamentable, alors on vous a administré de fortes doses de calmants depuis votre arrivée.

— Quand vais-je sortir ?

— Très bientôt, j'imagine. Le docteur va passer d'une minute à l'autre. C'est lui qui prendra la décision.

— Je veux sortir tout de suite. J'ai des choses importantes à faire.

— Malheureusement, je n'ai pas le pouvoir de vous y autoriser. Vous savez, vous avez quelques côtes de fêlées et…

— Gabrielle ! Ce n'est pas à toi de fournir des explications de ce genre aux patients, lance aussitôt un homme d'une cinquantaine d'années qui vient de faire irruption dans la pièce.

— Désolée docteur Lagüe, répond aussitôt l'infirmière, toute penaude, en s'écartant, du lit pour céder la place au médecin.

— Je me sens passablement bien, merci, lance Marianne pour désamorcer la situation de malaise que vit l'infirmière. J'imagine que c'est ce qui doit vous intéresser, docteur ?

— Oui. Bien entendu.

— Alors vous allez signer mon congé ?

— Pas aujourd'hui, Madame Latreille. Vous avez deux côtes brisées. Nous les avons remises à leur place, mais vous devrez porter un corset pour les maintenir dans la bonne position. De plus, il vous sera quelque peu pénible de vous asseoir pendant un certain temps. Alors, pour répondre à votre question, encore vingt-quatre heures de repos complet et je crois que vous serez en mesure de retourner chez-vous. Cependant, pas de retour au travail pour quelques semaines.

— Impossible. Je dois retrouver les salauds qui m'ont fait ça.

— Ce serait prématuré de votre part de vous lancer dans une telle aventure. L'état de fragilité dans lequel vous vous trouvez ne vous permettra pas d'être aussi active que vous le désirez. Heureusement que votre condition physique était excellente avant le malheureux événement. Cela pourra permettre une récupération plus rapide. Mais, croyez-moi, vous devez absolument prendre un temps d'arrêt pour vous refaire des forces.

Marianne regarde le quinquagénaire dans les yeux. Ce n'est pas à lui de décider quand elle reprendra du service. Elle est assez grande pour le faire elle-même. Par contre, c'est ce même homme qui a le pouvoir de la faire sortir de cet établissement sans ennuis. Elle doit donc se résigner à son incarcération jusqu'au lendemain.

— Merci, docteur. Je crois que je vais me reposer maintenant. Si vous le permettez, bien sûr.

Le docteur Lagüe comprend la frustration de la jeune inspectrice. Ce n'est jamais facile d'accepter de demeurer passif lorsqu'on évolue dans une profession qui nous demande d'être constamment en action.

— D'accord. Reposez-vous. Je vais dire au jeune homme, qui attend à l'extérieur, de revenir plus tard.

— Ça va. Ça va. Laissez-le entrer. Je lui dirai moi-même.

Lagüe sourit en se retournant. Il est conscient que sa patiente n'a pas l'intention de dormir pour l'instant. Ce n'était qu'un prétexte pour écourter leur conversation. Le supérieur de l'inspectrice l'avait prévenu du fort caractère de celle-ci.

Pas plus de dix secondes se passent avant que Xavier Tulane ne fasse son entrée dans la chambre. Dans ses mains, il porte un bouquet de fleurs aux couleurs joyeuses. Après le bonjour traditionnel, il s'empare d'un vase posé sur une table, dans un coin, à l'intention des visiteurs qui auraient envie de faire plaisir aux patientes. Rapidement, dans le lavabo de la salle de bain, il le rempli à moitié d'eau et y introduit les fleurs.

— Voilà, dit-il en regardant son œuvre avec satisfaction. J'ai pensé que ça te ferait plaisir.

— Je te remercie. Elles sont très jolies. Je ne me souviens pas de la dernière fois qu'un homme m'a offert des fleurs.

Xavier sourit en entendant cette déclaration. Peut-être que la jeune blonde est trop engagée dans son travail pour donner l'envie à un homme de la courtiser. De son veston, le jeune inspecteur retire une petite boîte qu'il dépose sur le lit, près de Marianne. Cette dernière, intriguée, l'ouvre aussitôt.

— Mon cellulaire !

— Je l'ai fait réparer hier. Je crois que c'est un outil indispensable pour toi.

— Je te remercie du fond du cœur. En effet, il m'est très utile.

Tulane sourit encore une fois, heureux de se considérer comme un réel complice.

— Et puis, comment vas-tu ?

— Ils ont été arrêtés ?

— Ils nous ont échappés de justesse. J'avais pourtant demandé à ce que l'auto-patrouille n'annonce pas notre arrivée avec la sirène. Il semblerait que l'agent qui conduisait se trouvait en communication avec Brunet qui lui a ordonné de l'activer.

— Idiot ! Toujours le sensationnalisme.

Marianne secoue la tête frénétiquement, puis se couvre le visage de ses mains. Une douleur apparaît aussitôt à sa lèvre inférieure. Du bout du doigt, elle l'examine en tapotant légèrement. La jeune femme allonge le bras et, tout en grimaçant, ouvre le tiroir du petit bureau jouxtant son lit pour en retirer un miroir qu'elle place aussitôt devant elle. Sa lèvre est enflée et une coupure assez profonde y apparaît. Ses yeux encore bouffis sont encerclés d'un cerne jaunâtre.

— Ils n'y sont pas allés de main morte, soupire Tulane. Quelques minutes de plus et je crois qu'ils t'auraient tuée.

— Je ne crois pas, non. Ce n'était pas leur intention. Je ne sais pas encore pourquoi ces salauds m'ont assaillie de la sorte, mais je te jure que je le saurai.

— Je suis arrivé le premier sur les lieux. Tu n'étais plus consciente. Il y avait un bout de papier sur toi. On aurait dit qu'il avait été placé de façon à ce qu'il soit en évidence.

— Qu'y avait-il d'écrit ?

Tulane fais la moue un instant, serre les lèvres, puis se masse le menton de sa main ouverte. Il ne semble pas trop à l'aise. La teneur de ce bout de papier va assurément faire ressurgir de très mauvais souvenirs dans l'esprit de la jeune femme et cela le désole de devoir la tourmenter encore une fois avec cette histoire.

— Allons, Xavier. Qu'est-ce que tu attends au juste ?

— Il n'y avait qu'un seul mot d'inscrit.

— Est-ce que je dois aller le chercher dans ta tête, ce mot ? Pourquoi hésites-tu de la sorte ?

— Lédo. C'est Lédo qu'il y a sur ce foutu papier, réussit à dire Tulane en tendant ce dernier à l'inspectrice.

Marianne blêmit. Tout s'embrouille dans sa tête. Une question se détache de toutes les autres qui tournoient dans son esprit. Qui connaît le lien qu'il y a entre elle et Lédo ? Mis à part Dominique Brunet et Xavier, personne n'est censé connaître la vérité concernant la croisade de Réginald Simard contre les criminels impunis errant dans le pays. Et ce n'est sûrement pas Régi lui-même qui a ordonné ça. Les seules autres personnes qui étaient au courant sont mortes sur le Chemin-du-Lac de Côte-Monoir.

— Les dossiers noirs ! Ils ont pris les dossiers noirs ?

— Tu n'as pas à t'en faire de ce côté-là. Ils étaient éparpillés dans la pièce, mais je les ai tous récupérés subtilement pour que ceux-ci demeurent secrets. Je crois qu'il est important que personne, à part nous, ne sache que ces fameux dossiers existent. Je ne sais pas ce qu'ils contiennent, mais je suis convaincu qu'ils révèlent des faits compromettants pour certaines personnes.

— Si ce n'était pas pour ces dossiers, alors pourquoi s'en être pris à moi ?

— Aucune réponse à te fournir pour l'instant.

— Mon agresseur. Celui qui m'a… Enfin, tu sais ce que je veux dire, le médecin doit sûrement en avoir parlé… sans mon consentement, bien sûr. Bref, l'homme a dit que ce n'était qu'un avant-goût de mon calvaire.

— Eh bien, la prochaine fois ils me trouveront sur leur passage. Je demanderai à Brunet qu'il m'affecte à ta sécurité.

Marianne lève un œil interrogateur vers son subalterne. Ce n'est pas à Dominique de désigner qui, le cas échéant, sera chargé de la protéger. C'est elle, la chef d'équipe. C'est à elle de prendre une telle décision. À moins que Brunet n'ait certaines réserves et qu'il n'ait pas confiance dans ses capacités décisionnelles.

— Je te remercie pour ta sollicitude, Xavier, dit-elle néanmoins pour ne pas offusquer le jeune homme. Si jamais j'ai besoin d'un garde du corps, je penserai à toi.

Tulane rougit légèrement en se rendant compte de sa bévue. Bien sûr que Marianne, malgré qu'elle soit jeune dans la profession, est une femme de tête, une femme forte. Ce n'était pas son intention de la vexer. D'un regard triste, il cherche à s'excuser. L'inspectrice hoche légèrement la tête pour acquiescer à sa demande.

— Bon. Je veux, pour ma sortie demain, que ce soit toi qui m'amène jusque chez-moi. J'aimerais bien avoir quelque chose de chaud pour me couvrir, il commence à faire frais à l'extérieur. Je veux aussi que tu m'apportes les dossiers noirs. Je vais avoir amplement le temps de les étudier pendant mes quelques jours de convalescence.

— Oui, chef. J'attendrai ton appel.

Chapitre 32

Dominique Brunet lève les yeux en direction de celui qui vient de faire irruption dans son bureau sans même avoir frappé à la porte au préalable.

— Marcel !

— Qu'est-ce qui se passe avec Latreille ?

— Bonjour à toi également.

— Non ! Non ! N'agis surtout pas comme Simard le faisait avec moi. Tu m'entends, Dominique ? Je ne le tolérerai pas.

Brunet esquisse une légère grimace de mécontentement, ou plutôt d'agacement. Vincelette est un ami de longue date, mais parfois ses propos sont d'une insignifiance alarmante. De plus, son manque de savoir-vivre est jugé excessivement désagréable par la totalité de ses subalternes. Un de ces jours, il faudra bien que quelqu'un le remette à sa place une fois pour toutes.

— Que veux-tu savoir au sujet de Marianne ?

— A-t-elle trouvé les dossiers rouges ? Ceux que nous avons sont, de toute évidence, incomplets. Je suis persuadé qu'il en existe de plus élaborés. Elle a peut-être changé la couleur des couvertures. Mais quoi qu'il en soit, je veux qu'elle nous les rende.

— Elle reprend du mieux, en effet. Je crois même qu'elle quitte l'hôpital aujourd'hui même.

Vincelette fronce exagérément les sourcils en plongeant son regard, rempli de colère, dans celui de Brunet. Il ne veut absolument rien savoir de la condition physique de la jeune inspectrice. Tout ce qui lui importe, ce sont ces fameux dossiers que Réginald Simard gardait secrets.

Néanmoins, au bout d'une dizaine de secondes, les traits du directeur s'adoucissent progressivement jusqu'à devenir presque empathique au malheur de Marianne. Cependant, Brunet n'y voit là qu'une façon malicieuse de se moquer de cette dernière. Cette supposition s'avère fausse alors que les sarcasmes de Vincelette lui sont entièrement destinés.

— Pauvre Dominique. Je commence à croire que tu n'as pas les couilles d'un inspecteur chef. Ce n'est pas en étant aussi mou que tu peux commander des hommes… et des femmes, bien sûr.

Au moment où Brunet ouvre la bouche pour rétorquer à son patron, celui-ci lève une main pour signifier la fin de ce segment de leur conversation.

— Les dossiers. Tu as du nouveau de ce côté-là, oui ou non ?

— Non.

— Alors, démerde-toi pour en avoir le plus tôt possible. Je veux des résultats ! Est-ce que je suis assez clair ?

Brunet garde le silence durant quelques secondes tout en oscillant presqu'imperceptiblement la tête de gauche à droite. Vincelette s'est toujours comporté comme un homme sans cœur, mais cette fois, il a dépassé la limite acceptable. Pourtant, Dominique n'a pas le courage de lui faire remarquer cette attitude indigne d'un directeur de police.

— Je vais y voir personnellement.

— Et j'exige que tu me les remettes sans que tu fourres ton nez dedans.

Encore une fois, l'inspecteur-chef hésite un moment avant de répondre par l'affirmative. Le manque de confiance que Vincelette lui démontre n'a rien de bien valorisant. Il songe, l'espace d'un instant, à demander sa mutation dans un autre corps policier. Il se ravise aussitôt. Cela reviendrait à Marcel Vincelette d'accepter ou de refuser une telle demande. Donc, inutile d'y penser.

— Écoute, Dominique, reprend le directeur en constatant la profonde tristesse imprégnée dans les traits de son ami. J'ai de très bonnes raisons pour t'imposer de telles exigences. Quand j'aurai, moi-même, pris connaissance de ces maudits dossiers, je pourrai probablement en discuter avec toi. Même que, sait-on jamais, je solliciterai ton aide. D'ici là, je tiens à ce que tu respectes mes ordres. Je serais vraiment désolé d'avoir à sévir contre toi. J'espère sincèrement que tu réalises toute l'importance que revêtent ces dossiers pour moi.

Sans même attendre une réaction quelconque de la part de son subalterne, Marcel Vincelette se lève du fauteuil dans lequel il s'était laissé choir quelques minutes auparavant, puis, n'esquissant aucun geste en signe de salut, il quitte la pièce en omettant, bien sûr, de refermer la porte.

Brunet se saisit du combiné téléphonique et compose le 245. La sonnerie se fait entendre à plusieurs reprises sans que personne ne décroche. L'inspecteur compose alors le 0, pour interroger la nouvelle secrétaire.

— Bureau du corps policier de Sainte-Jasmine. Renée-Jeanne Dubreuil à l'appareil.

— Jeanne. Peux-tu me dire où se trouve Xavier? J'ai tenté de le joindre par téléphone, mais il semble absent de son bureau.

— Bien sûr que je sais où il est. C'est mon travail, après tout. Vous savez bien, Dominique, que tout le personnel du poste se doit de m'indiquer leurs déplacements et que…

— D'accord. D'accord. Alors dis-moi simplement où est Xavier Tulane.

— À l'hôpital. Du moins, en direction de l'hôpital. L'inspectrice Latreille lui a téléphoné il y a de ça une vingtaine de minutes. C'est l'inspecteur Tulane qui doit l'accompagner à sa sortie.

— Si tôt que ça !

— Il est quand même dix heures, Dominique.

— Oui. Bon. Enfin. Merci.

— Vous voulez que je laisse une note à Xavier pour qu'il vous contacte dès son retour ?

— Pas nécessaire. Je vais aller le rejoindre. Je quitterai dans une demi-heure environ. Ce serait peut-être bien que tu avises Monsieur Vincelette de la sortie d'hôpital de Marianne. Ça va sûrement le rassurer de la savoir en bonne santé.

— C'est que…

Brunet raccroche aussitôt, un sourire sur les lèvres. Le sexagénaire va sûrement bouillir de colère lorsque Renée-Jeanne lui fera le message. Dommage que cette scène ne soit pas filmée, il aurait pu se bidonner en la regardant.

*

Lentement, accrochée au bras de Xavier Tulane, l'inspectrice Latreille s'engage dans le dernier long couloir menant à la porte de sortie de l'hôpital. La douleur qu'elle ressent à chacun de ses pas est atroce, mais elle se doit de n'en rien laisser paraître, de peur de se voir retirer la permission de quitter cet endroit lugubre. Elle a beaucoup mieux à faire que de paresser dans un lit d'hôpital, après tout.

— Nous y sommes presque. Mon auto est devant la porte, alors tu n'auras pas à attendre davantage.

— Merci d'y avoir pensé.

— Tu me sembles souffrante, Marianne.

— Ça va, ne t'en fais pas. Je me reposerai une fois rendue chez-moi.

— Assise dans un fauteuil, un verre de whisky dans une main et un dossier noir dans l'autre ?

— Tu as tout deviné. Tu ferais un bon inspecteur de police, toi. Je crois que je vais te prendre dans mon service.

Tulane esquisse un sourire. D'aussi loin qu'il se souvienne, jamais Marianne n'a fait la moindre blague le concernant. Du moins, une blague amicale.

— J'accepterais volontiers de me soumettre à vos ordres, madame.

Cette fois, c'est Marianne qui tourne, vers le jeune homme, un visage éclairé d'un sourire. Elle songe, l'espace d'un instant, qu'à force de se côtoyer, ils deviendront peut-être de bons amis.

— Je t'ai même apporté ça, dit le jeune homme en brandissant un coussin au milieu duquel un trou apparaît.

— Un beigne !

— Ce sera moins douloureux.

Après avoir aidé sa chef à s'installer le plus confortablement possible sur la banquette, Tulane fait démarrer le moteur de la voiture et aussitôt cette dernière quitte la bordure du trottoir pour s'élancer dans la grande allée adjacente à la route principale de Sainte-Jasmine.

— Nous y serons dans à peine dix minutes.

— Je sais bien, Xavier, répond Marianne. Je suis de la région, au cas où tu ne t'en souviendrais pas.

Encore une fois, Tulane découvre une rangée de dents blanches, prouvant ainsi qu'il est heureux de pouvoir plaisanter de la sorte avec la jeune femme. Ce genre de relation lui manquait terriblement depuis son arrivée au poste de police de Sainte-Jasmine. Par contre, il doit bien avouer que l'histoire Lédo n'avait rien de bien réjouissant et que le sérieux de l'affaire n'incitait aucunement à la plaisanterie.

Tulane jette un coup d'œil dans le rétroviseur pour la vingtième fois depuis les cinq dernières minutes. Bien qu'il ait emprunté trois petites routes secondaires, une voiture lui file le train. Bientôt il pourra s'engager sur l'autoroute.

— Je vois que tu ne connais pas beaucoup le secteur, dit Marianne en rigolant. Il y a un chemin plus court pour se rendre chez-moi. À moins que tu ne veuilles faire du tourisme une partie de la journée.

Une grimace tord légèrement les traits de Xavier et Marianne comprend alors qu'il se passe quelque chose.

La voiture s'engage dans la bretelle lui permettant d'atteindre l'autoroute. Son poursuivant l'imite.

— Je ne voulais pas t'alarmer inutilement, mais maintenant je suis persuadé que nous sommes suivis.

Marianne se retourne brusquement pour voir de quoi il retourne. Une douleur atroce lui traverse le corps, mais elle maintient sa position pour tenter de reconnaître le poursuivant. Elle n'arrive toutefois pas à discerner clairement les traits de ce dernier, mais constate qu'il y a deux autres personnes dans le véhicule.

— Faut appeler du renfort. Il y a sûrement une auto-patrouille dans le coin.

Marianne fouille pendant quelques secondes dans son sac à main. Elle ne trouve pas son téléphone cellulaire. Il y a un tel bordel là-dedans qu'une vache y perdrait son veau. Xavier extirpe le sien de l'une des poches de son veston et le tend à sa chef, tout en en disant, à haute voix, le chiffre : quatre. Cette dernière appuie rapidement sur la touche de mémorisation du numéro du poste de police.

— Jeanne ! Ici Marianne Latreille. Une voiture nous a pris en chasse et il nous faut de l'aide pour l'intercepter. Nous sommes présentement sur l'autoroute 30, en direction est, à deux kilomètres de la sortie pour Rivière-aux-Perches. Envoie immédiatement une patrouille.

— Bien compris. J'avise une équipe immédiatement.

L'inspectrice coupe la conversation et se retourne pour s'enquérir de la position des poursuivants. La douleur que lui inflige ce mouvement lui arrache une autre grimace accompagnée, cette fois, d'une légère plainte.

— C'est douloureux, demande Xavier ?

— Ça n'a aucune importance. Ce qui compte, c'est de coincer ces salauds.

La sonnerie du téléphone de Xavier, encore entre les mains de Marianne, résonne. Elle le porte aussitôt à son oreille. C'est la secrétaire du poste.

— Prenez la sortie de Rivière-aux-Perches. Il y a une patrouille qui accueillera votre poursuivant.

— Prends la prochaine sortie, lance Marianne tout en abaissant le cellulaire pour le déposer dans un petit compartiment de la console. Une équipe de policiers nous attend.

— D'accord !

— Tu as ton arme ?

— Oui. Dans le coffre à gants.

Marianne n'attend pas la permission de son collègue et s'empare aussitôt du neuf millimètres, puis vérifie si celui-ci est chargé. Il l'est.

Derrière eux, la voiture, une Chevrolet Malibu bleu, dévie vers la gauche avec l'intention évidente de tenter un dépassement. Tulane l'imite afin de bloquer la manœuvre. L'autre reprend sa position initiale.

— Nous y sommes, fait Marianne. Une fois dans la bretelle, ce sera trop risqué pour lui de nous doubler. Tu pourras l'inciter à ralentir. Ça permettra aux patrouilleurs de l'intercepter plus facilement.

Xavier tourne le volant et son véhicule quitte l'autoroute, tout en réduisant considérablement de vitesse, pour s'engager dans une courbe prononcée. Au bout de celle-ci, un panneau indique Rivière-aux-Perches à droite et Côte-Monoir à gauche.

Au moment où Tulane tourne le volant vers la droite, le véhicule du poursuivant se pointe à son côté en effectuant une manœuvre digne des meilleures cascades d'Hollywood et vient lui couper la route. Xavier n'a d'autre alternative que de bifurquer vers la gauche et ainsi prendre la direction de Côte-Monoir, la Malibu lui filant le train.

Aussitôt, cent mètres derrière, des gyrophares apparaissent. L'auto-patrouille était donc là, positionnée de façon à prendre en charge la situation.

— Le salaud, crie rageusement le jeune inspecteur. Il m'a eu.

— Les policiers sont à ses trousses. Il ne fera pas long feu. Ralentis pour les prendre en souricière.

Par son rétroviseur, Tulane aperçoit le bras d'un individu, celui du passager arrière de la Malibu, qui sort de la fenêtre, arme au poing. Un projectile atteint le coffre du véhicule de Xavier. Craignant une récidive des poursuivants, le jeune homme appuie à fond sur l'accélérateur. Il se doit de les distancer le plus possible. Le bruit d'un autre impact indique aux inspecteurs qu'un projectile les a atteints une seconde fois.

— Leurs tirs sont trop bas pour nous atteindre, lance Marianne. Ils ne veulent que nous effrayer.

— Ou ils sont de très mauvais tireurs. Peut-être aussi veulent-ils nous faire périr dans un accident.

La poursuivante accélère à son tour et, en moins de quelques secondes, elle ne se retrouve qu'à deux ou trois mètres de l'auto de Tulane alors que celle-ci s'engage dans une courbe assez prononcée.

— Merde ! Nous allons déraper.

Contrairement à ce qu'il croyait, Xavier réussit à maintenir de justesse son véhicule sur la route. Cependant, la Malibu en profite pour le doubler du côté du conducteur. Marianne s'avance légèrement pour tenter de voir le visage de leurs poursuivants. Un frisson la parcourt toute entière. Elle reconnaît ses agresseurs. Le passager avant n'est nul autre que Charly, l'homme qui l'a brutalement violée. Les deux autres sont ses acolytes. Sur leurs visages, d'immenses sourires viennent narguer la jeune inspectrice qui tend aussitôt le bras en pointant son arme.

— Un instant, crie Xavier en s'empressant d'abaisser la vitre de sa fenêtre et en se calant le plus possible dans son siège !

— Je vais les tuer !

La détonation retentit tel un coup de canon dans l'habitacle. L'espace de deux secondes, les mains de Xavier quittent le volant pour venir se coller à ses oreilles endolories. Le jeune homme laisse échapper un cri d'entre ses lèvres.

— Mais qu'est-ce que tu fais là ? hurle-t-il. Tu es folle ?

Marianne n'entend rien, obnubilée par la présence de ses agresseurs qui ne cessent de lui sourire puisqu'aucun d'eux n'a été atteint par le projectile. Afin d'exaspérer davantage la jeune inspectrice, le violeur lui offre une superbe grimace. Marianne n'y tient plus et tend, pour la seconde fois, son bras armé du neuf millimètres.

Pourtant, elle est prise de vitesse par le passager arrière de la Malibu qui, sans perdre une seule seconde, brandit un revolver et appuie sur la détente. L'un des pneus avant du véhicule de Tulane explose. La voiture zigzague brusquement. S'accrochant fortement au volant, Xavier tente désespérément une manœuvre de redressement. Rien n'y fait. L'auto s'engage dans un carrousel infernal alors que la voiture ennemie accélère pour la devancer et ainsi éviter l'impact.

Xavier et Marianne voient à de nombreuses reprises passer devant leurs yeux les champs de gauche et de droite, ainsi que la voiture des agresseurs et celle de la police, demeurée derrière et qui n'a jamais pu se mettre à la poursuite de la Malibu.

Au bout de quelques secondes, tout s'arrête. L'auto de Tulane s'immobilise enfin au beau milieu de la route. Heureusement, le jeune homme a pu, par miracle, maintenir son véhicule sur la chaussée et éviter ainsi un accident qui aurait pu leur faire perdre la vie.

Xavier, la tête renversée, et Marianne, la figure enfouie entre ses mains, tentent de reprendre leurs esprits. Leur cerveau a virevolté à une telle allure que les deux inspecteurs en ont pour près d'une vingtaine de secondes à être étourdis, ce qui entraîne de légères nausées.

— Inspectrice Latreille ! Vous allez bien ?

C'est l'un des policiers de l'auto-patrouille qui vient de poser la question en ouvrant la portière de la jeune femme. Cette dernière le considère avec des yeux hagards et s'abstient de la moindre parole.

De son côté, Xavier, aidé d'un second policier, réussit à mettre un pied à l'extérieur pour finalement se redresser complètement avant de s'appuyer sur le toit de son véhicule.

— Vous l'avez échappé belle. Il s'en est fallu de peu pour que vous fassiez des tonneaux et finissiez votre course dans le fossé.

— Il faut les rattraper, lance aussitôt Xavier en se réinstallant au volant afin de libérer le passage à l'auto-patrouille.

— Inutile, monsieur. Ils sont loin maintenant. Nous avons contacté la police de Côte-Monoir, ils tenteront de les intercepter.

Xavier frappe violemment le tableau de bord de son poing pour démontrer sa frustration alors que Marianne met tous ses efforts à retenir des larmes de rage. Elle se refuse carrément de pleurer devant d'autres policiers, cela pourrait être interprété comme de la faiblesse.

Contournant lentement le véhicule, l'inspectrice se rapproche de son collègue, puis pose une main sur son avant-bras. Xavier lève un regard interrogateur.

— Ne dis plus jamais que je suis folle !

À quelques centaines de mètres de là, un homme, vêtu d'une gabardine brune et d'un chapeau assorti, abaisse ses jumelles, grimace son mécontentement, puis monte à bord de son véhicule. De loin, il a observé une partie de la poursuite, espérant que les inspecteurs fassent une embardée mortelle. Malheureusement, Tulane et Latreille s'en sont sortis indemnes.

Chapitre 33

Dominique Brunet avale une gorgée du café que Xavier vient tout juste de déposer devant lui. C'est l'inspecteur chef lui-même qui a ramené Tulane et Latreille à la demeure de cette dernière. Il exige que ses subalternes lui racontent exactement ce qui s'est passé, puisqu'il est arrivé sur les lieux après que tout soit terminé.

Marianne s'exécute aussitôt, sachant pertinemment qu'aucun détail de la poursuite ne pourrait aider à découvrir le motif qui poussent ces scélérats à agir de la sorte.

Pendant une vingtaine de minutes, les trois policiers continuent de discuter tranquillement. Rien de concret ne ressort de cette petite réunion. Brunet émet bien sûr quelques hypothèses, mais, bien qu'ils semblent les entériner en hochant la tête, intérieurement les deux jeunes gens les rejettent en bloc. De plus, Tulane et Latreille se gardent bien de parler des dossiers noirs. Il y a peut-être un lien entre eux et les agressions contre Marianne, mais ce détail ne doit pas être divulgué à qui que ce soit. Pourtant cette hypothèse également doit être éliminée. S'ils avaient eu une certaine importance, les agresseurs s'en seraient emparés lors de leur petite visite chez l'inspectrice. Néanmoins, aucune possibilité ne doit être écartée définitivement.

Brunet dirige précipitamment sa main droite vers sa ceinture et en décroche son téléphone mobile qu'il porte aussitôt à son oreille.

— Vous les avez coincés ?

Une grimace tord aussitôt son visage. De toute évidence, les policiers de Côte-Monoir ont échoué dans leur tâche d'intercepter la Malibu. L'inspecteur chef coupe la conversation sans demander plus de détails. Sa déception est palpable. À plusieurs reprises, il se frictionne nerveusement le front et le menton de sa main grande ouverte.

— D'après le numéro de la plaque minéralogique de la Malibu, il s'agit d'une auto qui aurait été volée à Montréal il y a de ça deux semaines. Cela ne nous avance pas à grand-chose.

De son côté, Marianne aussi conservait l'espoir que les trois lascars se fassent arrêter, et de les savoir encore libres ne la rassure pas vraiment. Elle devra constamment se tenir aux aguets pour éviter de se faire encore une fois agresser par ces minables.

— Il te faut absolument éplucher tous les dossiers en cours, lance Dominique après une longue pause pour calmer sa colère. Il y a forcément un indice qui se cache à l'intérieur de l'un d'eux. Tu devras aussi ressortir les dossiers que Réginald a… fermés. On ne sait jamais. Tu as retrouvé ses dossiers rouges, j'imagine ?

— En effet, ils étaient sous une pile de papiers. Cependant, ils ne contiennent rien de spécial. Je les parcourrai tout de même encore une fois pour m'assurer qu'il n'y a aucun indice.

— Je pourrais t'aider à le faire. Même les affaires classées pourraient être réexaminées.

— Je le ferai, promet Marianne. Tu crois réellement qu'il pourrait s'agir de vengeance.

— Je vous le répète depuis près d'une demi-heure. Les attaques lancées contre les policiers sont très souvent reliées à de la vengeance. Les proches des criminels sont la plupart du temps en cause.

— Je viens à peine de débuter comme chef d'équipe. Je n'ai pas encore été responsable d'une quelconque arrestation. Alors pourquoi veut-on s'en prendre à moi jusqu'au point de vouloir m'éliminer ?

— Malheureusement, je ne peux pas répondre à ta question. Il est possible qu'on te relie aux agissements de Réginald. Quoi qu'il en soit, pour t'aider dans cette affaire, je vais faire des pressions auprès de Vincelette pour qu'il me donne le feu vert concernant le remplacement de l'inspecteur Deguire et le tien. Vous étiez une équipe de quatre et vous n'êtes plus que deux.

— Ce n'est pas un peu tôt, s'inquiète Latreille ? Je n'ai même pas encore eu le temps de prendre connaissance de mes dossiers. De plus, si j'en crois mon médecin, il me faudra être au repos pendant un certain temps. Quelques semaines, selon lui.

— Ça me donnera suffisamment de temps pour convaincre Marcel. Il est plus nerveux qu'à l'habitude, ces jours-ci. Je crois qu'il a peur d'être réprimandé par le ministre de la justice pour les causes qui piétinent. Donc, tu as réellement retrouvé les bons dossiers que tu cherchais, Marianne ? Vincelette m'a fait la remarque, pas plus tard qu'hier, que les dossiers de Régi ont peut-être changé d'apparence.

— Je t'informerai s'il y a un changement là-dessus, mentit la jeune femme.

Après un léger hochement de tête, Brunet avale la dernière gorgée de son café, puis se lève aussitôt de sa chaise. La petite réunion est enfin terminée. Ce qui ne déplaît aucunement aux jeunes inspecteurs. Aussitôt que leur superviseur referme la porte derrière lui, Marianne et Xavier se jettent un regard complice. Tous les deux ont la même idée en tête. C'est de plonger le plus tôt possible dans la lecture des dossiers noirs. Du moins, en ce qui concerne Marianne.

— Je vais rester avec toi, si tu n'y vois pas d'inconvénients, propose Xavier avec un peu d'hésitation.

Ce n'est pas à lui de prendre ce genre d'initiative. Il en est conscient, mais une petite voix dans sa tête lui suggère fortement de veiller sur la jeune femme. Elle est en danger et il s'en voudrait de ne pas avoir été là pour la protéger si quelque chose de fâcheux lui arrivait. Il se sentirait responsable.

Sans même lever les yeux, Marianne hoche légèrement la tête en signe d'approbation. Les derniers jours ont été vraiment désastreux pour elle au point de vue moral. Intérieurement, elle est heureuse de constater qu'un ange gardien veut lui venir en aide en surveillant ses arrières.

— Je te remercie, Xavier, pour ta sollicitude. Ça me touche réellement.

— Je ne voudrais pas qu'il arrive malheur à mon nouveau chef.

Marianne esquisse un sourire sincère à l'endroit de Tulane, en songeant que jamais elle n'aurait cru un jour devenir amie avec ce jeune homme orgueilleux qui était, il n'y a pas si longtemps, jaloux de sa position préférentielle auprès de Réginald Simard. Elle apprécie de plus en plus sa présence et se félicite de ne pas avoir exigé de Brunet son transfert dans un autre département que le sien.

L'inspectrice s'empare du combiné téléphonique et cherche, un instant, dans la liste des contacts, le numéro de son restaurant habituel. Il est près de treize heures et, malgré les émotions, la faim commence à se faire sentir. Il doit assurément en être de même pour Xavier.

*

Marianne lance le dossier noir, qu'elle vient de refermer, sur la petite table basse se dressant au milieu du salon. Il lui a fallu près d'une demi-heure pour passer à travers les quelques pages contenues dans ce premier dossier. Celui-ci relate avec moult détails une histoire des plus scabreuses. Jamais elle n'a entendu parler de cette dernière auparavant.

— Puis-je savoir de quoi il s'agit, au juste, demande Tulane d'une voix incertaine, comme s'il s'attendait à un refus.

Marianne le considère pendant de longues secondes. Non pas qu'elle ait décidé de se taire et de garder pour elle le contenu du dossier, mais elle est encore sous le choc de ce qu'elle a lu.

L'inspectrice tend le bras et s'empare de son verre de whisky, puis en avale une bonne partie d'un seul trait. Après une grimace, elle pose les yeux sur son vis-à-vis, bien calée dans un fauteuil moelleux.

— Je ne comprends pas comment il se fait que Réginald ait été en possession d'un tel dossier. Il s'agit d'un crime odieux qui s'est déroulé il y a plus d'un an dans un petit village de la Gaspésie. Relais-des-Cerfs.

— En Gaspésie !

— Tout à fait. C'est à n'y rien comprendre.

— Un meurtre ?

— Non. Mais c'est tout comme. Une jeune fille de quinze ans a été violée sauvagement et à répétition par trois individus dans une camionnette alors que celle-ci roulait sur la 132. Un quatrième lascar était conducteur. L'adolescente a été tellement perturbée par ce viol qu'elle a complètement perdu la raison et elle a été internée dans une maison de soins psychiatriques depuis ce jour-là. Les nombreux coups qu'elle a reçus à la tête ont créé des lésions au cerveau. Selon les médecins, son état est irréversible.

— C'est affreux.

— D'autant plus qu'ils l'ont martyrisée, humiliée et battue.

— Ils ont été incarcérés, j'imagine.

— Non et je crois que c'est uniquement pour cette raison que ce drame se retrouve coincé dans un dossier noir de Réginald. Les auteurs du crime sont encore en liberté. La jeune fille était tellement perturbée par ce qui venait de lui arriver qu'elle n'a pas été en mesure d'identifier clairement ses agresseurs. En plus, il s'est passé plus de deux semaines entre le viol et la dénonciation. Donc, aucune preuve d'ADN pour confirmer que ces salauds l'ont bel et bien violée. Et ils ont eu tout le temps voulu pour s'inventer un solide alibi.

— Si je comprends bien, ils s'en sont tirés à très bon compte. Mais pourquoi Régi aurait-il monté un dossier concernant cette affaire ? L'agression s'est passée tellement loin de Sainte-Jasmine.

— Ça, j'aimerais bien le savoir.

— Il avait peut-être trouvé ce crime si odieux qu'il a eu l'intention de punir ces monstres. Sinon, je ne vois pas pourquoi il se serait intéressé à cette histoire.

— Il n'y a aucun indice dans le document qui m'amène à croire ça. Rien qui pourrait nous éclairer. La seule chose étrange que j'ai notée, c'est une petite coupure de journal. Tu sais, les notes que les gens laissent dans les chroniques nécrologiques pour se remémorer la mort d'un proche et pour lui rendre hommage ?

— Tu ne m'as pas dit que la victime était toujours vivante ?

— Oui. Laisse-moi finir ! Cette fois, la petite note faisait partie de la rubrique des faits divers. N'importe qui peut y faire paraître des messages.

— Il disait quoi ce message ?

— C'est la mère de l'adolescente qui tenait à préciser le fait que les individus coupables du viol de sa fille couraient encore et qu'elle espérait que justice soit rendue très bientôt.

— En effet, ça ne nous avance pas beaucoup.

— Il y a au moins le nom, une description complète et l'âge de chacun des présumés violeurs.

— Régi a compilé tous les renseignements utiles, on dirait.

— De toute façon, je ne vois pas ce en quoi ça nous regarde. Nous ne sommes pas rendu au point de nous faire justice nous-même, alors en ce qui me concerne, ce dossier ne m'appartient pas.

— Tu vas en lire un autre ce soir ?

— Pas certaine. Je crois que je vais même attendre quelques jours.

*

En début de soirée, Xavier décide d'aller faire un saut chez lui pour récupérer quelques effets personnels, nécessaires pour passer la nuit chez sa chef. Cette dernière l'invite même à ne pas revenir en l'assurant qu'elle peut très bien se débrouiller seule. Le jeune homme ne l'entend pas de la même façon. Son absence sera de courte durée. Pas question de la laisser seule cette nuit. La jeune femme abdique, mais fait promettre à son subalterne que ce ne sera que pour cette nuit. Demain, il devra retrouver sa propre vie.

Assaillie par la curiosité, Marianne s'installe dans un fauteuil du salon afin de se plonger dans un second dossier noir, même après avoir affirmé qu'elle n'y toucherait plus pour un certain temps.

Son téléphone cellulaire l'interpelle : « Marianne tu as un appel ».

Exaspérée, la jeune femme jette le dossier sur la table basse et, d'un même élan, récupère le gêneur. Un rapide coup d'œil à l'afficheur lui arrache une grimace. Le numéro lui est inconnu. Encore un de ces foutus commanditaires ou cueilleurs de fonds, ou tout simplement un blagueur.

— Marianne Latreille.

Aucun son ne parvient à l'oreille de la jeune femme. Pas même un bruit de respiration.

— Qui est à l'appareil ? Parlez.

Littéralement en colère, l'inspectrice lance quelques injures tout en éloignant d'elle l'appareil dans le but de couper aussitôt la communication. Pourtant, au moment où elle pose le doigt sur le bouton de fermeture, une voix l'interpelle. Par réflexe, le petit appareil se recolle à son oreille.

— De quoi s'agit-il, au juste ? Je n'ai pas de temps à perdre avec vous. Si c'est important, alors parlez immédiatement !

— Marianne. C'est moi !

La jeune femme blanchit d'un seul coup. Cette voix, elle la reconnaîtrait parmi des milliers. Elle espérait l'entendre depuis tellement longtemps. Entendre les explications auxquelles elle avait droit.

— Régi ! Où es-tu ?

— Aucune importance, l'endroit où je me trouve. Je suis là où je dois être. Mais toi, dis-moi comment tu vas ? J'ai appris que tu avais été agressée ?

— T'en fais pas, je vis ça comme une grande fille. J'ai un peu de mal à m'asseoir, à marcher, à faire de légères torsions et je fais encore beaucoup de cauchemars à cause de ces salauds, mais à part ça, ça va. Qui t'a renseigné là-dessus ?

— J'ai des contacts, tu sais.

— Je n'en doute pas. Ce serait bien si l'on pouvait se rencontrer quelque part. J'aurais beaucoup de questions à te poser.

— En tant qu'inspectrice ?

— Fais pas l'idiot. Nous n'avons pas eu la chance de discuter calmement depuis l'affaire… Lédo. Ce serait bien si tu acceptais. Eh ! Non, pas en tant qu'inspectrice. En tant qu'amie intéressée à ton sort. Mais surtout pour savoir pourquoi au juste tu as disparu de la sorte, sans même m'en informer.

Un silence suit les dernières paroles de Marianne. De toute évidence Simard réfléchit à l'impact que pourrait avoir une rencontre avec la jeune femme, la nouvelle chef d'équipe des inspecteurs de Ste-Jasmine. D'un autre côté, c'est vrai qu'il n'a pas vraiment eu le loisir de s'expliquer concernant les agissements de Lédo. Ce serait peut-être bien de tenter de lui faire approuver ses agissements.

— D'accord. On pourrait aller prendre un verre quelque part.

— Ce soir ?

— Non. Il est déjà dix-neuf heures. De plus, va falloir choisir un endroit loin de Ste-Jasmine. Disons à mi-chemin entre chez toi et chez-moi.

Mais encore ? Je ne sais pas où tu habites. Comment veux-tu que je saches…

— Drummondville, ça te va ?

— Je ne te croyais pas si loin. Mais c'est parfait pour moi. Alors, quand et où, au juste ?

— Demain à dix-huit heures. Si tu es libre ? Au resto-bar le Sabotier, sur la 143, près de l'autoroute 20.

— J'y serai sans faute. Je demanderai à quelqu'un de m'y déposer. Je ne crois pas être en mesure de conduire avec mes côtes brisées. Ce satané corset m'empêche de bouger convenablement.

— Donc, mieux vaudrait remettre ça à plus tard, parce qu'à moins que tu n'y sois vraiment obligée, j'aimerais que tu n'en parles à personne. Tu comprends, je préférerais que Vincelette ne sache pas que je t'ai contactée. Ça m'éviterait peut-être des désagréments.

— Je ne te demanderai pas, maintenant, de quel genre de désagrément il s'agit. Je serai au rendez-vous demain et à ce moment-là, va falloir que tu éclaires ma lanterne.

— Dors bien. On se voit demain soir.

Chapitre 34

Le soleil vient à peine de se lever sur La-Pointe-Delorme, mais il disparaît presqu'aussitôt derrière une couche épaisse de nuages. Une journée grise et fraîche s'annonce. De la pluie en vue, accompagnée par un vent capricieux. Rien de bien réjouissant.

Néanmoins, ce temps maussade ne ralentit pas l'allure de l'homme qui marche sur le trottoir longeant la rue Simonet. Vêtu d'une veste à capuchon de couleur anthracite, il garde la tête penchée vers l'avant comme pour dissimuler sa figure à ceux qui pourraient l'épier de leur demeure. Dans sa main droite, il tient la courroie d'un sac noir en toile.

L'inconnu conserve son rythme encore sur une longueur de deux cents mètres, puis, après avoir diminué de vitesse progressivement, il s'immobilise tout près d'une haute haie de cèdres séparant un terrain vague d'une grande propriété. Feignant de s'allumer une cigarette, l'homme jette des regards tout autour de lui pour s'assurer qu'aucun témoin ne l'observe. La voie est libre. Il quitte le trottoir rapidement et longe la haie jusqu'à son extrémité. De là, il se faufile entre une multitude d'arbres bordant l'arrière de la propriété.

Aucune lumière ne fuse par la porte-fenêtre, ainsi qu'aux fenêtres faisant face au guetteur. C'est son jour de chance ? Pas vraiment. Il connaît les habitudes du propriétaire de l'endroit et il sait pertinemment que celui-ci ne quitte jamais le lit, ou que très rarement, avant neuf heures. Alors, du temps, il en a à revendre.

Pourtant, l'inconnu ne désire pas s'éterniser dans le coin. Il a une tâche à accomplir et, comme il n'aime pas que les choses traînent, il s'acquittera de celle-ci le plus rapidement possible.

Le dos arrondi pour donner le moins de visibilité possible à quiconque, l'homme traverse à vive allure la grande cour. Pendant quelques secondes il demeure dissimulé contre le muret de l'immense galerie, puis, empruntant l'escalier, il se retrouve en moins de cinq secondes appuyé au mur de la maison, tout près de la grande porte-fenêtre.

L'homme risque un œil à l'intérieur. Rien ne bouge. Il sonde la porte. Verrouillée. Glissant une main à l'intérieur de son sac de toile il y en soustrait une paire de gants, qu'il enfile aussitôt, ainsi qu'un petit pied de biche d'au plus trente centimètres. Avec la dextérité d'un professionnel, il introduit aussitôt l'outil dans l'interstice entre la porte et son chambranle. Un bruit sec s'ensuit. La porte s'entrouvre légèrement. Sans perdre une seule seconde, après avoir pris soin de bien effacer ses empreintes sur la poignée et de refermer la porte, l'homme s'élance dans la maison. Il traverse la salle à manger, puis se plaque au mur près d'un passage menant au salon. Retenant sa respiration, tous ses sens aux aguets, il demeure immobile un long moment. Un léger craquement attire son attention. Quelqu'un descend un escalier. Sûrement celui qui mène à la chambre des maîtres au premier étage.

Ayant été confronté souvent à ce genre de situation, l'intrus garde son calme lorsqu'il décèle une présence à quelques pas à peine de lui. Sur le mur d'en face, une ombre se détache. L'ombre menaçante d'un bras tendu soutenant une arme.

— Y a quelqu'un ?

L'extrémité du revolver apparaît devant les yeux de l'homme. Encore quelques centimètres et il pourra enfin passer à l'attaque.

— Qui que vous soyez, montrez-vous ! Je vous jure que je n'hésiterai pas à vous abattre si vous ne vous montrez pas immédiatement.

Encore un pas. L'avant-bras est maintenant visible. Lentement, l'homme lève le pied de biche au-dessus de sa tête, puis, avec une force inouïe, l'abat violemment sur l'arrivant. Un cri de douleur s'élève, le revolver vient choir devant l'attaquant qui s'en saisit aussitôt pour le glisser dans sa ceinture.

Toujours avec la même rapidité, il s'élance dans le petit passage et, en moins de trois enjambées, rattrape le fuyard qu'il couche face au sol avec une facilité incroyable.

— Que me veux-tu ? Que fais-tu chez-moi ? crie la victime alors que l'agresseur lui ramène les bras derrière pour ensuite le menotter.

Le mal que le blessé ressent à l'avant-bras est insupportable. Par simple orgueil, il s'interdit de fondre en larmes.

— Tu aimes t'attaquer aux femmes, d'après ce que j'ai entendu dire ?

— De quoi tu parles au juste ? Tu es cinglé ! Je ne touche pas aux femmes, moi. Qui es-tu ?

Un formidable coup de pied l'atteint dans les côtes. La douleur est encore plus atroce. Il se tord un long moment avant de se retourner sur le dos pour enfin voir son agresseur. La stupéfaction est de taille. Il se sent blanchir. Comment a-t-il pu se laisser surprendre de la sorte.

— Simard !

— En effet. C'est bien moi. Tu croyais peut-être pouvoir t'attaquer à une inspectrice de police sans qu'il n'y ait de conséquence.

— Je n'ai rien fait. Ce n'est pas moi. Tu te trompes de client.

— Je suis persuadé que non. N'est-ce pas, Charly ?

— T'as pas le droit de débarquer chez-moi comme ça. Tu ne fais même plus partie de la police. Tu es un homme fini. Alors laisse-moi tranquille.

— Qui t'a commandé cette agression sur Marianne ? Qui étaient tes acolytes ?

— Je n'ai aucune idée de quoi tu parles.

Le pied de Réginald Simard vient, une fois de plus, frapper avec force les côtes de Charles Hontois, surnommé Charly, ami de feu Léopold Donovan. La douleur est cuisante et lui arrache des cris que son assaillant fait aussitôt taire par un coup de poing en pleine figure.

— Dis-moi qui t'a payé pour t'en prendre à Marianne ?

— Je n'y suis pour rien.

Par dépit, Simard ferme les yeux un instant. Bien sûr qu'il savait que Charly ne cracherait pas le morceau rapidement, mais il sait aussi que c'est un poltron et qu'il a du mal à encaisser les coups, du moins sur une longue période.

Tout en gardant l'œil sur son prisonnier, Régi recule jusqu'à la salle à manger pour récupérer son sac noir. Dans le petit corridor, une porte apparaît. Simard l'entrouvre. Un long escalier mène au sous-sol. Il dépose son sac tout près et retourne au salon.

— Lève-toi. On va faire un petit tour en bas.

— Va te faire foutre, Simard. Je ne bouge pas d'ici.

Un sourire se forme sur les lèvres de l'ex-inspecteur. Il hoche imperceptiblement la tête, puis, d'un mouvement brusque, il se saisit des menottes retenant Charly et le soulève brutalement. Encore une fois, un cri quitte la gorge du prisonnier. Décidément, Simard ne le ménagera pas.

Pointant l'arme dans la figure de Hontois, Régi invite ce dernier à se diriger vers la porte menant au sous-sol.

— Tu descends sans faire d'histoire ou je t'aide à descendre ?

— Tu te trompes de personne.

— J'ai compris. Tu veux que je t'aide ?

— Non ! Ça va. Ça va. Mais il n'y a rien en bas.

— On improvisera.

Hontois secoue frénétiquement la tête quelques secondes, puis s'engage dans l'escalier, sachant pertinemment ce que Simard a l'intention de faire. Le torturer jusqu'à ce qu'il donne le renseignement demandé. Cela n'a rien de bien réjouissant. Simard est un fou, un désaxé de la pire espèce, un psychopathe possédant un permis d'appréhender les gens.

La grande pièce dans laquelle les deux hommes débouchent est vide, comme l'avait affirmé Hontois. Régi administre une formidable poussée à son prisonnier qui s'étale lourdement de tout son long sur le plancher de ciment. L'ex-policier se dirige ensuite vers une porte s'ouvrant à sa gauche. Un sourire éclaire aussitôt son visage.

— Il y a tout ce dont j'ai besoin là-dedans. N'est-ce pas, Charly ? Je commence avec ça et, si tu résistes, je fouillerai dans ma trousse à outils de persuasion.

— Fais pas l'idiot, Simard. Ça ne t'avancera à rien.

— Nous verrons bien. J'ai toute la journée pour te faire parler. Ne bouge pas de là. Tu m'entends, reste au sol.

Tout en surveillant Hontois, Régi pénètre dans l'autre pièce. Celle-ci renferme une panoplie de vieux meubles et une multitude d'articles de toutes sortes, allant des ustensiles de cuisines jusqu'aux outils de menuisiers, en passant par toute une gamme d'outils de jardin.

Régi en ressort rapidement avec une chaise en bois et un lot de longues attaches en plastique

— Tu peux te relever. Regarde les petits trésors que j'ai trouvés, lance-t-il en arrivant près de Hontois.

Ce dernier grogne son mécontentement. Péniblement, il se remet sur pieds, sans toutefois pouvoir se redresser complètement. Ses côtes endolories le font trop souffrir. Cependant, il en a vu d'autres et Simard ne réussira pas à lui tirer les vers du nez en le frappant à répétition. Il espère seulement que le psychopathe ne découvrira pas l'identité de ses complices car, eux, ne sont pas aussi coriaces que lui et ils pourraient lui fournir le renseignement qu'il désire.

— Tu crois m'impressionner avec ça, Simard ?

— Pas du tout. Je veux tout simplement que tu sois plus à l'aise pour discuter. Je suis persuadé que tu as des choses à me dire.

— Je n'ai rien à te dire, Simard. Ce n'est pas moi qui ai enculé ta Marianne.

— Voilà ! Je savais bien que tu finirais par avouer ton crime, petite ordure. Mais je ne pensais pas que ce serait fait aussi rapidement.

— Je n'avoue rien du tout, tu es cinglé.

— Je n'ai jamais parlé de la nature du crime, Charly. C'est toi qui viens de dire de quel genre d'agression il s'agissait.

— Tu me fais chier, Simard.

— Alors écoute, Charly. Comme je suis un bon garçon, je vais te donner une chance de t'en sortir. Ça t'éviterait un tas de désagréments dont, j'en suis persuadé, tu pourrais te passer, et moi je n'aurais pas à me fatiguer pour rien. Tu comprends, nous serions tous les deux gagnants dans cette affaire. Alors, tout ce que tu as à faire, c'est de me donner le nom de la personne qui t'a commandé l'agression sur l'inspectrice Latreille. C'est tout simple. Et c'est honnête, en plus, tu ne crois pas ?

— Tu peux attendre, Simard, grogne Hontois avant de cracher aux pieds de son vis-à-vis.

— J'avais réellement espéré ce genre de réponse, Charly. Sincèrement, j'aurais été déçu de toi si tu étais passé aux aveux aussi tôt. Comme ça, nous allons pouvoir nous amuser tous les deux. Tu ne crois pas ? Je suis certain que tu vas en retirer un immense plaisir. Alors si tu veux bien prendre place.

Régi empoigne le bras de son prisonnier et le pousse en direction de la chaise. Hontois n'a d'autre choix que de se plier aux exigences de son bourreau. Cependant, au moment où il se retourne pour s'asseoir, Simard l'agrippe fermement encore une fois.

— Pas comme ça, dit-il d'une voix remplie de sarcasmes. Tu dois te mettre derrière la chaise, mon ami.

Tout en ricanant, Régi pousse sa victime de façon à ce que le dossier de la chaise soit appuyé sous son abdomen. Il se saisit alors du revolver glissé dans sa ceinture, il en assène un violent coup de crosse sur la nuque de Hontois. Ce dernier, étourdi par le choc, bascule aussitôt vers l'avant. Simard s'empresse de lui retirer les menottes, de lui ramener les bras vers l'avant pour lui permettre de fixer solidement, à l'aide des attaches en plastique, les poignets de Charly aux pattes avant de la chaise et ses chevilles aux pattes arrière.

— Voilà qui est beaucoup mieux. De cette façon, je crois que nous allons avoir une bien meilleure discussion. N'est-ce pas ?

Hontois secoue la tête pour tenter de faire disparaître le brouillard qui remplit son cerveau. Il a mal au crâne et la pression qu'il ressent, de par sa position sur le dossier de la chaise, est si forte que ses côtes semblent vouloir lui transpercer la peau. Devant ses yeux, il voit son geôlier qui dépose une autre chaise pour y prendre place aussitôt.

— Nous pouvons commencer. Tu as quelque chose à me dire, Charly ?

— Je ne sais pas de quoi tu parles.

— Bien sûr que tu le sais. Je veux des noms. Qui t'a payé et qui t'a aidé ? Ce n'est pas compliqué. Tu réponds à ces questions et tu es libre. Personne n'en saura rien, je te le promets.

— Je n'ai rien à te dire, sauf que tu vas payer pour ça. Je t'en fais la promesse.

Régi se lève brusquement, puis file tout droit dans la pièce à débarras pour en ressortir cinq secondes plus tard, tenant une pelle de métal avec un long manche droit en bois d'environ quatre centimètres de diamètre. Toujours avec la même rapidité, Simard se réinstalle devant son prisonnier.

— Si tu veux honorer ta promesse, va falloir que tu parles. Dans le cas contraire, je te tranche le cou avec cette pelle. Tu m'entends Hontois ? Que tu me le dises ou non, je finirai par trouver le nom du responsable. Alors, il n'est question ici que de sauver du temps, c'est tout. Mais crois-moi, avant que je ne te fasse rendre l'âme, tu vas souffrir. Je suis persuadé que tu n'as aucun doute là-dessus.

— Je ne sais pas qui c'est. Je te donne ma parole que je l'ignore totalement.

— Tu m'as l'air pas mal sincère, soupire Régi en se levant. Dommage. Donc, je vais passer à la phase deux de mon plan. C'est-à-dire de te faire payer, toi, pour la manière que tu as utilisée afin de remplir ton mandat vis-à-vis cet inconnu.

Tout en parlant, Régi place le manche de la pelle devant les yeux du condamné. Celui-ci ferme les yeux un court instant et des larmes viennent embrouiller sa vision lorsqu'il les rouvre. L'intention du monstre est évidente.

— Œil pour œil, dent pour dent, siffle Simard comme pour confirmer la pensée de Hontois. Malheureusement, je n'ai pas trouvé de lubrifiant, j'espère que ça ne te dérange pas et que tu vas tout de même avoir du plaisir.

— Fais pas ça, Simard !

Régi contourne le prisonnier. Celui-ci sent la ceinture de son pantalon qui se relâche et, en moins de dix secondes, ses vêtements se retrouvent à ses pieds.

— Attends, crie Hontois au moment où le bout du manche de pelle touche sa peau. Attends. Je vais parler.

— Ouf. Il était moins une, ricane Simard en s'installant sur sa chaise.

— Tu vas me le payer…

— Tu l'as dit, ça. C'est le nom du responsable que je veux. Et ceux de tes acolytes.

Hontois, secoue la tête. Jamais, dans sa carrière de criminel, il n'a révélé le nom de ses complices et surtout le nom de ses patrons. Cependant, il n'a jamais été dans une position semblable à celle dans laquelle il se trouve présentement. Il aura sûrement des remords toute sa vie, mais il n'a pas vraiment le choix. Il sait très bien jusqu'où Lédo peut aller. Ce malade ne lance jamais de menaces à la légère.

— J'attends toujours.

— D'accord. Gustave Mirand et Napoléon Bard étaient avec moi cette nuit-là.

— Super. Je suis fier de toi. Tu collabores de façon admirable. Maintenant, l'essentiel. Celui qui a commandé l'agression ?

— Tu ne pourrais pas te contenter de Gus et Napo ? Elle va engager quelqu'un pour me tuer si je parle !

— Elle ?

Hontois laisse filer un cri de rage entre ses lèvres. Maintenant qu'il a malencontreusement donné cet indice, son bourreau ne le laissera sûrement pas tranquille et ne se contentera pas du nom de ses deux lascars comme il l'espérait. Sa seule porte de sortie, s'il veut rester en vie, c'est malheureusement de révéler l'identité de la personne que Simard désire au plus haut point. Passer un accord avec lui serait la solution à son problème. Si Lédo la tue avant qu'elle n'ait le temps de réagir, il pourra s'en tirer.

— Je te dis qui a commandé l'agression sur ton amie. C'est d'accord. Mais à la condition que tu l'élimines le plus rapidement possible. Quand je dis le plus rapidement possible, je veux dire dans les deux prochains jours. En plus je veux ta parole que tu me laisseras en vie.

— Commence par …

— Je veux ta parole, crie Hontois, les yeux remplis de larmes. Si tu ne le fais pas, je ne dis rien.

Un léger sourire apparaît sur les lèvres de Simard. Charly n'est pas du tout dans une position pour exiger quoi que ce soit. Cependant, jouer le jeu ne changerait rien à la situation. Pour s'amuser de la peur qui tourmente son prisonnier, Régi laisse de longues secondes s'écouler avant de lui faire connaître sa décision.

— Jure-le, Simard, supplie Hontois. Je n'ai exécuté que les ordres. C'est elle, la coupable. Donne-moi ta parole et je te dis son nom.

— Tu l'as. Et si ça peut te rassurer, je n'attendrai pas deux jours. Ce sera fait d'ici demain soir. Alors, c'est qui ?

— Tu me laisseras vivre, hein ? Tu me le jures ?

— Vas-tu enfin te décider à parler, Hontois ? Si tu n'arrêtes pas tes jérémiades, je t'enfonce immédiatement ce manche de pelle dans le cul. Alors parle !

— Rita Donovan, hurle Charly tout en pleurnichant. C'est elle qui voulait te faire revenir dans le coin pour te supprimer. Tu étais le prochain sur ma liste. Elle veut venger la mort de son frère. Alors voilà. Tu sais tout. Détache-moi, maintenant. J'ai rempli la part de notre marché. Respecte la tienne.

Régi laisse filer un long soupir d'entre ses lèvres. Il aurait dû prévoir que cette femme voudrait se venger d'une façon ou d'une autre. Il aurait dû aviser les membres de son équipe. Après tant d'années comme inspecteur de police, comment n'a-t-il pas anticipé la réaction de Rita Donovan ?

— Détache-moi, Simard. C'est ce que nous avions convenu.

Jusqu'ici perdu dans ses pensées, l'ex-inspecteur refait surface dans la réalité et jette un regard dégoûté en direction de son prisonnier. Ce dernier décèle toute la haine que renferme le regard de son vis-à-vis. Il blanchit subitement.

— Tu m'as promis, Simard. Tu dois respecter ta parole.

Régi se lève lentement et contourne la chaise qui retient Charly. Ce dernier voit l'ombre de Simard, se détachant sur le plancher devant lui, s'emparer de la pelle. Aussitôt il se met à pleurer comme un enfant. Il crie à l'injustice, au non-respect d'une entente. Il hurle sa détresse. Puis, brusquement, ce sont des hurlements de douleur qui viennent rebondir sur les murs du sous-sol.

— Tu vois maintenant ce que ça fait, crie Régi pour se faire comprendre du supplicié. J'espère qu'au fond de ta carcasse de salaud tu regrettes d'avoir fait subir ça à Marianne.

Au bout de quelques secondes, Hontois réussi à se contenir et à maîtriser la douleur. Néanmoins, il n'arrive pas à retenir ses pleurs. Jamais il n'aurait dû faire confiance à cet homme. Un homme qui n'a aucun scrupule à commettre des meurtres abominables. Il se voit déjà coupé en morceaux, ou éventré, ou brûlé. Peu importe la façon, il sait très bien que la mort approche.

— Tu m'avais donné ta parole…

— Je n'ai pas à tenir ma parole donnée à un criminel. Mais pour te démontrer que je ne suis pas un monstre, comme plusieurs le croient, je vais te laisser vivre. Cette-fois, c'est à moi d'imposer une condition. Je veux que toi et tes deux amis quittiez le pays. Si jamais je vous revois, je vous extermine. Est-ce que je me fais bien comprendre ? Pour ce qui est de la Donovan, je crois bien que je vais attendre un peu avant de lui rendre visite. Par contre, dans quatre ou cinq jours, je l'aviserai que tu t'es mis à table. Alors, si tu n'as pas quitté le pays d'ici là, je suis persuadé qu'elle engagera quelqu'un pour t'aider à le faire. Mais pas de la façon que tu espères. À toi de décider si tu m'obéis ou pas.

— Promis. Tu ne me reverras plus. Détache-moi et je disparais aussitôt.

— Ca, malheureusement, ça ne fait pas partie de notre accord. Je voudrais bien prendre ton cellulaire dans la poche de ton pantalon pour aviser tes amis de venir te délivrer, mais tu as pissé dessus. C'est trop dégueulasse pour que je m'y trempe les mains. Alors sois patient et tout ira bien. Ils viendront sûrement te visiter bientôt.

— Tu n'es qu'un salaud, Simard !

— Tu ne peux pas t'imaginer comment, répond l'ex-inspecteur d'un ton sarcastique.

D'un mouvement brusque, comme pour appuyer ses dernières paroles, Régi empoigne le manche de la pelle, toujours en place et, sans attendre, le retire et le repousse violemment.

Sous les hurlements assourdissants de Charles Hontois, tout en arborant un large sourire, l'ex-policier se dirige vers l'escalier menant au rez-de-chaussée, puis gravit les marches aussitôt, sans même jeter un dernier regard vers le supplicié.

Chapitre 35

Quelque peu fébrile, Marianne Latreille ouvre la porte du resto-bar Le Sabotier. Ce dernier n'a pas été difficile à repérer grâce à son énorme enseigne lumineuse représentant, sans grande surprise, un homme en train de façonner un sabot à l'aide d'un ciseau. L'inspectrice a pu l'apercevoir, à près de cinq cent mètres, alors qu'elle se trouvait encore sur l'autoroute 20.

L'endroit est sombre. Une dizaine de visages se tournent, comme par réflexe, dans la direction de la jeune femme qui s'est immobilisée après quelques pas. Du regard, celle-ci fait le tour de la place, sans toutefois, reconnaître qui que ce soit. Réginald est en retard. Décidément, la retraite lui a fait prendre de mauvaises habitudes.

Un peu indécise par rapport la table où aller s'installer, Marianne s'approche du long comptoir où quatre hommes, les yeux fixés sur elle, sont accoudés. Péniblement, elle prend place sur l'un des tabourets vacants. Après un moment d'hésitation, elle commande une bière. Le barman s'exécute aussitôt et la remercie d'un large sourire pour son généreux pourboire.

La sensation d'être observée est de plus en plus désagréable. Marianne secoue légèrement la tête, déçue de cette habitude que certains hommes ont conservée bien que la loi interdisant aux femmes d'entrer dans les tavernes du Québec ait été abrogée il y a tout près de trois décennies. Une partie de ces messieurs croient toujours que les tavernes, maintenant appelé brasseries, devraient être réservées aux hommes et d'autres approuvent ce changement de loi qui apporte un certain divertissement pour leurs yeux. Heureusement que ces demeurés ne forment pas la majorité de ceux qui fréquentent ces endroits.

Marianne porte son verre de bière à ses lèvres. Une légère douleur vient faire distraction à ses pensées. Elle lève lentement la tête. Devant elle, à deux mètres à peine, un miroir lui projette l'image d'une femme aux yeux cernés d'ecchymoses jaunâtres et à la bouche décorée d'une horrible galle. Voilà pourquoi tous les regards se sont portés vers elle depuis son entrée dans l'établissement. Ses préjugés s'évanouissent d'un seul coup. Du moins, une partie.

Soudain, la jeune femme sursaute. Une main vient de se poser sur son épaule. Réginald est enfin arrivé. Marianne se retourne pour l'accueillir d'un sourire. Ce dernier s'éteint aussitôt. Un homme dans la soixantaine, n'ayant que la peau sur les os et un visage ridé à l'extrême, est debout derrière elle. Malgré qu'il soit affecté par un état d'ébriété, de toute évidence, avancé, son regard dénote un certain degré d'empathie. Peu inquiète de la situation, Marianne lui sourit légèrement.

— Si le salaud qui t'a fait ça vient te relancer jusqu'ici, il aura affaire à moi, marmonne-t-il en se bombant le torse.

— Ne vous inquiétez pas. Je saurai me défendre.

— De plus, elle a un ange gardien, prêt à intervenir, conclut une voix en provenance du fond de la salle.

Marianne tourne la tête en direction de l'endroit d'où s'est élevée cette voix. Derrière une petite table ronde est assis un homme portant un chapeau, à large rebord, qui dissimule un visage en partie recouvert d'une barbe poivre et sel.

Même si l'inspectrice ne reconnaît pas ce visage, elle sait pertinemment de qui il s'agit. Jamais elle ne pourra confondre le timbre de voix de Réginald avec celui de qui que ce soit.

— Merci de votre sollicitude, mais je ne suis plus seule maintenant, dit Marianne, toute souriante, à l'endroit du preux chevalier éméché.

Oubliant la douleur qui afflige ses côtes, l'inspectrice quitte prestement son tabouret pour se diriger aussitôt vers l'homme au chapeau. C'est bien Réginald Simard qui est là, à l'attendre. Il y est, d'ailleurs, depuis son entrée. Marianne avait bien remarqué cet homme assis en retrait dans un coin de l'établissement, mais n'avait tout simplement pas reconnu ce dernier comme étant son ex-chef d'équipe. De toute évidence, Régi s'est déguisé de la sorte pour ne pas être reconnu par qui que ce soit. La jeune inspectrice est tentée de lui en faire la remarque, mais elle réussit néanmoins à s'en abstenir, trop heureuse de le revoir.

Les deux amis se considèrent un court moment avant de se serrer chaleureusement l'un contre l'autre. L'émotion de cette retrouvaille vient instantanément embrouiller la vision de la jeune femme, qui s'empresse aussitôt, du revers de la main, d'essuyer les quelques larmes qui émergent de ses yeux bleus.

— Je suis heureux de te revoir.

Marianne demeure muette quelques secondes avant de poser les mains sur la poitrine de Réginald pour le repousser légèrement.

— Pourquoi es-tu parti de cette façon, sans même me dire au revoir ? Il me semble que j'avais le droit à des explications, tu ne penses pas ?

— Les salauds ! Ils ne t'ont pas manquée. Ce sont de véritables lâches.

— Laisse de côté ma condition physique, veux-tu ? Réponds plutôt à ma question.

— Je suis désolé. Je n'ai pas vraiment eu le choix d'agir ainsi. Asseyons-nous. Ce sera mieux pour discuter.

— Nous avons toujours le choix de nos actes, Régi, enchaîne Marianne tout en prenant place devant son ami. Il n'en tient qu'à nous de faire ce que nous croyons le mieux. J'en conclus que, pour toi, je ne comptais pas suffisamment pour que tu te donnes la peine de me mettre au courant.

— Est-ce une scène d'amitié ou… d'amour, demande Simard, un sourire accroché aux lèvres ?

— Peu importe la raison, il n'en reste pas moins qu'il est parfaitement clair que je ne valais rien à tes yeux.

— Tu n'y es pas du tout, Marianne. Si je n'avais pas, à ce moment-là, respecté mon engagement, je me serais retrouvé en prison pour le reste de mes jours. Tu aurais préféré venir me porter des oranges?

— Explique-moi de quel engagement il s'agit. Et pourquoi tu te permets, maintenant, d'en déroger?

Simard est coincé. Il n'aurait jamais dû accepter l'invitation de Marianne afin de se rencontrer. C'était bien illusoire de croire qu'ils arriveraient à bavarder sans qu'il ait à fournir des explications sur son départ inopiné. Cependant, il considère que Marianne a entièrement raison d'affirmer qu'il était, à ce moment-là, le seul responsable de sa décision de garder le silence.

Après un pincement de lèvres, démontrant à quel point il est contrarié, Réginald entreprend de révéler à son amie les conditions que lui avait imposées Vincelette, peu de temps avant sa sortie d'hôpital. La jeune femme est consternée devant tant d'exigences de la part du directeur de la police de Sainte-Jasmine. C'est, à son point de vue, un non-sens. Par contre, les actes de l'ex-inspecteur étaient on ne peut plus répréhensibles. Mais Vincelette n'avait que des soupçons, alors rien ne l'autorisait à sévir

— Tu lui as sûrement fait la promesse de mettre un terme définitif à tes agissements?

— Ces conditions n'avaient aucun rapport, du moins en évidence, avec ma croisade de justicier. Vincelette n'a invoqué que mon insubordination.

— Pourquoi, alors, ne pas avoir contesté tout ça?

— Il en aurait, tout simplement, profité pour m'accuser de mes gestes, que vous considérez comme répréhensibles, mais qui sont, en réalité, le vrai châtiment que méritent les scélérats que la justice remet en liberté. Il avait de sérieux soupçons envers moi, tu sais. Cependant, il ne tenait pas à pousser l'affaire plus loin. De mon côté, j'avais, et j'ai encore, des comptes à régler avec lui.

— Personne n'a le droit de se faire justice. C'est toi-même qui nous as enseigné cette valeur. J'espère que maintenant, tu as eu ta leçon et que tu as cessé ce genre d'activité.

Simard baisse la tête un instant. Marianne comprend que son ami continue de vouloir exterminer les criminels qu'il considère ne pas avoir été suffisamment punis.

— Tu ne peux pas te substituer à la justice, Régi. Tôt ou tard tu auras à payer cher pour tes actes, si tu ne t'arrêtes pas. S'il te plaît, profite de ta retraite d'une autre façon. Toi et Carole, allez vivre dans un autre pays pour oublier tout ça.

En prononçant ces paroles, la jeune femme a un pincement au cœur. Cela la déstabilise légèrement. Pourquoi avoir cette réaction, alors qu'elle sait très bien que Régi est marié depuis de nombreuses années? Elle n'a pas le droit d'espérer vivre une relation amoureuse avec lui.

— Carole est partie. Il m'a fallu lui fournir des explications pour justifier mon départ précipité de Sainte-Jasmine. Je croyais qu'elle me comprendrait d'avoir agi de la sorte, et qu'elle me suivrait. Elle m'a quitté. Je crois même qu'elle est allée retrouver son amant. Eh oui ! Carole avait un autre homme dans sa vie depuis longtemps. En fait, ils ne se voyaient que sporadiquement. Rencontre qu'ils croyaient faire à mon insu, bien sûr. J'acceptais la situation, conscient que je n'étais pas le mari idéal et qu'elle avait certains besoins que je n'arrivais pas à combler.

— Je suis désolée, souffle Marianne en baissant légèrement la tête. Je ne savais pas que toi et Carole aviez des problèmes de ce genre. Tu dois avoir trouvé ça difficile de te retrouver seul.

Encore une fois, Simard hésite avant de répondre. Il n'a pas réellement eu le temps de s'ennuyer. Ces derniers mois de solitude lui ont permis de mettre de l'ordre dans de nombreux dossiers qu'il possédait à son domicile et d'en reconstituer d'autres, plus importants, qu'ils avaient dû abandonner. Le fait d'être congédié par Vincelette n'a eu pour conséquence que de devancer ses projets prévus pour sa retraite en juin prochain.

— Tu sais, Marianne. Je n'ai pas vraiment été affecté par le fait de vivre seul. Ne t'en fais pas avec ça, j'ai beaucoup trop à faire pour me permettre de déprimer.

C'est au tour de l'inspectrice de prendre une pause avant de formuler ses craintes quant au genre de passe-temps que peut avoir Réginald. Elle ne l'a peut-être pas côtoyé pendant de nombreuses années, mais jamais il n'a fait mention d'un hobby quelconque. Ni d'une passion, autre que son travail. Alors elle s'inquiète du genre d'activité auquel son ami fait allusion.

Lentement, la jeune femme allonge le bras jusqu'à ce que sa main recouvre celle que Régi vient tout juste de poser sur la table. Leurs regards ne se croisent qu'un court instant, puisque l'homme baisse les yeux comme pour empêcher sa compagne de lire en lui. Il est évident qu'il veut éviter d'entreprendre une conversation concernant son emploi du temps. Marianne ne l'entend pas de cette manière. Si leur destin est de se côtoyer, alors elle se doit de connaître les intentions de l'ex-policier.

— À quoi, au juste, t'occupes-tu ainsi ?

— Je ne tiens pas à en parler. Si tu n'y vois pas d'inconvénient.

— Oui. J'en vois.

— N'insiste pas, Marianne. Changeons de conversation. Ce serait préférable.

— Donc. Tu ne tiens plus à me revoir ?

— Je n'ai jamais dit ça, s'exclame Simard. J'espère même que nous nous reverrons souvent !

— Si tu es sincère dans ton désir de me revoir, tu vas me dire à quoi tu passes tes journées… et tes soirées. Je ne voudrais pas fréquenter un homme qui a une vie secrète en dehors de notre relation. Tu comprends ?

Simard est une fois de plus coincé. Il sait très exactement à quoi la jeune femme fait allusion. Il ne peut se dérober, cette fois. Marianne est une inspectrice de police, alors elle aime aller au fond des choses. Lui mentir ne ferait que retarder l'échéance du moment où il lui faudra tout avouer.

La jeune femme réalise qu'elle vient de déclencher une vraie tempête dans la tête de son compagnon. Elle est consciente de l'affection que Régi lui porte, cependant, elle le place vis-à-vis un choix difficile. Celui de choisir entre son désir de partager sa vie avec elle et son besoin de se faire justice.

Réginald lève, vers la jeune femme, des yeux affligés d'une profonde tristesse. Puis, au bout d'un moment, il esquisse un pâle sourire, dans lequel Marianne décèle une certaine déception. Son cœur s'arrête l'espace d'une seconde, tellement la peur de perdre définitivement son ami l'envahit.

— Je suis désolé. J'aurais aimé pouvoir te promettre que je me rangerais pour de bon. Mais je ne le peux pas. Il me reste tant de choses à faire.

— Finaliser tes dossiers noirs ?

— Je vois que tu les as trouvés. J'imagine que tout mon bureau a été passé au peigne fin.

— En réalité, je ne sais pas où ils se trouvaient. Je ne m'en suis même pas informé. C'est Xavier qui me les a remis.

— Tu peux t'en débarrasser. Comme je les connaissais sur le bout de mes doigts, je les ai reconstitués.

— Cesse ces agissements, Régi. Je t'en conjure, ne continue pas à commettre des crimes, sous prétexte de rendre la justice. C'est à la cour de punir les criminels et non à nous.

— Dis-moi. Sais-tu comment peux se sentir une femme qui a été sauvagement violée lorsqu'on ne libère son agresseur que quelques mois après son méfait ?

— J'en ai une petite idée, oui. Je rêve que mon agresseur soit puni. Cependant, qu'il soit mis derrière les barreaux me suffirait.

—Mauvais exemple. D'accord. Alors, sais-tu comment une mère de famille peut vivre en sachant que le pédophile qui a agressé son enfant peut se balader en toute impunité parce qu'il avait les moyens financiers de se payer les meilleurs avocats ? La vie de ces personnes est affectée jusqu'à leur mort, alors que les agresseurs, eux, se donnent bonne conscience en clamant haut et fort qu'ils ont payé leur dette à la société et qu'ils méritent leur liberté. Moi, je ne peux approuver ces grossières injustices.

Marianne laisse filer un long soupir entre ses lèvres. Sans qu'il n'ait à fournir d'autres explications, elle sait que Réginald Simard ne changera jamais d'opinion. Elle considère que, dans un certain sens, l'ex-policier est lui-même un psychopathe. Mais un psychopathe qui ne s'attaque qu'aux ordures qui déambulent, malheureusement, dans notre société. Cependant, ce n'est pas à lui de décider du sort d'un criminel.

— J'aurais réellement aimé que tu abandonnes l'idée de te faire justice. J'avais l'espoir qu'un jour, je pourrais partager ta vie.

— De mon côté, je croyais que tu me comprendrais et que, peut-être, tu m'épaulerais.

Du bout des doigts, Marianne caresse tendrement la joue de Régi, avant de se lever. Des larmes de déception viennent noyer légèrement ses yeux.

— S'il te plaît, Régi, finit-elle par dire presqu'en le suppliant. Ne reviens jamais dans la région de Sainte-Jasmine pour te faire justice. Fais en sorte de ne jamais m'obliger à devoir t'arrêter.

— Je devrai y retourner. Tu m'en vois désolé. Je n'aurai pas le choix si je veux finaliser certains dossiers, dont le sixième dossier. Il est possible que ce soit mon dernier. Mais je me dois de le mener à terme.

— Ce qui consiste en quoi ? Ce dossier est manquant.

— Quelqu'un l'a volé ? Je ne peux t'en révéler le contenu. Question de te protéger. Surtout, ne fais confiance à personne. Tu m'entends, Marianne ? À personne !

— Donne m'en, au moins, quelques détails.

Simard se lève à son tour. S'approche de Marianne et dépose un doux baiser sur ses lèvres endolories. L'espace d'un instant, il plonge son regard dans celui de la jeune femme, puis, sans rien ajouter, il se détourne pour aussitôt emprunter la porte de sortie.

Chapitre 36

À Bordeleau, le Chemin-du-Golf est complètement désert malgré cette fin d'avant-midi. L'air, adouci par la présence du soleil, aurait dû, en quelque sorte, inciter les habitants du parc de maisons mobiles à vaquer à des occupations extérieures. Cependant, il n'en est rien. Il n'y a pas âme qui vive en vue. Une Mercedes-Benz grise tourne le coin, puis, au bout d'une centaine de mètres, ralentit son allure pour finalement s'immobiliser devant le 28.

Il s'écoule près de deux minutes avant qu'un signe de vie ne se fasse remarquer de la part du conducteur de la voiture. Portant une veste en similicuir noir avec capuchon, un homme en descend finalement. Marchant, tout en gardant la tête basse de façon à dissimuler les traits de son visage, l'inconnu emprunte le petit trottoir menant à la maison de Rita Donovan.

Aussitôt, les aboiements incessants d'un petit caniche blanc se font entendre. Démesurément excité par la présence de l'homme, le cabot se débat comme un forcené au bout de la laisse, attachée au balcon, qui le retient prisonnier. Tout à coup, libéré miraculeusement, le canidé s'élance à l'attaque de l'intrus. D'un solide coup de pied, l'animal est repoussé violemment et c'est en pleurnichant qu'il retraite vers la maison.

Ne cessant d'observer le caniche, l'homme gravit les quelques marches menant au perron. Sans hésiter, il pousse le bouton du carillon à plusieurs reprises. La porte s'entrebâille lentement, ce qui permet au caniche de se glisser à l'intérieur. Un peu perplexe, Rita Donovan dévisage le visiteur un long moment avant de lui livrer passage.

— Que viens-tu faire ici ?

— Je dois absolument te parler.

— Parler de quoi ? Tu nous as trahis. Je n'ai plus rien à te dire. Mais, je te ferai payer pour ce que tu as fait.

— Comme je te l'ai dit au téléphone, il y a trois jours, je n'y pouvais rien. Il m'a pris par surprise.

Une fois l'intrus à l'intérieur, la femme se dresse devant lui et, de ses mains, elle le pousse violemment contre la porte au moment même où celle-ci se referme. Des étincelles de haine brillent dans ses yeux. Jamais elle n'aurait dû faire confiance à cet incapable. Une tâche, qui aurait dû s'accomplir sans problème, s'est avérée, en fait, un vrai fiasco.

— Il a fallu que tu la violes, crie-t-elle rageusement. Tu ne pouvais pas te contenter de la tabasser. Tout ce que nous voulions, c'était de faire sortir Simard de son repère.

— Et ça a fonctionné, non ? Il est revenu. C'était ça le but.

— Tellement bien qu'il veut maintenant s'en prendre à la personne qui a, supposément, commandé ce viol. Comment vais-je pouvoir l'arrêter, maintenant qu'il est en furie ? Ce n'est certainement pas toi et tes imbéciles d'acolytes qui allez y parvenir. D'ailleurs, je vais communiquer avec qui tu sais, et il m'invitera, sûrement, à engager quelqu'un qui saura me débarrasser de Simard et de…

Rita Donovan n'a pas le loisir de terminer sa phrase. De son poing, Hontois la frappe avec force en pleine figure. Du sang coule aussitôt de la bouche de la femme qui laisse échapper un cri rempli de douleur.

— Tu n'engageras personne pour me faire la peau. J'espère que c'est bien clair.

— Laisse-moi tranquille ou…

— Ou quoi ? Tu vas appeler la police ? Je vais te dire une chose, la Donovan. C'est moi qui vais appeler les flics, et votre petite magouille va être connue de tous.

La quinquagénaire tente de s'éloigner de son agresseur, pour éviter d'être frappée à nouveau, mais ce dernier l'empoigne fermement par l'encolure de sa blouse. D'un mouvement brusque, Hontois attire sa victime vers lui, de façon à ce que son visage ne se retrouve qu'à quelques centimètres du sien. Ses traits, tordus par une colère excessive, et ses yeux, injectés de sang, démontrent à quel point la folie a pris possession de son esprit.

— Arrête, Charly. Je t'en prie. Je ne pensais pas vraiment ce que j'ai dit. C'était simplement pour te conscientiser davantage concernant l'importance de notre plan. C'est toi que nous allons charger d'éliminer Simard. Nous devons faire équipe ensemble.

— Tu mens ! Tu mens comme tu respires. Tu te fous pas mal de moi. Tout ce qui t'importe, c'est ta petite personne. Ton frère avait bien raison de ne pas te faire confiance. Tu n'es qu'une moins que rien.

— Tout peut encore s'arranger, supplie la femme. Je me suis trompée sur ton compte. Tu es l'homme qu'il nous faut pour exterminer Simard. Nous te paierons le double de ce que nous t'avons promis. Tu m'entends, Charly ? Le double !

Hontois reste sans bouger un long moment, sans pour autant desserrer son étreinte. Son cerveau est en ébullition. Il aimerait tellement écraser cette femme qui, quelques minutes plus tôt, était prête à le faire liquider par un quelconque assassin. Cependant, l'argent est, sans contredit, un incitatif de taille. Rien de mieux qu'une grosse liasse de billets pour calmer l'orgueil d'un homme. Est-ce bien l'orgueil qui a incité Hontois à s'en prendre à Rita Donovan, ou, est-ce la peur ?

À regret, il ouvre la main, libérant ainsi sa prisonnière. Celle-ci se recule instantanément. Tout son corps frémit de frayeur. Il s'en est fallu de peu pour que son homme de main la tue. Elle sait maintenant de quoi il est capable et c'est avec beaucoup de prudence qu'elle devra négocier avec lui, dans le futur. C'est exactement ce qu'elle racontera à son partenaire qui doit la visiter dès ce soir.

Chapitre 37

Un mois plus tard

— Tu as lu le journal de ce matin? demande Xavier Tulane à Marianne, aussitôt installé dans le fauteuil près du bureau de l'inspectrice.

La jeune femme lève les yeux du dossier posé devant elle, puis les dirige sur son subordonné. Non, elle n'a pas eu le loisir de parcourir les journaux. Elle n'a même pas eu le temps de déjeuner, trop habituée, depuis un mois, à paresser avant de quitter son lit. Ces quelques semaines de convalescence ne lui ont pas seulement permis de se refaire des forces et de panser ses blessures, mais elles lui ont également été néfastes au point de vue discipline.

— Bonjour à toi également, Xavier. Ça me fait plaisir de te revoir, après une si longue absence.

— Désolé. Tu as raison, mon comportement est inacceptable. Je te souhaite le bonjour, Marianne. J'espère que tu as profité de cet arrêt de travail d'un mois pour te reposer. Ça fait au moins, depuis…Attends, que j'y pense un peu. Au moins depuis hier que je n'ai pas eu de tes nouvelles.

— Bon. D'accord, coupe l'inspectrice avec un léger sourire. Il y a quoi de si important dans le journal de ce matin?

Xavier dépose le quotidien devant la jeune femme qui fronce les sourcils, en apercevant la première page du journal, au haut de laquelle, un titre percutant apparaît: Quatre hommes pendus à Beauport.

— Ça nous regarde en quoi, au juste ?

— Tu n'as qu'à lire l'article et tu verras.

Marianne laisse échapper un long soupir, en se rendant à l'article en question, qui fait presque une page complète. Elle ne se sent tout simplement pas le courage de le lire. C'est son premier jour de travail depuis qu'elle a été agressée. Une bonne quantité de dossiers en retards se sont entassés depuis. C'est à croire que ses patrons se sont ligués pour lui rendre la tâche plus difficile, en ne lui fournissant pas plus d'aide. Alors, perdre son temps avec un événement, quoique malheureux, qui ne la regarde pas du tout, lui paraît tout à fait superflu.

— Donne-moi les grandes lignes de l'affaire. Je n'ai pas l'intention de me lancer dans cette lecture inutilement.

— Comme tu voudras, Marianne. Je suis persuadé que tu vas t'y intéresser de plus près lorsque tu sauras de quoi il retourne.

— Xavier…

— J'y arrive. Comme le grand titre l'indique, quatre hommes ont été retrouvés pendus, samedi matin, à Beauport. Plus exactement, au-dessus des chutes Montmorency. L'enquête vient à peine de débuter que l'on affirme qu'il s'agit là d'un règlement de compte.

— Pas trop difficile d'en arriver à cette conclusion.

— Les policiers ont d'abord cru à un suicide collectif. Enfin, à quatre. L'un d'eux n'avait pas les mains et les pieds liés, contrairement à ses compagnons.

— Où veux-tu en venir, au juste, Xavier ? Je n'ai pas vraiment le temps de me pencher sur des meurtres qui ne me regardent pas du tout. Ça s'est passé à des centaines de kilomètres d'ici !

— Les noms des quatre hommes, tu veux les savoir ?

— Cesse de tourner autour du pot et vas-y avant que je mette un terme à cette rencontre. Je viens de te le dire, je n'ai pas de temps à perdre. Tu comprends, Xavier ?

— Ok. Jonathan Lamarre, Francis Plante, William Morin, Lucas Vinet. Des Gaspésiens, en vacances à Québec.

L'inspectrice échappe le stylo qu'elle tenait entre ses mains. Xavier a maintenant toute son attention. Du moins, pendant quelques secondes, car, après une courte pause, Marianne s'empare du journal et y plonge son regard.

Les câbles avaient été noués à la passerelle enjambant les chutes Montmorency et les corps pendaient au-dessus des eaux tumultueuses. Trois des pendus ne se trouvaient qu'à un mètre, à peine, de la passerelle, alors que le quatrième, celui dont les membres n'étaient pas entravés, se balançait à plus de quatre mètres plus bas. C'est ce détail qui avait aidé à éliminer la thèse d'un suicide collectif. Selon le reportage, les trois premières victimes n'avaient pas le cou brisé. Donc ils sont morts lentement dans la souffrance. Le quatrième, au contraire, a eu les vertèbres cérébrales fracturées. Pourquoi celui-ci n'a pas subi le même sort que les autres ? Cela demeure encore un mystère.

S'il s'était agi d'un suicide collectif, tous les gars se seraient arrangés pour être assommés par le nœud avant que leurs vertèbres cervicales ne se rompent.

Tout en secouant la tête, Marianne lance le journal dans un coin de la pièce, puis se lève brusquement de son fauteuil. Elle est visiblement perturbée par ces odieux meurtres. Xavier la rejoint au moment où elle atteint le grand classeur dans lequel ses dossiers s'entassent. Ces quatre hommes étaient en liberté alors qu'ils auraient dû faire face à la justice pour le viol de Joanie Guay. Marianne connaît cette histoire horrible qui remonte à plus d'un an.

— Maintenant, tu comprends pourquoi je tenais à te montrer cet article, dit-il en posant une main sur l'épaule de la jeune femme. Les noms de ces quatre salauds sont confinés dans l'un des dossiers noirs.

— Régi !

— J'en ai bien peur, en effet. Que comptes-tu faire ?

— Je n'en sais rien. Je dois y réfléchir. Les apparences sont trompeuses, en effet, mais rien ne prouve, hors de tout doute, que Régi soit responsable de ces meurtres.

— Si tu veux mon avis, Marianne…

— Si j'ai besoin de ton avis, je te le demanderai, coupe sèchement l'inspectrice. En ce qui me concerne, cette affaire est hors de notre juridiction.

— Très bien. Je comprends. Mais lorsque Vincelette apprendra que tu avais des renseignements importants reliés à ces crimes, il va vouloir te licencier sur-le-champ.

— Comment pourrait-il l'apprendre ?

— Tout se sait, un jour ou l'autre. Tu devrais savoir ça à ton âge, chef.

Marianne demeure songeuse un long moment, alors qu'elle sent le regard de Xavier posé sur elle. Le jeune homme a raison de craindre les foudres de Marcelle Vincelette dans l'éventualité que ce dernier apprenne qu'elle possède les dossiers noirs de Réginald Simard.

— Tu as raison. Je risque mon poste. Cependant, j'ai besoin de temps pour réfléchir à ce que je dois faire. Peux-tu garder ça pour toi ? Ce sera, en quelque sorte, un secret entre nous deux. Je te le revaudrai.

— Compte sur moi, répond Xavier après une courte hésitation. Je n'ai pas du tout l'intention qu'un froid s'installe entre nous pour quelque raison que ce soit.

Au moment où Marianne est sur le point d'ajouter un commentaire à la dernière déclaration de son subalterne, le son du téléphone se fait entendre. Renée-Jeanne informe l'inspectrice que Dominique Brunet désire tenir, immédiatement, une réunion dans la petite salle prévue à cet effet. Marcel Vincelette sera également présent.

— Bon, d'accord. J'arrive dans quelques minutes.

— Xavier est aussi invité à la réunion, conclut Renée-Jeanne, avant de couper la conversation.

*

Après s'être arrêtés un court moment pour se servir un café à la machine distributrice du poste, Marianne et Xavier font leur entrée dans la salle de conférence. Le regard perçant de Marcel Vincelette foudroie la jeune inspectrice en l'apercevant, un verre de café à la main.

« Toujours aussi accueillant », songe Marianne en le gratifiant tout de même d'un sourire.

— Vous voilà enfin, lance aussitôt Dominique. Nous allons pouvoir commencer les présentations.

— Je vais bien, merci. Et toi ?

Brunet s'immobilise un instant. Les paroles de sa subordonnée l'ont déstabilisé légèrement quand il a constaté qu'elle a adopté la stratégie de Réginald Simard pour aborder les gens. Ce souvenir lui arrache un sourire qu'il transmet aussitôt à Marianne.

— Nous ne sommes pas ici pour un échange de politesse, grogne Vincelette, avec une grimace frôlant le dédain sur le visage. Mais bien pour te présenter tes nouveaux équipiers. Il y a trop longtemps que les dossiers stagnent dans ce poste, il faut à tout prix en fermer quelques-uns. Je compte sur vous tous pour y remédier le plus tôt possible. Latreille, tu feras en sorte que tes nouveaux inspecteurs se jettent dans la mêlée dès aujourd'hui.

— Ils doivent, tout de même, prendre le temps de se familiariser avec leur environnement et avec…

— Ce ne sont pas des environnementalistes, mais des inspecteurs de police. Alors je les veux sur le terrain, d'ici deux heures. Est-ce bien clair, inspectrice Latreille ?

— Tout à fait, monsieur. Je les jette dans la fosse aux lions, sur-le-champ.

Maugréant sa mauvaise humeur, Vincelette se lève de son fauteuil et quitte la pièce sans rien ajouter, comme à son habitude. Dominique le suit des yeux tout en dodelinant la tête de gauche à droite, en signe de dépit.

— Bon. Nous allons procéder aux présentations. Chacun votre tour vous allez décliner votre identité complète. France, débute.

Cette dernière se lève prestement, comme si elle faisait partie d'un corps militaire en prenant la position du garde-à-vous. Marianne évalue son âge à environ vingt-six ou vingt-sept ans. Elle est de belle apparence avec des cheveux noirs coupés très courts, des yeux également sombres, des cils longs et recourbés, un nez légèrement retroussé et des lèvres quelque peu charnues. Elle fait environ un mètre soixante-dix et, au plus, soixante kilogrammes.

— Mon nom est France Graton, trente-trois ans, native de Longueuil. Mariée depuis huit ans, deux enfants, une fille de dix ans et un fils de quatre ans. J'ai été agente de police pendant trois ans avant d'être nommée inspectrice. Il y a cinq ans que j'exerce cette fonction. Je suis consciencieuse dans mon travail et très respectueuse envers mes supérieurs. Je suis heureuse de faire partie de votre équipe.

Marianne hoche la tête en signe de reconnaissance. Elle est persuadée qu'une certaine chimie s'installera rapidement entre elles. Sa première impression ne la trompe que très rarement. Celle qu'elle a, envers la nouvelle venue, est des plus positives. Elles deviendront probablement amies.

Aussitôt que France reprend place dans son fauteuil, son voisin se lève à son tour, mais sans pour autant se mettre au garde-à-vous comme sa collègue. Encore une fois, Marianne se permet de faire, visuellement, un examen rapide de l'homme. Elle espère tout de même évaluer son âge avec plus d'exactitude que précédemment.

Il doit sûrement frôler la cinquantaine avec ses cheveux bruns, grisonnants sur les côtés, et ses quelques rides qui accompagnent ses yeux bleu pâle à demi dissimulés par des paupières légèrement affaissées. Sous son nez bourbonien, une petite moustache grise décore sa lèvre supérieure et un menton saillant termine le tout. C'est un homme d'une stature s'apparentant à celle de Régi, soit environ quatre-vingt-cinq kilogrammes et un mètre quatre-vingts.

— Je me nomme Robert Beaulac, Bob pour les intimes. J'ai quarante-neuf ans bien sonnés, natif de Lévis, mais résidant présentement à Longueuil. Je suis inspecteur dans les forces policières depuis seize ans, ce qui fait de moi un homme d'expérience.

— Marié ? demande Marianne après que Beaulac se soit rassis.

— Veuf depuis six ans. Sans enfant et sans nouvelle conjointe.

— Merci à vous deux pour ces présentations. Comme on vous l'a sûrement dit auparavant, je m'appelle Marianne Latreille. Je suis votre chef d'équipe, c'est donc à moi que vous vous rapporterez en premier lieu. Je tiens mordicus à cette façon de faire, pas de contournement. Voici Xavier Tulane. Xavier est un très bon enquêteur qui pourra vous guider tout au long de votre apprentissage à Sainte-Jasmine. Bien entendu nous pourrons faire plus ample connaissance dans les jours à venir. Et, si Monsieur Brunet n'a rien d'autre à ajouter, nous pourrions tout de suite nous rendre à mon bureau, Je crois que l'ambiance y est moins formelle qu'ici.

— Oui. Bien sûr, Marianne. En fait, tout ce que je voudrais dire à France et à Robert, c'est qu'ils sont les bienvenus dans notre équipe et que nous sommes heureux qu'ils soient avec nous. Et, comme je vous l'ai déjà dit avant la réunion, n'hésitez surtout pas à me contacter si vous avez des questions pour quoi que ce soit.

— En passant par moi, avant.

— Oui…Tout à fait. L'inspectrice Latreille a raison.

Les deux nouveaux inspecteurs sc lèvent de leur fauteuil pour imiter Marianne et Xavier. D'un geste de la main, la chef d'équipe les invite à la suivre. Un à la suite de l'autre, les quatre collègues quittent la salle de conférence pour s'engager dans le corridor.

Chapitre 38

Il n'y a que quelques heures d'écoulées depuis que les deux nouveaux inspecteurs ont fait leur entrée dans le poste de police de Sainte-Jasmine. Marianne est heureuse de constater le professionnalisme que démontrent France et Robert. Elle est convaincue qu'ils seront très efficaces sur le terrain et que leur concours lui sera très utile. Après tout, ce sont des inspecteurs possédant une bonne expérience dans le domaine.

Souriant légèrement, Marianne hoche légèrement la tête en signe de satisfaction. Elle est très fière de son équipe, ce qui, en quelque sorte, la sécurise dans sa propre fonction de chef.

La sonnerie du téléphone vient extirper Marianne de sa rêverie. C'est Dominique. De toute évidence, il veut s'enquérir des commentaires de la jeune femme concernant les nouvelles recrues.

— Qu'y –a-t-il, Dominique ?

— Il y a une vieille femme, à la réception, qui demande à rencontrer un policier.

— Il n'y a aucun agent de disponible ?

— Elle ne veut pas parler à un agent. Alors, je veux que l'un de vous aille la rencontrer. Ça m'a l'air important.

— D'accord, j'envoie quelqu'un.

Marianne dépose l'appareil sur son socle. Elle tourne la tête en direction de ses trois équipiers, occupés à parcourir un dossier. Elle hésite à déléguer France ou Robert pour cette tâche. Cependant, il y a un commencement à tout.

— Robert. Rends-toi à la réception. Quelqu'un semble vouloir faire une déposition.

Beaulac acquiesce aussitôt avec un large sourire tout en saluant sa chef. Marianne vient de marquer un point, en démontrant la confiance qu'elle a envers son nouvel équipier. Ce dernier lui revaudra très certainement ce geste de la manière la plus probante qui soit, c'est-à-dire en ayant le plus grand respect pour elle.

Le quinquagénaire longe le corridor menant à la réception. Renée-Jeanne, un petit air espiègle sur la figure, lui indique un bureau, adjacent à la salle d'attente. Une femme de plus de soixante-dix ans l'y attend. Malgré son âge, la femme se lève lorsqu'elle voit le policier entrer.

— Bonjour, Madame. Je suis l'inspecteur Robert Beaulac. Comment puis-je vous être utile ?

— Monsieur l'inspecteur. Je suis inquiète pour une voisine. Je ne l'ai pas vue depuis près d'un mois. Ça lui arrive, de partir en vacances pour de longues périodes, mais, à ce moment-là, elle m'en avertit. Il lui est sûrement arrivé quelque chose de grave. Allez-vous vous en occuper et la retrouver ?

— Bien sûr. Nous vérifierons si, effectivement, elle est en voyage ou non. L'un de nos agents se rendra sur place. Mais pour commencer sur le bon pied, je vais vous demander de me donner votre nom et vos coordonnées, de même que celle de cette voisine en question.

— Oui, bien sûr. Je suis Marguerite Otis-Lalande. Lalande, c'est le nom de mon mari. Il est décédé il y a trois ans. Un cancer de la prostate. Vous savez, il a beaucoup souffert. Sans compter qu'il a été un bon bout de temps à ne pas avoir de… enfin, vous savez ? Nous étions encore jeunes et nous avions certains besoins. Il a été opéré. On lui a enlevé ce maudit cancer, mais il n'a jamais accepté de ne plus être un… homme, alors il s'est laissé mourir.

Beaulac écoute, malgré tout, avec empathie, l'histoire de la pauvre femme, même si cela n'a rien à voir avec le cas de disparition pour lequel elle est venue quérir de l'aide.

— Tout cela est bien regrettable, Madame Otis, dit l'inspecteur d'une voix triste. Je sympathise énormément avec vous. Mais en ce qui concerne la disparition, il me faudrait le nom de votre voisine et son adresse.

Le visage de la septuagénaire se durcit quelque peu. De toute évidence, ce jeune homme n'est pas intéressé à son malheur. Il se fout pas mal que son mari ait trouvé la mort de façon aussi affreuse.

— Rita Donovan. Elle demeure au 28, Chemin-du-Golf, à Bordeleau.

— Vous connaissez son âge, j'imagine ?

— Cinquante ans. Du moins, je crois.

— Je vais noter tout ça. On enverra un agent sur place pour voir de quoi il en retourne. Avez-vous des détails à rajouter ? La marque de sa voiture, vous la connaissez ? Cela pourrait nous être utile. Elle a de la famille ?

— Elle ne possède pas d'auto. Je ne connais pas beaucoup sa famille. Je sais qu'elle avait un frère. Elle m'a dit qu'il est décédé accidentellement, il y a quelques mois. Je ne connais aucun autre membre de sa famille. Je suis désolée.

— Ne vous en faites pas, la rassure Beaulac. Ça ira. Nous retrouverons Madame Donovan. Si jamais un détail vous revenait en tête, n'hésitez pas à communiquer avec moi.

Robert se saisit d'une carte d'affaire traînant sur le bureau en face de lui. À l'aide de son stylo, il rature immédiatement le nom inscrit sur cette dernière et le remplace par le sien tout en y ajoutant son numéro de téléphone.

— Voilà mes coordonnées. J'aurai très bientôt mes propres cartes.

Plus ou moins satisfaite de sa rencontre avec un vrai inspecteur de police, Marguerite Otis-Lalande se lève péniblement de son fauteuil. Après un hochement de tête en guise d'au-revoir, elle quitte la pièce à pas lents, pour ensuite se diriger vers la sortie, tout en gratifiant Renée-Jeanne d'un sourire, alors que cette dernière lui ouvre la porte.

Déçu par la banalité de l'événement rapporté par Mme Otis, Robert Beaulac file aussitôt vers le bureau de Marianne. Il aurait préféré qu'on le mette en présence d'un crime et non d'une simple disparition. Il se demande bien pourquoi la septuagénaire a exigé que ce soit un inspecteur qui l'interroge ? Un agcnt aurait fait l'affaire.

— Comment ça été ? demande l'inspectrice avec un léger sourire sur les lèvres.

— Très enrichissant, dit-il d'un ton qui dénote un mélange de déception et d'ironie. Une disparition mystérieuse. Va sûrement falloir que tu déploies toute ton équipe sur cette affaire.

Marianne éclate de rire. Elle n'a pas encore les détails pour juger de cette nouvelle affaire mais, de toute évidence, Robert n'a pas trop apprécié sa rencontre et clle s'amuse de la situation. Du coin de l'œil, Marianne observe la réaction de son nouvel équipier, histoire d'évaluer son sens de l'humour. Au bout de quelques secondes, le rire de Beaulac se joint à celui de sa chef, suivi de ceux de Xavier et France, toujours présents dans la pièce,

Bien entendu, avec l'expériencc qu'il possède, Robert s'attend à être confronté à des cas beaucoup plus lourds. Cependant, il doit également comprendre que, pour les personnes qui viennent formuler des plaintes ou des craintes, tous les cas sont importants.

— Allons. De quoi s'agit-il, au juste ? demande Marianne, après avoir retrouvé son sérieux.

— Une dame qui s'inquiète de l'absence de sa voisine. Elle part assez souvent en voyage, mais, paraît-il qu'elle avise toujours son entourage dans ces cas-là.

— Et cette fois, elle ne l'a pas fait. Un oubli, probablement.

— C'est ce que je crois, en effet.

— Je demanderai à ce qu'un agent s'occupe de ça. Nous avons d'autres chats à fouetter. Tu as ses coordonnées ?

— Bien entendu. Elle demeure à Bordeleau. Est-ce que ça fait partie de la juridiction de Sainte-Jasmine ?

— Tout à fait. Notre territoire est grand, tu sais. Il y a bien quelques petits villages qui ont conservé la coutume de posséder un ou deux policier municipaux, mais pour les cas plus compliqués, on se réfère à nos bons soins. Pour ton information, Bordeleau n'en a pas.

Beaulac tend le papier sur lequel il a noté le nom et l'adresse de la disparue. Marianne s'en empare et le dépose nonchalamment devant elle. Son regard se fige instantanément. Les quelques lignes inscrites la transportent dans le passé. Un passé pas très éloigné, d'ailleurs.

— Qu'est-ce qu'il y a ? s'inquiète aussitôt Robert, en apercevant les traits torturés de Marianne. Il y a un problème ?

— Un gros problème, en effet, répond l'inspectrice d'une voix sans intonation.

— Tu la connais ?

— Oui. Nous la connaissons très bien, intervient Xavier après avoir jeté un coup d'œil à la note. Je crois que nous avons ri un peu trop rapidement. C'est à nous, et non à un agent, de nous occuper de cette disparition.

— Tu as raison, Xavier, enchaîne Marianne. Nous allons nous rendre chez Rita Donovan. Ça nous donnera l'occasion de travailler ensemble dès aujourd'hui, comme l'a exigé notre cher monsieur Vincelette.

Chapitre 39

Robert et Xavier contournent la maison mobile de Rita Donovan afin de vérifier si la porte arrière est également verrouillée. Elle l'est. En se plaquant le nez aux fenêtres, les policiers constatent que rien ne bouge à l'intérieur. Cependant, un détail attire leur attention. Sur le comptoir de la cuisine, Beaulac aperçoit de petits monticules noirâtres. Il en déduit aussitôt, qu'il s'agit là d'aliments séchés par le temps.

— Il nous faudrait un mandat pour entrer là-dedans, lance Tulane avec exaspération.

— Pas besoin, réplique joyeusement Robert. Regarde. La fenêtre n'est pas verrouillée. Nous allons pouvoir entrer sans forcer quoi que ce soit.

— Et tu crois que ça suffit pour nous donner le droit d'entrer ainsi chez les gens ?

— Faudrait pas être plus catholique que le pape, mon cher Xavier. Cette maison nous invite à entrer, alors pourquoi refuser cette offre ?

— Marianne décidera elle-même. Mais je parie qu'elle refusera catégoriquement de passer outre le règlement.

— D'accord. Tu as raison, c'est à elle de trancher.

Une fois devant la maison, les deux hommes aperçoivent leurs collègues qui reviennent d'une petite visite à la voisine de gauche de Rita Donovan.

— Pas de nouveaux détails ? demande Xavier.

— La maison est vide. Les propriétaires sont absents. Et vous ? Rien de votre côté ?

— Oui, s'empresse de dire Beaulac pour devancer Xavier. Il y a sur le comptoir de la cuisine de petites agglomérations qui ressemblent à des aliments pourris. Ce qui laisse croire qu'effectivement, Madame Donovan a quitté rapidement sa demeure, en laissant tout en plan. Du moins, c'est ce que j'en conclus.

— Va falloir vérifier ça.

— L'une des fenêtres, à l'arrière, n'est pas verrouillée. Elle donne accès à une chambre à coucher.

— Elle est assez grande pour permettre à quelqu'un de s'y faufiler ?

— Tout à fait.

— Alors, allons-y.

Xavier Tulane n'en croit pas ses oreilles. Marianne ne cesse de se vanter d'être très respectueuse des règles, des conventions et des lois. Et voilà qu'elle est sur le point d'en transgresser une. Et ce, le plus naturellement du monde. Comme si le fait d'entrer chez les gens, sans en obtenir l'autorisation au préalable, était un geste tout à fait normal.

— Il ne nous faudrait pas un mandat ?

— Comme le disait Régi, répond l'inspectrice, le bon sens doit primer sur la paperasse. Surtout que nous n'avons pas à défoncer de porte. On inspecte les lieux, on demande un mandat plus tard. Si, bien sûr, nous trouvons des preuves de la disparition de Donovan. Par contre, cela doit rester entre nous.

France et Robert acquiescent aussitôt en hochant la tête. Pour sa part, Xavier semble encore abasourdi par la décision de Marianne. Cependant, au bout de quelques secondes, il lui sourit, démontrant ainsi son assentiment.

L'inspectrice Graton est alors désignée pour s'infiltrer la première dans la maison. Après quelques contorsions, il faut bien le dire, disgracieuses, la jeune femme atterrit sur un petit meuble supportant deux pots dans lesquels apparaissent des plantes complètement affaissées et séchées. Un manque d'eau évident. Un manque d'amour, comme diraient certains adorateurs des plantes.

Rapidement, mais tout en jetant des regards inquiets autour d'elle, France se dirige vers la porte d'entrée, qu'elle déverrouille aussitôt. Ses trois collègues s'empressent de pénétrer.

— Faites le tour de la place, ordonne Marianne, mais surtout, ne touchez à rien. Il ne faudrait pas superposer nos empreintes à celles d'un ou plusieurs éventuels criminels.

Un sourire narquois accroché aux lèvres, Xavier se place devant son compagnon et ses compagnes, de façon à être bien en évidence, puis, de la poche arrière de son pantalon, retire une paire de gants en latex.

— Pas d'empreinte, dit-il simplement pour narguer ses nouveaux collègues.

Robert et France secouent la tête, tout en arborant une mine triste. Cependant, les traits de leur visage se transforment rapidement en sourires lorsque, à leur tour, ils exhibent des gants identiques à ceux que Tulane vient d'enfiler. Ce dernier éclate d'un rire franc en tapotant l'épaule de Robert.

— J'avais oublié que vous aviez tous deux de l'expérience dans ce travail.

— Allons, au boulot ! lance Marianne après avoir repris son sérieux. Nous ne sommes pas ici pour nous amuser. Je m'occupe du salon.

Tulane se dirige vers la salle de bain, tout en inspectant, au passage, un placard dont la porte est entrouverte. Rien à signaler de ce côté. Une fois dans la salle de bain, il remarque que tout est en place : brosse à dent, dentifrice, parfum, trousse de maquillage, etc… Si Rita Donovan était partie en vacances quelque part, elle aurait sûrement apporté plusieurs de ces articles. Ou, du moins, elle les aurait rangés dans la petite armoire surplombant l'évier. De plus, une petite culotte et un soutien-gorge sont suspendus à la tige servant à soutenir le rideau de douche. Encore là, on ne laisse pas traîner ainsi des vêtements lorsque l'on part en voyage pour quelques semaines.

Pour sa part, Beaulac pénètre dans la chambre où, quelques minutes auparavant, sa collègue a fait son entrée. Il examine minutieusement chaque recoin de la pièce, sans toutefois y découvrir quoi que ce soit qui pourrait aider, sinon le réveille-matin qui indique encore l'heure avancée alors qu'il devrait être réglé pour l'heure normale depuis quelques jours. Un livre, dont le signet indique la page cent cinq, est posé sur une table de chevet. Encore une preuve que Rita Donovan n'est pas partie en vacances. Si tel était le cas, elle aurait sans nul doute apporté ce livre.

Ayant longé un long passage, France fait irruption dans une chambre servant de pièce à débarras. Bien sûr, il y a un lit simple, appuyé contre le mur de droite, mais ce dernier ne possède ni drap, ni couverture. Donc, un lit qui ne doit servir qu'en cas de dépannage. Sous une fenêtre, identique à celle qui lui a permis d'entrer dans la maison, apparaît un immense congélateur horizontal. Celui-ci sert également à entasser des boîtes de rangement, puisqu'il y en a sept qui y apparaissent sur le dessus.

La jeune femme tourne la tête de tous les côtés, espérant trouver un détail intéressant, peut-être dans le but d'impressionner sa chef plus que pour élucider le mystère de la disparition de Rita Donovan.

Alors qu'elle quitte la pièce pour retourner auprès de Marianne, la jeune femme aperçoit, sur le plancher fait de bois franc, une ligne noire d'environ dix centimètres de longueur. Une marque, probablement faite par un soulier. Sur le mur d'à côté, deux petites taches, également noirâtres, sont nettement visibles. France en retrouve trois autres, similaires à celles-ci, un peu plus loin.

— Marianne ! crie-t-elle. Viens voir. Je crois que ça pourrait t'intéresser.

Aussitôt, la chef d'équipe, arrive près de sa coéquipière alors que celle-ci lui indique sa trouvaille du bout du doigt. Après un examen de quelques secondes à peine, Marianne en vient à la conclusion qu'il s'agit là de taches de sang. Du moins, en apparence.

Sans perdre plus de temps, l'inspectrice se saisit de son téléphone mobile et, après avoir sélectionné un contact et appuyé sur une touche, le porte à son oreille.

— Dominique, j'ai besoin d'un mandat de perquisition. Immédiatement !

— Qu'est-ce qui se passe ?

— Il se pourrait bien que Rita Donovan ait bel et bien été enlevée.

— Comment peux-tu en être certaine ? Ne me dis pas que tu es entrée dans sa maison.

— Tu me procures un mandat, oui ou non ?

— D'accord. D'accord. Je fais le plus vite possible.

— Je te remercie. Surtout, n'alerte pas Vincelette. Tu le connais mieux que moi, il serait très heureux de me blâmer et de l'inscrire dans mon dossier.

— Envoie un de tes équipiers au bureau. Le mandat sera prêt. Le juge Duval est très accommodant dans ce genre de situation.

L'inspecteur chef et sa subalterne coupent la communication en même temps. Chacun de leur côté, ils ont un petit sourire nostalgique. Bien sûr que c'est la première fois que Marianne agit de la sorte, c'est-à-dire de poser un geste qui va à l'encontre du code de déontologie du corps policier de Sainte-Jasmine. Cependant, Dominique a, pour sa part, déjà reçu, dans le passé, des demandes comme celle-ci à plus d'une reprise. Réginald Simard était passé maître pour contourner les règles et les codes d'éthique. Brunet s'ennuie déjà de cette époque. Par contre, il s'avère que Marianne a très bien appris de son mentor.

— Xavier, je garde France et Robert avec moi. Je te demande de passer par le poste pour prendre le mandat de perquisition. Dominique devrait l'avoir en sa possession. Demande-lui de dépêcher une équipe pour venir relever les empreintes et prélever des échantillons des taches que nous avons trouvées.

Sur le visage du jeune homme apparaît une légère grimace dans laquelle se lit une certaine déception. L'action lui manque depuis un bon bout de temps, et il aurait préféré demeurer sur le terrain, plutôt que de servir de commissionnaire. Marianne comprend très bien sa déception, mais elle se doit d'évaluer, le plus tôt possible, les qualités d'inspecteurs que possèdent les deux nouveaux membres de son équipe. Elle est persuadée que Xavier n'aura pas longtemps à attendre avant de se retrouver au cœur de l'action.

— Je te remercie, Xavier.

Tulane hoche la tête, puis il file aussitôt vers la sortie. Marianne rejoint France et Robert qui n'ont cessé d'examiner les murs et le plancher du corridor. Dans la pièce à débarras, une autre petite tache est découverte. À peine un mètre à côté du grand congélateur. Intrigués, les trois inspecteurs lèvent lentement les yeux sur ce dernier.

— Enlevons les boîtes qui le recouvrent.

— Tu crois que…

— Tout est possible. Pour en avoir le cœur net, il faut regarder à l'intérieur.

En moins d'une minute, les sept boîtes, scellées par du ruban gommé, ce qui ne permet pas aux policiers d'en connaître le contenu, sont retirées et posées sur le lit.

Marianne place les mains sur le rebord. Elle hésite pendant quelques secondes avant de relever la porte du congélateur, histoire de se préparer au pire.

Ses traits se figent, puis elle ferme les yeux tout en laissant filer un long soupir d'entre ses lèvres. Ce qu'elle redoutait, quelques secondes auparavant, se concrétise malheureusement. Recouvert d'une mince couche de frimas, le corps de Rita Donovan gît tout au fond, sur un lit de petits paquets de viande et de boîtes de produits de toutes sortes. A ses pieds, l'accompagne son caniche.

Marianne blêmit. Non pas qu'elle se sente incapable de se retrouver en présence d'un cadavre, mais un élément de la scène vient la déconcerter au plus haut point. Elle ressent, tout à coup, un léger fléchissement de ses jambes. Elle n'a pas d'autre choix que de venir s'assoir au bout du lit, pour éviter une chute.

Bien que France et Robert soient, eux aussi, sous le choc, leur réaction n'a rien de comparable à celle de leur chef. Bien sûr, la vision de ce cadavre complètement congelé n'a rien de réjouissante, au contraire, elle est affreuse. Cependant, ce n'est pas le premier macchabé qu'ils voient, non plus le dernier, alors ils sont quelque peu intrigués par l'attitude, somme toute exagérée, de Marianne.

— Que veut dire le mot Lédo, demande France ?

Un carton de quinze centimètres sur dix est accroché au chemisier de Rita Donovan. Sur celui-ci apparaît, en grosses lettres, ce mot que Marianne espérait ne plus jamais revoir nulle part.

Chapitre 40

Robert et France sont sidérés par le récit que vient de terminer Marianne. Bien entendu, elle ne leur a rapporté que les faits permettant de culpabiliser Léopold Donovan.

— Mais pourquoi Mme Donovan a été assassinée ? demande Beaulac. Ce n'est pas logique. Si son frère était le Lédo en question et qu'il a été tué par l'inspecteur Simard, je ne vois pas l'intérêt pour quelqu'un de se débarrasser d'elle.

— Bien sûr, il y a forcément une explication, s'empresse de répondre Marianne. Nous la trouverons. La maison est présentement passée au peigne fin et une autopsie sera faite le plus tôt possible sur la victime. Nous pourrons peut-être trouver des traces d'ADN qui nous conduiront au meurtrier. Entre temps, je vous demanderais de ne pas révéler la présence de ce carton. Je voudrais pousser plus loin nos investigations avant d'en révéler l'existence.

— Il y a une raison ? Il pourrait s'agir d'une pièce à conviction, après tout.

— Je vous le demande, tout simplement, répond l'inspectrice en exhibant le dit carton sur lequel « Lédo » est inscrit. Si cela vous gêne réellement, alors je vais le remettre sur-le-champ.

Sans attendre la décision de ses équipiers, Marianne replace le carton sur son bureau, sous une pile de feuilles, pour le soustraire à d'éventuels fouineurs qui, trop souvent, jettent des regards curieux un peu partout.

Aussitôt, l'inspectrice se félicite intérieurement de son geste car, au même moment, un homme de forte stature entre dans le bureau, sans même frapper à la porte au préalable. La jeune femme le reconnaît, ainsi que ses équipiers qui l'ont déjà vu à quelques reprises

— Bonjour, Monsieur Roux, fait aussitôt l'inspectrice. Que me vaut le plaisir de votre visite ?

— Non, vous n'avez aucun plaisir à me voir, inspectrice Latreille. J'en suis très conscient, lance-t-il avant d'en venir au fait de sa visite. On vient de m'informer de votre découverte de cet après-midi. Avez-vous de nouveaux détails à me fournir ?

— Nous attendons le rapport du médecin légiste et celui des analyses. D'ailleurs, je ne crois pas que l'équipe, dépêchée pour faire les différents relevés, ait terminé le boulot. Donc, va falloir patienter au moins jusqu'à demain.

Jean Roux grimace tout en secouant la tête. Il est, apparemment, très déçu par le peu de détails que sa subordonnée a à lui fournir. Pendant près de dix secondes, il demeure sans bouger, comme s'il était atteint d'une paralysie soudaine. Visiblement, il essaie de remettre de l'ordre dans ses idées. Reprenant contenance, il tourne lentement la tête en direction de la petite équipe de Marianne et pose son regard sur chacun des membres.

— Je suis Jean Roux, finit-il par dire à haute voix avec un brin d'orgueil dans le ton emprunté. Je suis le directeur général adjoint des corps policiers de la province. Monsieur Vincelette a, présentement, d'autres priorités et il m'a demandé de passer un certain temps ici, à Sainte-Jasmine, pour coordonner votre enquête.

— Coordonner notre enquête. Sauf votre respect, monsieur Roux, cette procédure n'est pas habituelle. Serait-il possible de connaître la raison pour laquelle…

— Vous avez une objection, inspectrice Latreille ?

— Pas du tout, monsieur. Je me posais tout simplement la question.

— Les seules questions que vous devez vous poser, en ce moment, c'est : Qui a assassiné Madame Rita Donovan et pourquoi ?

Ceci étant dit, Roux tourne vivement les talons et s'empresse de quitter la pièce aussi rapidement qu'il y était entré.

— Eh ben, dis donc ! souffle Bob en se laissant tomber dans un fauteuil. Les haut placés de la police sont à prendre avec des pincettes, à ce que je vois. Je ne les connaissais pas beaucoup, n'ayant jamais eu affaire avec eux directement et j'espère, de tout cœur, ne pas les côtoyer trop souvent.

— J'avais rencontré monsieur Vincelette à quelques reprises, enchaîne France. Il m'a paru être un homme quelque peu misogyne. On dirait bien que monsieur Roux a été coulé dans le même moule.

— Disons que le savoir-vivre ne fait pas particulièrement partie de leurs valeurs, ajoute Marianne. Mais ce qui m'intrigue le plus, c'est la raison de ce soudain intérêt pour une enquête menée à Sainte-Jasmine.

— Si tu veux mon avis, reprend Xavier, c'est que le fantôme de Lédo est encore bien présent dans leur esprit et qu'ils veulent s'assurer qu'il ne refasse pas surface.

Robert Beaulac et sa collègue France Graton laissent entendre leur rire, en se moquant des propos de Tulane. Les fantômes ne sont que des inventions pour faire peur aux enfants. Bien sûr, ils savent très bien que leur coéquipier n'était pas sérieux en faisant cette déclaration, mais pourquoi avoir employé cette image absurde ?

— Avant que cela ne dégénère en une discussion inutile, je propose que nous nous remettions au travail, dit Marianne tout en lançant un regard désapprobateur en direction de Xavier. Bob et France, allez dans votre bureau et faites-moi, chacun à votre manière, un rapport détaillé sur le début de notre enquête d'aujourd'hui. J'aimerais connaître votre façon d'interpréter nos actions lors d'une enquête. C'est important qu'il y ait une certaine similitude quant à l'établissement de nos rapports Ensuite, vous pourrez disposer. De mon côté, j'ai certains points à éclaircir avec Xavier, concernant le cas de Lédo. Quelqu'un s'est servi de cette appellation pour revendiquer le meurtre de Donovan et je veux savoir qui est cet individu. On se reverra demain.

Une fois seule avec Xavier, Marianne lui fait remarquer à quel point il a été imprudent dans son commentaire concernant le fantôme de Lédo. L'identité de Lédo doit absolument demeurer secrète. Si quelque allusion que ce soit venait aux oreilles de Vincelette, cela pourrait confirmer les soupçons qu'il a toujours entretenus vis-à-vis Simard. Un mandat d'arrestation serait aussitôt lancé contre lui.

— Et si c'était lui ?

— Pourquoi aurait-il tué Rita Donovan ? C'est absurde.

— Pour te venger.

— De quoi parles-tu, au juste ? Qu'est-ce que Rita Donovan a à voir avec moi ?

— Ça fait beaucoup de questions. Pourtant, la réponse me paraît pas mal évidente. Tu as été mêlé de très près au dossier qui a conduit à la mort de Léopold Donovan. Sa sœur aura tout simplement voulu se venger de toi et a envoyé des fiers à bras pour te tabasser. Peut-être qu'en faisant cela, elle voulait atteindre Régi. Quoi qu'il en soit, si mon raisonnement est bon, elle a réussi à le faire sortir de l'ombre. Malheureusement pour elle, Régi n'est pas du genre à y aller avec le dos de la cuillère et elle l'aura appris à ses dépens.

Marianne demeure songeuse un long moment. L'explication de Xavier a peut-être un certain sens, mais son intuition l'amène à croire que Régi n'est pas coupable de ce meurtre. De plus, que ce soit Rita Donovan qui ait commandé son agression n'est que pure spéculation. Elle écarte donc la culpabilité de Simard.

— Si seulement je savais comment rejoindre Régi. Je suis certaine qu'il pourrait m'aider dans cette affaire.

— Il n'est plus dans le coup, Marianne. Tu dois te fier à ton instinct… et à tes collègues.

La jeune femme sourit. Elle pose des yeux remplis de tendresse sur Xavier, qui s'en trouve légèrement ému. Il n'y a pas à dire, une véritable amitié se développe entre eux. Cependant, ce genre de relation ne doit absolument pas interférer dans leur travail. Même si celle-ci ne demeure qu'au stade de profonde amitié. Pour un sentiment d'une autre nature, il n'en est pas question, surtout que maintenant elle a eu un contact avec Régi.

— Tu as raison. Nous formons une bonne équipe. Nous arriverons à élucider ce mystère sans l'aide de qui que ce soit. Tu peux compter sur…

La sonnerie du téléphone se fait entendre. Après une grimace de mécontentement, Marianne se saisit de l'appareil, en maugréant qu'on est en fin d'après-midi et que la journée de travail est terminée.

— Je vous transfère un appel, dit Renée-Jeanne d'une voix dénotant une certaine excitation. Deux hommes sont en danger de mort. Des auto-patrouilles sont en route.

— Comment puis-je vous aider, répond Marianne à l'informateur ?

— Il y a quelque chose de pas catholique qui se passe ici, chuchote l'homme.

— Où ça ? Quel genre de chose, au juste ? Et qui êtes-vous ?

— Je suis concierge au 1414 de la rue Dubois, un immeuble à bureaux. Je crois que vous devriez vous dépêcher. On va les tuer. Ils sont au tout dernier étage, dans un bureau inoccupé.

— D'accord. Ne bougez pas, nous arrivons.

Chapitre 41

En plus d'être bâillonnés et d'avoir les mains attachées derrière le dos, et les pieds entravés, deux hommes gisent, nus, sur un plancher de béton humide et froid. Jasmin Hains et Paul Nolet attendent en pleurnichant que leur ravisseur retire les sacs en jute recouvrant leur tête. Pris par surprise, alors qu'ils quittaient leur lieu de travail, les deux hommes n'ont eu aucune chance de se défendre. Avec la rapidité de l'éclair, leur agresseur les a terrassés simultanément d'un formidable coup à la nuque, au moment même où ils allaient monter à bord du véhicule de Hains.

À présent, ils sont tous deux accablés d'un terrible mal de tête et chacun de leurs mouvements devient un véritable supplice. Cependant, la douleur n'est pas la seule responsable du cauchemar que vivent les prisonniers. L'incompréhension de la raison de leur détention et l'ignorance concernant leur avenir sont leurs principaux facteurs de stress.

Un bruit de pas attire l'attention des deux hommes. Celui qui les a sauvagement frappés est de retour. Quelles sont ses intentions ? Les tuer ? Mais pourquoi ?

Pris de panique, Hains et Nolet se tortillent, tels des vers extirpés du jardin que l'on jette sur un trottoir chauffé par le soleil. De leurs gorges fusent des grognements de terreur mêlés aux sanglots qu'ils ne peuvent contenir.

Des mains puissantes se ferment brusquement sur le bras de Jasmin Hains et, d'un même mouvement, il est mis sur pieds. La peur qu'il ressent augmente abruptement, au point où il se sent défaillir. Il n'a, néanmoins, pas le loisir de s'effondrer car aussitôt, il est poussé violemment. Perdant l'équilibre, il s'affaisse sur ce qui lui semble être un grand divan. Quelques secondes plus tard, son comparse le rejoint, ayant subi le même traitement.

D'interminables minutes de silence succèdent à leur relocalisation inattendue. La présence de leur bourreau se fait sentir alors que, intentionnellement, celui-ci les effleure à quelques reprises, comme pour ajouter à leur frayeur.

Les sacs recouvrant la tête de Paul Nolet et de Jasmin Hains se retirent enfin. Malheureusement pour les deux hommes, la pièce où ils se trouvent est plongée dans le noir. Bien qu'ils s'efforcent de percer les ténèbres, ils n'arrivent pas à discerner quoi que ce soit.

Nolet essaie de se lever, mais il est aussitôt repoussé avec une force inouïe. Le ravisseur est toujours présent. Les deux hommes se doivent donc de ne rien tenter pour s'enfuir. Le risque de se voir tabasser est trop grand. Ainsi attachés, ils n'ont aucune chance de rivaliser avec leur geôlier.

Tout à coup, un grand rectangle brillant apparaît à moins de quatre mètres des deux prisonniers. Un écran ! Il s'agit du grand écran d'un téléviseur qui, pour l'instant, ne leur renvoie aucune image. Pourquoi une telle mise en scène ? Ni l'un ni l'autre n'a la moindre idée de ce qui se passe. Il s'agit, à coup sûr, d'une plaisanterie. Mais, de toute évidence, d'une très mauvaise plaisanterie.

Une forme humaine s'approche de l'appareil. Hains et Nolet plissent les yeux pour minimiser la brillance des rayons projetés par l'écran télé dans l'espoir de discerner les traits de la personne inconnue. Malgré les efforts fournis, la silhouette garde tout son mystère.

Pourtant une autre réalité vient frapper de plein fouet les deux prisonniers. Ils ne sont pas détenus par un seul geôlier, mais par deux car, sans aucune délicatesse, quelqu'un leur arrache le ruban adhésif qui, jusqu'ici, les tenait au silence.

— Détachez-nous immédiatement, hurle rageusement Paul Nolet.

— Vous n'avez pas le droit de nous garder ainsi, renchérit Jasmin Hains.

— Vous allez payer cher cet affront. Je vous jure que vous allez le regretter.

Pendant encore plusieurs minutes, les deux hommes ne cessent d'invectiver leurs agresseurs, alors que ceux-ci restent sans broncher. À deux reprises, Hains essaie de se lever, mais à chaque fois, des mains puissantes le forcent à se rasseoir.

Sur l'écran de télévision, des images apparaissent enfin. Des images en noir et blanc. Les deux hommes cessent tout mouvement. Leurs regards se fixent sur l'écran. Plus aucun mot ne sort de leur bouche.

Une femme nue est allongée sur un lit alors que deux hommes l'agressent sexuellement avec une bestialité inacceptable. Malgré que la scène soit des plus dégradantes, la quadragénaire demeure étrangement impassible, n'offrant aucune résistance, ne se limitant qu'à quelques grimaces de douleur à l'occasion. De temps à autres, elle tente de participer à la sauterie, mais le manque de coordination de ses gestes n'arrive qu'à faire rigoler les deux lascars, alors qu'elle semble sourire également.

— Pourquoi nous passer ce DVD, s'écrie tout à coup Nolet ? Elle était consentante, la salope ! Nous n'avons rien à nous reprocher. La cour nous a reconnus innocents.

— Laissez-nous partir. Vous faites erreur !

La pièce s'éclaire brusquement. Les prisonniers ferment presque totalement les yeux pour éviter d'être éblouis. Deux secondes plus tard, soulevant leurs paupières, ils aperçoivent enfin la personne se tenant bien droite près du téléviseur. C'est la femme de la bande vidéo. Celle avec qui ils se sont payés une nuit torride.

— Judith ! Qu'est-ce que ça veut dire ?

— Le temps de payer est tout simplement arrivé.

— Tu ne peux pas faire ça. Nous sommes tes amis. Il y a eu un malentendu, mais nous…

Hains n'a pas le loisir de terminer sa phrase. Un nouveau ruban adhésif vient souder ses lèvres. Nolet tourne la tête au moment où lui aussi se voit privé de parole.

Derrière eux, un homme, de taille imposante et à la tête recouverte d'une cagoule, pose sur eux un regard ne reflétant aucune expression, alors qu'il retire une feuille, pliée en trois, de la poche arrière de son jeans.

Les yeux affolés des captifs voyagent de la dénommée Judith jusqu'au cagoulé. Ils ne sont pas coupables. La justice a été rendue l'an dernier. Pourquoi les punir de la sorte ? Et de quelle punition s'agit-il ?

Le bourreau prend une grande inspiration alors qu'il déplie la feuille pour la placer à la hauteur de ses yeux.

« Jasmin Hains et Paul Nolet, vous êtes accusés d'avoir, pendant de nombreuses années, procédé à de l'intimidation envers Martial Pilon, un de vos collègues de travail.

Jasmin Hains et Paul Nolet, vous êtes accusés d'avoir, à son insu, fait ingurgiter du GHB à madame Judith Pilon, ici présente, et de vous être servi d'elle pour assouvir vos bas instincts. Pire que des animaux.

Jasmin Hains et Paul Nolet, vous êtes accusés d'avoir filmé vos ébats sordides avec madame Judith Pilon et d'avoir donné cet enregistrement à son mari, Martial Pilon, pour lui faire croire que sa femme le trompait.

Jasmin Hains et Paul Nolet, vous êtes accusés d'avoir assassiné monsieur Martial Pilon, puisque celui-ci, ayant sombré dans une profonde dépression suite à vos agissements, s'est enlevé la vie.

Refusant le verdict dc la cour vous innocentant, Judith Pilon a demandé à moi, l'éliminateur d'ordures, qu'une nouvelle sentence soit prononcée : Compte tenu des faits aggravants qui vous sont reprochés, Jasmin Hains et Paul Nolet, vous êtes condamné à expier vos fautes par la souffrance jusqu'à ce que la mort ait pitié de vous ».

Les hurlements de terreur sont étouffés par le ruban adhésif. Les torsions frénétiques de leurs corps sont bientôt freinées par des fils de laiton que le justicier enroule, à une extrémité, autour de leur gorge, alors que l'autre est fixé à l'arrière du divan. Cette opération n'a pour but que de leur interdire de se lever, sans toutefois causer l'asphyxie.

Les deux prisonniers atteignent en peu de temps le paroxysme de la peur. Leurs yeux tournent, avec affolement, dans tous les sens, si bien que leur coordination s'en trouve affectée.

Le cagoulé se saisit de deux bouteilles de verre, posées sur une petite table au bout du fauteuil, puis, après avoir débouché les contenants, vient prendre place derrière les condamnés. Solennellement, le bourreau tend les bras, de façon à ce que les flacons soient au-dessus des deux hommes, puis, lentement, les incline.

L'épouvante est au maximum lorsque le liquide incolore atteint les parties génitales des sentenciés. Instantanément, un nuage de fumée apparaît, alors que la peau semble se dissoudre. L'acide sulfurique fait son œuvre. À la grande satisfaction de Judith Pilon qui observe la scène avec un malin plaisir.

Tout à coup, le son d'une sirène se fait entendre. Puis un second vient se greffer au premier. Le bourreau s'élance vers l'une des grandes fenêtres et en écarte les rideaux. Cinq étages plus bas, quatre voitures de police arrivent en trombe et s'immobilisent dans des crissements de pneus. Quelqu'un les a avertis de ce qui se passe dans cet immeuble. Qui peut l'avoir dénoncé, alors que personne n'est au courant de cette affaire ? De retour devant les victimes, qui n'ont cessé de se tordre, l'éliminateur vide complètement le contenant des flacons dans la figure de ces derniers. Les cris se transforment soudain en d'horrible gargouillis.

— Vite, madame ! Faites ce que vous avez à faire. Le temps presse.

Judith Pilon regarde l'homme à qui elle a confié la tâche de venger la mort de son mari, puis tourne les yeux en direction des intimidateurs qui ont sombré dans l'inconscience. Ils ont, enfin, été punis. La justice est rendue.

— Merci pour tout. Sauvez-vous.

La quadragénaire se retourne vivement, s'empare d'un petit tabouret de métal d'environ soixante centimètres de hauteur, puis, dans un même mouvement, elle frappe violemment la vitre de la grande fenêtre se trouvant près d'elle. L'homme ne tente même pas d'intercepter la malheureuse. Celle-ci se lance, sans hésitation, dans le vide.

Abasourdi par ce geste, non pas de détresse, mais de résignation à ne pas vivre dans la solitude, le cagoulé se laisse choir sur les genoux. Il croyait sincèrement, malgré qu'elle en ait fait la promesse, que cette femme n'irait pas jusque-là. Elle avait encore beaucoup de belles années à vivre, mais elle a décidé de mettre fin à ses jours pour rejoindre l'amour de sa vie que deux êtres ignobles ont incité au suicide. Comment ont-ils pu ainsi décider du sort de deux innocents ? Cependant, ses actions passées ne sont guère plus reluisantes. Tôt ou tard, il devra se remettre en question, sinon il finira sa vie derrière les barreaux, ou, pire, six pieds sous terre.

Quoi qu'il en soit, le geste de cette femme ne l'aidera pas dans son projet. Au contraire, en s'éliminant elle-même comme témoin, elle vient de mettre le plan en danger.

*

En quittant la pièce, le cagoulé remarque que la porte est légèrement entrebâillée et que, dans la pénombre du corridor, une silhouette humaine, est plaquée contre le mur d'en face. Dans la main de celle-ci, un petit rectangle brillant lui fournit l'explication sur son interrogation, à savoir comment les policiers ont été alertés.

— Ne me faites pas de mal. Je ne suis que le concierge.

L'homme lui arrache son cellulaire des mains et le fracasse aussitôt sur le plancher. Il est tenté de frapper l'imbécile qui l'a dénoncé, mais il se ravise, admettant qu'il aurait agi de la sorte s'il avait été à sa place. De plus, il vient de se substituer à Judith Pilon, comme témoin.

Sans s'attarder davantage, après avoir ouvert la porte du cinquième palier, il s'élance dans l'escalier menant au quatrième. Pas question de se rendre à l'escalier de secours. À cause de sa trop longue hésitation, des policiers ont sûrement été dépêchés pour intercepter quiconque s'aviserait de l'utiliser.

Le fuyard jette un coup d'œil à l'ascenseur avant de s'engager dans l'escalier menant au troisième étage. Le voyant lumineux indique que la cage vient d'atteindre le second étage. Dans à peine trente secondes, des policiers atteindront, eux aussi, le troisième.

Plus de temps à perdre. Une fois sur le palier du troisième étage, l'homme s'élance dans un long corridor parsemé de nombreuses portes fermées. L'une d'entre elles doit forcément être déverrouillée. C'est sa seule chance d'éviter d'être capturé.

La porte de l'ascenseur s'ouvre. Elle n'est qu'à quelques mètres du fuyard. Dans sa main, la poignée qu'il vient à peine de saisir tourne miraculeusement. Avec la rapidité de l'éclair, il s'engouffre dans la pièce lui offrant son asile et referme silencieusement la porte derrière lui.

Appuyé contre le mur, l'homme retient sa respiration. Tous ses sens aux aguets, il décèle des pas furtifs dans le corridor, puis, aussitôt, le silence se réinstalle. Il s'en est vraiment fallu de peu pour qu'il se fasse coincer par les policiers.

Il ne peut tout de même pas demeurer dans ce bureau très longtemps, car chaque pièce de l'immeuble sera inspectée d'ici peu. Sa seule chance d'échapper aux policiers est de se rendre au sous-sol.

Chapitre 42

La presque totalité de l'immeuble à bureaux a été inspectée sans que la présence d'un intrus ne soit détectée. Le concierge, Thomas Coutu, frôlant la quarantaine, a affirmé que l'homme, portant une cagoule noire sur la tête, s'est engagé dans l'escalier menant au quatrième, mais sans plus. Il ne l'a pas suivi, de peur d'être agressé.

— A-t-il dit quelque chose ? Pourriez-vous reconnaître sa voix ?

— Il n'a absolument rien dit, répond le concierge. Il y avait une telle haine dans ses yeux que je suis resté pétrifié par la peur. Je suis désolé de ne pas pouvoir vous aider davantage.

— Ne le soyez pas. Tout le monde aurait eu la même réaction. Avez-vous remarqué la couleur de ses yeux ?

— Bleu pâle, je crois. Bleu tirant sur le gris. Oui, c'est ça, bleu-gris.

Marianne referme son calepin de notes. Un homme aux yeux bleu-gris, portant cagoule, fait remonter en elle un mauvais souvenir. Elle espère de tout cœur errer dans ses suppositions. Elle refuse d'avoir à se mesurer à celui envers qui elle a une si grande affection. Les coïncidences sont souvent trompeuses. De plus, le crime n'est pas signé. Ce qui, en quelque sorte, disculpe son ami Régi, puisque celui-ci a toujours revendiqué ses actes.

Marianne secoue la tête. Un détail refait surface dans sa mémoire. Le lynchage des quatre hommes, à Beauport, n'a également pas été revendiqué. Pourtant, tout porte à croire que Simard est le coupable.

Non. La revendication ne tient plus la route. Régi le faisait simplement pour mêler les cartes, afin que Léopold Donovan soit accusé de ses… éliminations. C'est en fait l'une des raisons qui font croire à Marianne que Régi n'est pas l'assassin de la sœur de Donovan puisque le frère de celle-ci est mort. Malheureusement, le fait que les meurtres qui viennent d'être perpétrés ne soient pas signés pourrait mettre Régi en cause.

— Nous arrivons du cinquième, dit Robert Beaulac après avoir posé une main sur l'épaule de sa chef. Les deux hommes n'ont pas survécu. Sûrement un règlement de compte.

— Ils ont été brûlés à l'acide sulfurique, explique France dont la figure est blême comme celle d'un cadavre. C'est vraiment affreux. C'est probablement le tueur, lui-même, qui s'est aussi débarrassé de la femme en la jetant du cinquième étage.

— Pas de supposition, France. Il va falloir reconstituer la scène, pour mieux comprendre ce qui s'est passé.

— Désolée, Marianne. Je suis encore sous le choc. Je n'ai jamais été confrontée à des meurtres aussi effroyables.

— Tu vas t'y faire, intervient Xavier d'une voix légèrement enjouée. Depuis un bon bout de temps, le district de Sainte-Jasmine est le terrain privilégié des assassins.

D'un geste de la main, Marianne incite Tulane à ne pas continuer sur sa lancée. Le moment n'est pas idéal pour faire l'énumération des crimes abominables qui sont responsables du climat morbide dans lequel Sainte-Jasmine est plongée. Bob et France auront tout le temps voulu pour prendre connaissance de l'histoire criminelle de la ville. Pour l'instant, ce qui importe, c'est de résoudre le double ou le triple meurtre qui vient de survenir.

Marianne repose les yeux sur le concierge, encore présent. Il est visiblement choqué par tout ce qui vient de lui arriver et il a certainement très hâte de quitter cet endroit.

— Qui est locataire de ce bureau?

— Personne. Du moins, on ne m'a pas avisé qu'il avait été loué. Hier encore, il était complètement vide. C'est d'ailleurs pour cette raison qu'il n'y a aucun recouvrement sur le plancher de béton. Faudrait voir avec le propriétaire pour plus de renseignements. Je ne sais rien de plus que ce que je vous ai dit.

L'inspectrice garde le silence un long moment avant de donner congé au pauvre concierge. Cependant, elle lui indique qu'il doit demeurer à leur disposition et qu'on exigera de lui qu'il fasse une déposition complète sur ce qu'il a vu. Cela peut toutefois attendre au lendemain.

— Je ne serai pas ici, ce soir, affirme Coutu. Je dois me rendre chez mes parents qui traversent un mauvais moment. Je ne reviendrai qu'assez tard dans la nuit.

— D'accord, c'est noté.

Trois minutes plus tard, les quatre inspecteurs atteignent le rez-de-chaussée. Un agent a été placé devant la porte d'entrée pour interdire l'accès à qui que ce soit. Il en est ainsi pour chacune des portes de l'immeuble. Personne n'entre, personne ne sort. À moins, bien sûr, de faire partie du corps policier de Sainte-Jasmine.

Dehors, le véhicule de la morgue attend patiemment qu'on lui permette de prendre en charge le cadavre de la pauvre femme, littéralement empalé sur l'un des poteaux de métal d'une clôture en fer forgé. Quatre hommes, vêtus de blanc, s'affairent présentement à retirer, avec le plus grand respect possible, le corps de l'infortunée.

— Je veux connaître son identité le plus rapidement possible, exige Marianne en posant un regard empreint d'une légère colère sur Xavier.

— Tu l'auras en même temps que ceux d'en haut, répond prestement le jeune homme, conscient d'avoir usé d'un peu trop de sarcasmes depuis ce matin.

Marianne hoche la tête en signe de contentement. Bien sûr que Tulane l'a un peu exaspérée avec les allusions qu'il s'est permis de faire tout au long de la journée. Mais elle n'a pas le droit de lui faire porter seul le chapeau pour son manque de patience. Intérieurement, elle est déchirée. La note trouvée sur le corps de Rita Donovan et le fait que le meurtrier du

1414, Dubois, ait porté une cagoule noire, semblent influencer négativement son comportement. Cependant, son plus grand souci est que Réginald Simard soit, possiblement, l'auteur de tous ces meurtres.

— Je suis désolée, souffle-t-elle, en posant une main sur l'épaule de Xavier. Je suis à bout. Mon premier mois, comme chef, n'a pas été de tout repos. J'ai besoin de me détendre un peu.

— T'en fais pas pour ça. Je comprends très bien. J'ai, moi-même, trop insisté pour que le souvenir de Régi revienne te hanter. Après tout, nous savons très bien que Lédo n'est plus. N'est-ce pas ?

Marianne est sidérée, une fois de plus, par le sarcasme de Tulane. Il ne cessera donc jamais de lui faire savoir qu'elle n'est pas la seule à connaître la vraie identité de Lédo ? Il est temps qu'elle ait une sérieuse discussion avec le jeune homme, pour éclaircir certains points qu'il ne semble pas comprendre. À moins que celui-ci ne sache des choses qu'elle ignore.

— Inspectrice Latreille !

Marianne se retourne vivement en direction d'un agent qui accourt vers elle. C'est un tout jeune homme qui doit, sans doute, en être à l'une de ses premières sorties comme policier. Ce qui explique qu'il ait l'air si excité. On lui aurait annoncé la fin du monde qu'il ne le serait pas moins.

— Qu'y a-t-il ?

— Inspectrice Latreille, dit aussitôt le policier en haletant, le garde qui surveillait la porte, de l'autre côté de l'immeuble, a été assommé. On a retrouvé ça, à une dizaine de mètres plus loin, sur le trottoir. Je crois que notre homme a pris la fuite.

L'agent tend une cagoule noire à Marianne. Malgré les grimaces qui affligent son visage, le jeune homme semble fier de fournir cet important détail à la chef de l'équipe des inspecteurs.

Marianne laisse tomber les bras le long de son corps, en signe de désolation. Pourquoi est-ce à elle que tous ces malheurs arrivent ? D'un geste de la main, elle invite Xavier à prendre immédiatement des mesures pour que l'on tente de rattraper le fuyard. Si fuyard il y a, bien sûr.

— Vous êtes venu jusqu'ici en courant ?

— Oui, répond l'agent avec un brin d'orgueil dans le ton de sa voix. J'ai fait le plus vite possible pour vous apporter la preuve que l'assassin a quitté la place.

— Une preuve. Oui, en effet. Une preuve, ou plutôt une pièce à conviction que vous avez déplacée. Que vous avez probablement altérée. J'espère, pour vous, qu'il reste encore des cheveux dans cette cagoule pour nous permettre de faire des recherches d'ADN. De plus, savez-vous que le téléphone existe ? Un simple appel à votre supérieur nous aurait sans doute permis de gagner un temps précieux. Dans une telle situation, le temps est notre principal allié. Vous n'avez pas appris ça à l'école de police ?

— Oui, bien sûr, répond le jeune homme, tout penaud d'avoir gaffé. Je suis vraiment désolé. J'ai commis une grave erreur. Je vous prie de me pardonner, inspectrice Latreille.

Histoire de se défouler davantage, la jeune femme est tentée d'ajouter d'autres commentaires cinglants à l'endroit du jeune policier. Cependant, le fait de le rabaisser n'arrangera en rien la situation. De plus, elle considère que sa réaction a certainement permis à l'agent d'être suffisamment conscientisé sur le fait de réfléchir avant d'agir.

— Reprenez votre poste. Et, s'il vous plaît, ne déplacez plus rien qui pourrait aider à l'enquête.

Le jeune homme hoche affirmativement la tête. Il a bien compris la leçon de l'inspectrice. Il ne répètera plus jamais cette erreur.

Marianne regarde le spectacle désolant se déroulant devant elle. Les quatre hommes en blanc transportent vers le véhicule de la morgue le corps désarticulé de la femme qui, avant de le hisser à bord, est enfermé dans un sac mortuaire.

« Je ne m'y ferai jamais, à ce genre de scène scabreuse, songe-t-elle ».

La nouvelle musique, indiquant un appel sur son cellulaire, se fait entendre. L'afficheur indique que c'est Xavier.

— Le gardien, qui a été assommé, n'a pas pu voir son assaillant. Il l'a surpris par derrière.

— Rien d'autre ?

— Malheureusement, non. Aucun témoin. La rue est déserte. Je suis désolé.

— Bon. Va falloir faire avec ce que nous avons. Il ne nous reste plus qu'à attendre le résultat des analyses qui seront effectuées sur les corps et dans la pièce où ils ont été trouvés. Il est tard, alors rentre chez toi. Nous nous reverrons demain matin.

Marianne n'attend pas que Tulane commente ses dernières paroles, elle coupe immédiatement la communication. Puis, tout en suivant des yeux le fourgon de la morgue qui vient de démarrer, elle se met lentement en marche.

Le trottoir est presque désert. Que quelques badauds qui quittent, à regret, la scène macabre, du genre dont ils sont si friands. Certains d'entre eux saluent l'inspectrice, d'un léger mouvement de tête.

Marianne tourne le coin de l'immeuble et longe le trottoir jusqu'à la prochaine intersection. Au bout de quelques minutes, la jeune femme se retrouve en face de la porte arrière de l'immeuble à bureaux. Un policier est toujours là pour en faire la surveillance. Curieusement, ce dernier ne lève même pas la tête à son arrivée.

— Bonjour. Vous savez où a été découverte la cagoule du meurtrier, demande Marianne tout en exposant son badge devant le gardien ?

Après un moment d'hésitation, le policier daigne enfin lever les yeux. Il n'a pas à regarder la plaque d'identification que Marianne lui présente. Il sait très bien qu'elle est la personne en charge de l'enquête.

— Là-bas, inspectrice Latreille, répond l'homme tout en pointant un doigt vers sa gauche. Environ, à la hauteur de la borne-fontaine. Une dizaine de mètres, à peu près.

La jeune femme reconnaît le policier qui lui a, innocemment, rapporté la dite cagoule. C'est lui qui a été chargé de remplacer celui qui s'est, si bêtement, fait surprendre par le meurtrier.

— Merci, dit simplement Marianne alors qu'elle s'est plongée dans une supposition, pour le moins, surprenante. Celle que le meurtrier peut très bien être retourné à l'intérieur après s'être débarrassé de sa cagoule.

Le jeune agent est soulagé de constater que l'inspectrice Latreille ne semble pas lui tenir rigueur de sa bévue. Avec respect, il se range sur le côté pour laisser entrer sa supérieure. Cette dernière le salue au passage et disparaît derrière la porte.

Pendant quelques secondes, Marianne demeure immobile. Devant elle, un long couloir, parsemé de plusieurs portes, s'allonge sur une distance de près de quarante mètres. À sa droite, un escalier mène au premier sous-sol. Selon Xavier, même à ce niveau, l'inspection des lieux n'a rien donné. Pourtant, poussée par son intuition, Marianne emprunte l'escalier et, au bout d'une quinzaine de marches, elle se retrouve dans un autre corridor. Celui-ci est beaucoup moins éclairé. Les murs sont ternes, sans couleur, le plancher est de béton peint en gris et, comme pour rendre l'endroit encore plus lugubre, il n'y a que quelques ampoules, de basse puissance, qui servent de luminaires. Un manque de respect flagrant, selon Marianne, vis-à-vis les employés œuvrant dans cet édifice.

Les premières portes que la jeune femme tente d'ouvrir s'avèrent être verrouillées. La seconde et la troisième le sont également. Ce n'est qu'à sa cinquième tentative qu'elle obtient enfin du succès.

Une lumière diffuse révèle que cette pièce est une chambre à coucher, combinée à une cuisinette. Le désordre qui y règne est désolant. Du moins, pour quelqu'un qui a horreur de ce genre de fouillis. Marianne fait quelques pas en se faufilant entre une petite table remplie de bouteilles de bière vides et un panier à linge sale. Le lit, défait, ressemble à un champ de bataille et, près de l'un des oreillers, gît un string en dentelle rouge. L'inspectrice esquisse un sourire.

Dans un coin du petit comptoir de la cuisinette apparaît tout un éventail de produits de toilette destinés à un homme. Il s'agit donc de la chambre d'un homme. D'ailleurs, les photos de femmes nues, épinglées aux murs, le laissaient prévoir, même si ce détail peut parfois porter à confusion.

Marianne rebrousse chemin pour se retrouver une fois de plus dans le corridor. Un peu plus loin, une autre porte lui permet d'entrer dans une seconde chambre, semblable à la première, sauf que cette fois-ci, l'ordre est au rendez-vous. Rien ne traîne. Par contre, accroché à la tête du lit, un soutien-gorge de dentelle rouge arrache un large sourire à la policière. Il appert que les locataires de ces chambres sont en très bon terme et qu'ils ont un loisir en commun.

L'inspectrice referme la porte derrière elle. Les quatre suivantes refusent de la laisser entrer. Elle devra donc, pour continuer son inspection, demander au concierge d'utiliser son passe-partout. Le pauvre homme est déjà parti pour se rendre chez ses parents. Déçue, Marianne secoue la tête. Elle aurait bien voulu jeter un œil, ce soir même, à toutes ces chambres. Sa petite voix intérieure le lui suggère fortement, d'ailleurs. Elle devra néanmoins attendre, mais des agents devront se relayer devant chacune des portes de l'édifice jusqu'à ce que l'inspection des lieux soit terminée

Une fois sur le trottoir, la jeune femme se remplit les poumons d'air frais, puis se met en marche afin de rejoindre son véhicule, stationné à l'avant de l'immeuble. Dans sa tête, elle songe déjà au rapport qu'elle aura à présenter à Dominique Brunet. Heureusement, Vincelette n'est pas très présent dans le district, alors ce sera Roux qui prendra connaissance de ce rapport. Roux est plutôt condescendant, mais c'est un homme qui n'a aucune aptitude comme dirigeant. Tout le monde se demande bien d'ailleurs pourquoi Marcel Vincelette l'a choisi comme adjoint. Peut-être parce qu'il avait de la facilité à le manipuler. Cette pensée arrache un sourire à l'inspectrice.

De l'autre côté de la rue, dissimulée dans un recoin de pénombre, une silhouette se détache, puis s'avance d'un pas alors que Marianne s'éloigne. L'homme à la gabardine brune et au chapeau de même couleur ouvre la portière d'une Audi noir et s'y engouffre.

Chapitre 43

Dès les premières lueurs du jour, Marianne se pointe à son bureau. Une fois un café en main, elle retire l'un des dossiers contenus dans son porte-documents. Un dossier à la couverture noire. Elle aurait dû, depuis longtemps, en prendre connaissance de façon plus approfondie au lieu de les parcourir de façon superficielle. Elle s'en veut de ne pas y avoir porté un plus grand intérêt. Pourtant, les agissements de Réginald Simard ne sont pas à prendre à la légère. Si, bien entendu, les derniers meurtres à survenir dans le district lui sont tous imputables.

Si tel est le cas. Comment devra-t-elle réagir ? Elle ne peut tout de même pas mener une chasse sans merci à son ancien patron et ami ! Pourtant, il en va de son devoir de traquer les criminels, de les arrêter et, si elle n'a pas le choix, elle doit les abattre, pour ne plus qu'ils commettent de méfaits. Voilà le problème, Régi ne s'attaque pas aux innocents. De plus, jamais elle ne se résignerait à faire feu sur son ami.

La jeune femme parcourt lentement le dossier numéro deux. Elle se sent blanchir. Trois ans auparavant, deux hommes ont été exonérés de tout blâme après avoir été accusés de viol sur la personne de Judith Pilon. Le juge avait conclu en disant que la preuve n'avait pas été faite hors de tout doute raisonnable et que la femme devait être consentante à avoir des rapports sexuels avec les accusés. Pourtant, dans le dossier, Régi indique que les deux suspects avaient, pendant des mois, fait de l'intimidation envers le mari de Judith Pilon et étaient allés jusqu'à filmer le viol pour que le mari puisse le visionner. Le juge avait, à ce moment-là, insinué que Martial Pilon pouvait être également un acteur de cette scène de mauvais goût. Que c'était peut-être même lui qui tenait la caméra. Rien dans les preuves apportées par son avocat ne venait le disculper de sa complicité possible. Le juge avait même insisté sur le fait que les deux accusés et le mari de Judith Pilon, étaient des compagnons de travail et qu'ils se côtoyaient chaque jour. Aucun autre employé de la compagnie de fabrication de meubles de Sainte-Jasmine, n'avait apporté de mauvais commentaire sur les relations qu'entretenaient les trois hommes.

Martial Pilon s'est suicidé quelques mois après ce verdict éhonté et sa veuve avait sombré dans une dépression sévère.

Aussitôt le jugement rendu, Jasmin Hains et Paul Nolet avaient repris leur petit train-train quotidien, comme si rien de tout cela ne s'était produit.

Une petite coupure de journal glisse sur le bureau. Un mot de Judith Pilon qui déplore que la justice n'a pas été rendue dans l'affaire qui a conduit son mari à s'enlever la vie. Un message dont le contenu ressemble étrangement à celui confiné dans le dossier des violeurs de Beauport.

Marianne bascule vers l'arrière dans son fauteuil. L'évidence lui saute aux yeux. Les explications contenues dans ce maudit dossier viennent de condamner Régi. Il lui a révélé, lui-même, qu'il avait des dossiers à régler à Sainte-Jasmine.

Il est à considérer, également, que celui de Rita Donovan en faisait peut-être partie, même si aucune preuve écrite ne l'indique. En contrepartie, le mot LÉDO, était affiché sur son corps.

— Tu me sembles bien songeuse, Marianne.

L'inspectrice sursaute. Xavier est devant elle. Sur sa figure, elle peut lire un mélange d'inquiétude et de malaise. Il a sûrement fait le lien entre le meurtre perpétré la veille et le mode opératoire de Régi. Marianne n'a jamais réellement cru le jeune homme lorsqu'il jurait n'avoir pas lu les dossiers noirs avant de les lui remettre. Lorsqu'elle lui en glisse un mot, il se contente de baisser la tête.

— Qui d'autre est au courant ?

— Je viens de croiser Dominique. Il ne semble pas avoir fait le rapprochement entre ces deux meurtres et…

— Très bien. Je veux que cela reste entre nous. D'ailleurs, nous n'avons pas de preuve formelle de la culpabilité de qui nous savons concernant ces meurtres.

— Tu joues avec le feu, Marianne. En fait, tu joues ta carrière en gardant pour toi le secret des dossiers noirs. Lorsque les patrons vont apprendre que tu étais au courant que Régi n'a pas cessé ses agissements de justicier, je ne donnerai pas cher de ta peau.

— Justement, Xavier. Il s'agit de ma peau…

— Et de la mienne aussi. N'oublie pas que je suis impliqué autant que toi dans cette affaire. Je suis ton complice.

— Je prendrai tout le blâme. T'en fais pas. Tu n'as jamais vu ces dossiers noirs. Est-ce bien compris ?

Tulane serre les lèvres tout en grimaçant avec affliction. Il sait très bien que Marianne affirmera être la seule responsable et qu'elle acceptera la réprobation de ses supérieurs. Vincelette ne se gênera surtout pas de faire en sorte qu'elle soit condamnée pour complicité de meurtres. Il n'a jamais apprécié qu'une femme puisse occuper un poste d'inspectrice. Que celle-ci soit, de surcroît, chef d'équipe, est une chose presque impensable. N'eût été des pressions faites par le ministre de la justice pour que les femmes puissent occuper des postes, jusqu'ici, réservés aux hommes, il ne se serait jamais plié à la demande de Dominique.

Xavier contourne lentement le bureau de sa chef et pose une main amicale sur l'épaule de cette dernière, pour la réconforter. Marianne en est touchée. Ce genre de tendresse lui manque de plus en plus. Elle aurait bien besoin de décrocher, de temps à autres, de son boulot. Même si, en fait, elle n'occupe son poste de chef d'équipe des inspecteurs que depuis moins de six semaines, ces dernières ont cependant été meublées, et ce, malgré une assez longue période de convalescence, d'un véritable tourbillon d'événements, tous aussi stressants les uns que les autres. Elle se doit absolument de décompresser. Comment ? Cela reste encore à voir. Mais pour l'instant, elle a d'autres chats à fouetter.

— Si tu as besoin de te changer les idées, je suis là, dit le jeune homme d'une voix emphatique. N'hésite pas.

— Merci de ta sollicitude, Xavier. Ça me fait chaud au cœur.

Marianne détourne le regard pour le fixer sur le dossier noir gisant sur son bureau. Il ne lui sert à rien de de se culpabiliser davantage. Elle aurait dû l'étudier plus minutieusement, mais elle ne l'a pas fait. Une bévue qu'elle se doit d'éviter dorénavant.

— Prends ça, lance-t-elle à Xavier en lui tendant son porte-documents. Il y a encore trois dossiers là-dedans qui n'ont pas été finalisés par… le justicier. Je veux que tu me retrouves toutes les personnes vivantes qui sont consignées dans ces dossiers. Je veux un rapport sur chacun de ces cas, m'indiquant les noms et adresses de tous ceux qui ont été inculpés, de quelque façon que ce soit, pour un crime et qui se retrouvent présentement en liberté. Je veux aussi les noms et adresses des proches des victimes.

Xavier sourit. La pause tendresse aura été de très courte durée. Il se saisit donc du porte-documents en assurant Marianne de son dévouement dans la mission qu'elle lui confie. Et, bien sûr, il lui réitère la promesse solennelle de garder le secret.

— S'il te plaît, je t'en conjure, fais le plus rapidement possible. Avant que d'autres meurtres ne soient commis. Peu importe l'endroit. C'est de notre devoir de neutraliser le coupable.

— Et peu importe qui ?

— Peu importe qui, oui, Xavier, souffle l'inspectrice.

Tulane hoche la tête et, sans rien ajouter, il tourne les talons pour se diriger vers son propre bureau. Marianne le suit des yeux, un instant, avant de les fermer pour mieux réfléchir à ce qu'elle doit faire. Il existe certainement une stratégie à adopter dans une situation pareille. Établir une liste des priorités serait un bon départ.

Au bout d'une quinzaine de minutes de réflexion, la trentenaire soulève enfin les paupières, puis se saisit du combiné téléphonique.

— France ! Toi et Robert, allez retourner au 1414, Dubois. Je veux que toutes les chambres se trouvant au sous-sol soient inspectées avec les plus grands soins. Je soupçonne que le meurtrier s'y soit réfugié, alors que nous inspections les étages supérieurs. Interrogez également les locataires. Ils ont peut-être remarqué une intrusion quelconque dans leur chambre. Aussi, je veux connaître le nom du locataire du bureau où ont été commis les crimes. À mon avis, ce n'est pas possible que quelqu'un ait apporté un divan et un téléviseur sans laisser aucune trace.

Marianne s'interrompt. Un téléviseur. Mais oui, les victimes faisaient face à un téléviseur accompagné d'un lecteur DVD.

— Je veux aussi que vous vérifiiez si un DVD se trouve dans le lecteur, près du téléviseur. Si tel était le cas, apportez-le moi le plus tôt possible.

Au moment où Marianne coupe la conversation, la secrétaire du poste se pointe dans l'embrasure de la porte et, en tendant une main devant elle, lui exhibe une enveloppe blanche. L'inspectrice l'invite aussitôt à entrer.

— Un jeune garçon d'une dizaine d'années est venu déposer ça sur mon bureau. Ensuite, il a foutu le camp, comme si le diable était à ses trousses. Le temps de me rendre à la porte, il avait disparu. Je n'ai même pas vu de quel côté il est parti. L'enveloppe vous est adressée.

Marianne se saisit de la missive. Son nom est écrit en lettres capitales.

— Merci, Jeanne.

— Renée-Jeanne, reprend la jeune secrétaire.

Marianne fronce les sourcils en levant un regard interrogateur sur sa vis-à-vis.

— Oui. En fait, si mes parents avaient voulu qu'on m'appelle Jeanne, ils ne m'auraient pas donné le nom de Renée-Jeanne. Je sais qu'il est un peu long, mais j'aime bien que les gens respectent leur choix. Par contre, si vous préférez vous en tenir à Jeanne, je m'y habituerai.

— Tu as raison. J'en prends bonne note. Je te remercie pour la leçon.

Tout en hochant la tête, la jeune secrétaire sourit et quitte le bureau de l'inspectrice Latreille pour laquelle elle a une certaine admiration.

Marianne s'empresse d'ouvrir l'enveloppe. Cette dernière ne contient qu'un simple carton de la dimension d'une photo. Un carton qui, néanmoins, jette un voile de grande déception dans l'esprit de la jeune femme.

« Hains et Nolet ont enfin payé. Justice est rendue. LÉDO ».

Cette fois, c'est clair : s'il subsistait le moindre doute par rapport à la culpabilité de Simard dans le cœur de Marianne, celui-ci vient de se volatiliser par une courte phrase. Mais pourquoi Régi agit-il de la sorte ? Tout se mélange dans la tête de la jeune femme. Elle est totalement désorientée.

Elle n'a plus le choix. Malgré qu'elle vienne tout juste de demander à Xavier de se taire sur cette affaire, Marianne se voit dans l'obligation de dévoiler son terrible secret. Donc, le temps est venu de révéler à ses supérieurs les revendications de Réginald Simard. Sa vision s'embrouille. De l'index replié, elle tente d'essuyer ses larmes, mais, au bout d'un moment, elle doit se résigner à utiliser un papier mouchoir.

Le moment qu'elle craignait le plus au monde est malheureusement arrivé. La dénonciation de l'homme qu'elle aime.

Un amour impossible, peut-être, mais un amour tout de même. Si seulement il avait décidé de mettre un terme à sa stupide quête, elle aurait pu, du moins avec le temps, passer l'éponge sur ses actes répréhensibles du passé. Ils auraient sûrement réussi à vivre un grand bonheur.

Il ne sert plus à rien de penser à une telle éventualité. Régi en a décidé autrement, malgré qu'elle l'ait imploré de se ranger, lorsqu'ils se sont rencontrés au Sabotier.

De plus, l'affaire Pilon n'est pas le sixième dossier dont Régi a fait allusion. Il est donc à prévoir qu'il y aura un, ou plusieurs autres morts. C'est inconcevable qu'un homme puisse ainsi se substituer à la justice en toute impunité, et cela, malgré le fait que ses victimes n'aient pas payé suffisamment pour leurs crimes.

Marianne se lève lentement, voire même péniblement, de son fauteuil. Pas question de révéler à Dominique la culpabilité de Régi par voie téléphonique. Cela doit se faire en face-à-face. Par surcroît, l'inspectrice sait pertinemment qu'elle subira les foudres de son patron qui n'appréciera sûrement pas son mutisme des derniers jours.

*

— Justement, je voulais te parler, lance aussitôt Brunet en apercevant Marianne apparaître devant lui. Je viens d'apprendre une chose pas mal étonnante.

— J'ai aussi à te dire des choses que tu trouveras, sans doute, étonnantes, enchaîne la jeune femme.

Dominique pose des yeux interrogateurs sur l'inspectrice. Immédiatement, il décèle une profonde désolation sur ses traits. Elle est visiblement perturbée par un événement grave. Le double ou triple meurtre de la veille ne peut sûrement pas être à l'origine de cette mine aussi déconfite.

— Qu'y a-t-il, Marianne ? Tu me sembles totalement anéantie. Il s'est passé quelque chose de malheureux ?

— Plus que tu ne le crois. Je me suis foutue dans la merde jusqu'au cou.

— À quel point de vue ? Personnel ou professionnel ?

L'inspectrice ferme les yeux un long moment pour se donner du courage. Dans quelques secondes, elle devra subir la colère de son supérieur. Ce dernier aura raison de la réprimander, même de la punir.

— J'ai omis, volontairement, de divulguer un détail dans l'affaire du meurtre de Rita Donovan.

— Quoi ? Tu as caché des preuves ? Je ne comprends pas. Ça ne te ressemble pas ça, Marianne !

— Je suis désolée. Je sais que j'ai mal agi. Crois-moi, je vais me rattraper.

Brunet s'accoude à son bureau, puis, du bout des doigts, se masse nerveusement le cuir chevelu. Tout à coup, ses poings s'abattent lourdement sur le meuble. Comme un enfant pris en faute, une faute grave, Marianne ose à peine le regarder, tellement le rouge de sa figure est effrayant. Il va sûrement exploser d'un moment à l'autre et sa colère se répercutera à travers tout le poste de police.

Cependant, contre toute attente, au bout de quelques secondes seulement, Brunet laisse tomber les bras de chaque côté, puis bascule dans son fauteuil. Ses traits, à l'allure si furieuse, se transforment en une grimace de déception. C'est lui qui a insisté avec tant d'ardeur auprès du directeur général, en suivant bien sûr les recommandations de son ami Réginald Simard, pour que Marianne soit la première femme à devenir chef d'équipe des inspecteurs du poste de Sainte-Jasmine. La déception qu'il ressent est incommensurable.

La seule pensée de devoir, à son tour, rendre des comptes à Marcel Vincelette l'effraie au plus haut point. Il devra, néanmoins, à l'instar de sa protégée, faire face à la musique.

— Alors. Qu'as-tu dissimulé ?

— Le meurtrier avait signé son crime. Enfin, rien ne prouve réellement que ce soit bien l'assassin, mais…

— Qui ?

Marianne hésite avant de répondre. Sa déclaration aura la même ampleur qu'un coup de canon dans l'esprit de Dominique. Elle ne peut cependant le ménager et, surtout, le soustraire une fois de plus à la vérité.

— Il y avait un carton. Le mot… « Lédo » était inscrit.

Cette fois, Brunet est atterré. Jamais il n'aurait cru, après les événements tragiques des derniers mois, que son ami Réginald Simard reprendrait du service comme justicier. Pendant l'espace d'un moment, il est enclin à se ranger à l'hypothèse de Marianne. Ce n'est pas parce que l'on a retrouvé le nom de Lédo épinglé sur un cadavre que ça fait, automatiquement, de Régi l'auteur du meurtre.

— Pourquoi, ne pas en avoir parlé ? Tu sais très bien, Marianne, qu'il en va de ton devoir de me mettre au courant de tout ce qui touche les enquêtes en cours.

— Je te l'ai dit. J'ai mal agi, voilà tout. J'espérais découvrir que Régi n'était pas coupable du crime de Rita Donovan avant de révéler ce détail.

— Tu as eu les résultats d'analyses des échantillons prélevés chez la victime ? Les empreintes de Réginald ont été relevées ?

— Non à tes deux questions.

— Alors. Dis-moi pourquoi tu te décides, aujourd'hui, à me faire part de ton petit secret ?

Marianne est totalement déboussolée. Tout était si clair dans sa tête lorsqu'elle est arrivée dans le bureau de Dominique. Maintenant, elle ne sait plus si c'est une bonne idée de parler des dossiers noirs. Encore une fois, elle devra essuyer de cinglants reproches. Ou, pire, elle se verra exclue du corps policier de Sainte-Jasmine. Cette fois, elle ne s'en remettrait sûrement pas.

— Tu m'as l'air encore pas mal perturbée, fait remarquer Dominique. Il y a autre chose qui te chicotte ?

— Si on peut dire, oui.

Sans toutefois révéler comment elle se trouve en leur possession, Marianne se décide enfin à partager avec son supérieurle secret de l'existence des fameux dossiers à la couverture noire. Ne voulant pas entrer dans tous les détails, la jeune femme lui en résume les grandes lignes. Bien entendu, elle n'a d'autre choix, en tendant le carton reçu un peu plus tôt, que de faire le rapprochement entre le règlement de compte de la veille et le dossier concernant Judith Pilon. Cependant, Marianne insiste sur le fait que jamais Lédo n'a fait de mal à une victime des assassins qu'il a exécutés. Cela ne lui ressemble pas du tout.

Brunet reste songeur un long moment. Il est visiblement très déçu de l'inspectrice. Cependant, il connaît l'attachement que cette dernière éprouve pour Réginald Simard, mais il ne croyait pas qu'il était si fort. À la lumière des révélations de la jeune femme, il prend conscience que c'est par amour qu'elle a agi ainsi.

— Comme tu l'as si bien dit quand tu es entrée dans mon bureau ; tu t'es foutu dans la merde jusqu'au cou. Je ne sais vraiment pas comment tu pourrais t'en sortir sans conséquence. Marcel Vincelette sera sans pitié pour toi. Tu le sais ça, hein ?

— Tout à fait. Il ne me porte déjà pas dans son cœur. D'ailleurs, il a peu de considération envers les femmes, quelles qu'elles soient.

Brunet se lève lentement de son fauteuil et pivote sur lui-même de façon à se retrouver face au mur sur lequel apparaît une petite toile. Un clown au regard triste qui semble le fixer. Cette peinture lui a été remise, il y a quelques années, par sa fille aînée. Chaque fois qu'il est contrarié, il se retourne vers ce personnage à l'accoutrement grotesque et lui demande, intérieurement bien sûr, de le guider dans ses décisions à prendre. Dominique sait pertinemment qu'une peinture ne peut le conseiller, mais il se plaît à se l'imaginer.

— Je te donne une semaine pour prouver que Réginald n'est pas coupable de ces quatre meurtres, dit soudainement Dominique en se retournant. Entre temps, si Vincelette découvre que tu as délibérément caché des preuves, je te demanderais de ne pas m'impliquer dans ta décision.

— J'encaisserai tous les reproches. Vincelette va sûrement me virer, mais je suis prête à faire face à cette situation.

— Et si Réginald est bien le responsable, est-ce que tu es prête à cette éventualité ?

C'est au tour de Marianne d'être songeuse. Bien sûr qu'elle y a pensé. Elle y pense constamment, d'ailleurs.

— Je me verrai dans l'obligation de l'arrêter, finit-elle par dire dans un souffle.

— Ce sera difficile, j'en suis conscient, mais ce sera pour son bien, dit Brunet pour la rassurer.

La jeune femme se retourne pour se diriger vers la porte de sortie. Elle s'immobilise un instant, puis, tout en tournant la tête légèrement, elle demande à Dominique à quoi il faisait allusion en lui affirmant avoir appris une chose étonnante ? Brunet secoue imperceptiblement la tête et lui répond que ça ne vaut vraiment plus la peine d'en parler. La chose la plus étonnante qu'il a apprise, c'est elle-même qui vient tout juste de lui apprendre.

Chapitre 44

France Graton frappe à quelques reprises à la porte d'un appartement du sous-sol de l'immeuble à bureau du 1414, Dubois. C'est le quatrième qu'elle s'apprête à inspecter. Les trois autres n'ont rien révélé à l'inspectrice. Les locataires n'avaient rien à dire sur ce qui s'est passé la veille, même que deux d'entre eux n'étaient même pas au courant, puisqu'ils étaient absents au moment des faits rapportés. Ils ne demeurent jamais sur place lors de leurs journées de congés, selon eux.

La femme de trente-trois ans récidive en y mettant un peu plus de conviction en frappant à la porte suivante. Il est quand même assez tôt et le locataire devrait répondre. À moins, bien sûr, qu'il ne soit, lui aussi, absent.

— Tu veux que j'aille chercher le concierge, demande Robert Beaulac. C'est le seul appartement pour lequel nous n'avons pas de réponse. J'aimerais mieux en finir au plus vite, pour ne pas avoir à revenir.

— Bien d'accord avec toi, répond la trentenaire aux cheveux d'ébène. Je préférerais, également, terminer cette inspection cet avant-midi.

L'inspecteur Beaulac tourne aussitôt les talons pour se diriger vers l'appartement du concierge se trouvant tout au bout du long corridor. À cette heure, le pauvre homme doit dormir puisque qu'il devait revenir chez lui assez tard dans la nuit. Cependant, Robert n'hésitera pas à le réveiller pour accomplir cette foutue inspection qui, selon lui, est inutile.

France entend un déclic. La porte s'entrebâille très lentement. L'occupant de la chambre doit vouloir s'assurer que les policiers ont quitté l'endroit. Il y a quelque chose de louche dans cette façon d'agir. Silencieusement, mais avec la rapidité de l'éclair, France se colle dos au mur, de façon à ne pas être aperçue. Elle décèle un chuchotement sans, toutefois, en comprendre le sens. Il s'agit d'une voix d'homme.

Un visage apparaît. C'est celui d'une jeune femme blonde dans la vingtaine. Son regard désemparé se dirige aussitôt vers Beaulac qui, après avoir frappé deux fois à la porte, attend une réponse du concierge.

— Il est là-bas, dit la blonde en disparaissant derrière le battant. Vous pouvez partir.

Dans un geste fluide, France dégaine son arme et, légèrement tremblotante, elle tend le bras, prête à stopper la fuite de l'inconnu. Ce dernier se pointe dans l'embrasure.

— Police ! crie fortement la policière, de manière à avertir son compagnon de la situation. Levez les bras.

Un homme chauve, de forte corpulence, se dresse devant l'inspectrice Graton qui se sent aussitôt transpercée par le regard haineux de l'individu, alors qu'une grimace de dégoût tord ses lèvres.

Tout cn grognant sa colère, l'homme lève lentement les bras mais, au moment où France détourne le regard pour s'assurer que Robert s'est bel et bien mis en branle pour lui venir en aide, l'armoire-à-glace la frappe violemment au bras pour lui faire perdre son arme. La manœuvre réussi à merveille. Le neuf millimètres de la jeune femme tombe au milieu du corridor et, du même coup, elle se sent entourée par le bras puissant du scélérat.

— Pas un geste, hurle le prévenu à l'endroit de Beaulac. Tu fais un pas dc plus ct jc lui tranchc la gorgc.

Apercevant la lame brillante d'un couteau, Robert n'a d'autre choix que de s'immobiliser. L'espace d'une seconde, il se culpabilise pour cette prise d'otage. Jamais il n'aurais dû laisser la jeune inspectrice seule.

— Lance ton arme loin derrière toi, cri le chauve avec hargne. Et celle de ta petite amie également.

Du pied, il pousse le revolver de France devant Robert. Ce dernier le ramasse lentement pour exécuter l'ordre du forcené.

— Ça ne sert à rien de vouloir vous enfuir, dit calmement Beaulac en se retournant vers l'homme. Tôt ou tard, vous serez appréhendé.

— Ta gueule. Je ne veux pas entendre ton sermon. Mets-toi à genoux. Et toi la bonniche, passe-lui les menottes.

Tout en ricanant, il pousse brutalement France qui doit s'appuyer sur les épaules de Robert pour ne pas chuter. Elle tourne un regard rempli de colère en direction de l'individu qui se contente de sourire tout en l'invitant, d'un mouvement de tête, à lui obéir.

Une fois Beaulac menotté, l'homme chauve avance d'un pas, puis saisit le bras de France pour la faire aussitôt tournoyer à vive allure. L'impact est brutal. La jeune inspectrice frappe de plein fouet le chambranle de la porte alors que cette dernière est toujours grande ouverte. L'espace d'une seconde elle ressent une intense douleur au front, puis c'est le néant, son corps s'effondre lourdement sur le plancher sur lequel apparaît déjà des gouttes de sang.

France reprend ses sens au bout de quelques secondes à peine. Péniblement, elle ouvre les yeux et aperçoit l'homme chauve qui atteint le haut de l'escalier menant au rez-de-chaussée.

— Tu vas bien, demande Robert d'une voix dénotant une grande inquiétude ?

— Ça peut aller, oui, répond Graton en portant une main à son front pour constater les dégâts.

— Le salaud. Il va le payer cher. Enlève-moi ces maudites menottes.

Une fois libéré, Robert court sur une longueur de plusieurs mètres, récupère son arme et celle de France, puis revient aussitôt vers cette dernière. D'un geste de la main, elle invite son compagnon à se lancer à la poursuite du fuyard. Beaulac n'en attendait pas moins de sa coéquipière et, sans perdre une seconde de plus, file tout droit vers l'escalier. Trois par trois, Robert gravit les marches de granit, puis s'élance vers la sortie pour se retrouver au beau milieu du trottoir.

Un éclat de voix parvient aux oreilles de Robert. Il tourne la tête vers la droite. À cinquante mètres, l'homme chauve est là, le dos presque appuyé contre le mur de l'édifice, le visage dirigé vers une auto stationnée en bordure du trottoir. Un homme, portant imperméable et chapeau de couleur brune, est debout près du véhicule, côté conducteur. La porte de l'Audi est restée grande ouverte.

Une fois la surprise passée, Robert se met alors en branle et fonce droit vers les deux hommes. L'inconnu au chapeau doit assurément être le complice du chauve, et en agissant le plus rapidement possible, il fera une pierre deux coups. À lui les honneurs !

Cependant, les secondes qui suivent ne se déroulement pas comme il l'espérait. Contre toute attente, le conducteur de l'Audi noire allonge le bras, armé d'un revolver et, sans même hésiter une fraction de seconde, appuie sur la détente à quatre reprises. Après un hurlement de douleur, le chauve s'abat sur le trottoir.

Avant même que Beaulac ne franchisse la moitié de la distance le séparant des antagonistes, le véhicule sombre démarre dans un crissement de pneus infernal. L'inspecteur pointe son neuf millimètres en direction de ce dernier. S'il pouvait, au moins, l'atteindre de deux ou trois projectiles, cela aiderait sûrement les policiers à le retracer. Malheureusement, au moment où il s'apprête à faire feu, il aperçoit, loin devant, des enfants qui déambulent sur le trottoir. Le risque est trop grand, une balle perdue pourrait atteindre l'un des gamins. Robert abaisse le bras.

*

— Votre nom, demande France à la jeune femme blonde ?

— Je n'ai rien à voir là-dedans, pleurniche cette dernière.

— Je vous demande votre nom ?

— Sabrina Dumont. Mais je ne connais pas cet homme. Je vous prie de me croire.

L'inspectrice examine rapidement la locataire alors que celle-ci s'est réfugiée dans un coin de la pièce, près d'un bureau sur lequel une lampe de chevet est allumée. Elle n'est vêtue que d'un long chemisier blanc. Le matériau diaphane ne laisse aucune équivoque quant à la nudité de la femme sous ce vêtement.

Outre sa tenue vestimentaire, France remarque une ecchymose sur l'une des pommettes de la dénommée Sabrina. Sa lèvre inférieure porte également une légère blessure. Ses cheveux sont en désordre et ses yeux rougis.

— Qui était cet homme ?

— Je ne sais pas qui il est. Vous pouvez me croire. Je ne le connais pas.

— Alors, que faisait-il dans votre appartement ? Car il s'agit bien de votre appartement, n'est-ce pas ?

— Oui, je vis ici.

— Donc ?

— Je suis rentrée à environ deux heures cette nuit. Ce salaud était déjà là. Il m'a frappée par derrière lorsque j'ai ouvert la porte. J'ai perdu connaissance.

— Comment est-il entré ?

— J'avais tout simplement oublié de verrouiller avant de partir.

— Ça vous arrive souvent, ça ?

—J'étais pressée et j'ai malheureusement oublié. Ça peut arriver à tout le monde, non ?

— Ensuite. Que s'est-il passé ?

La jeune femme fond en larme. Elle secoue la tête nerveusement, refusant de répondre à cette question. Pliant les genoux, elle se laisse lentement glisser jusqu'à se retrouver en position assise, sur le plancher. Dans ses yeux, l'inspectrice peut lire une grande détresse.

— Il vous a frappée ?

— Je voudrais ne plus parler de ça.

— Il le faudra, Mademoiselle Dumont. Je dois savoir ce qui s'est passé.

Sabrina ferme les yeux un long moment, puis ses lèvres se serrent en signe de résignation. Ce qu'elle s'apprête à dire à la policière lui demande, de toute évidence, un effort considérable.

— Lorsque je suis revenue à moi, il était en train de…

— En train de quoi ? insiste France alors que la blonde s'est interrompue brusquement.

— Il était en train de… me violer. J'ai voulu crier à l'aide, mais il m'a frappée de son poing en pleine figure. Le salaud a continué pendant de longues minutes.

Une grimace de dégoût apparaît sur le visage de France. Ce genre d'événement est ce qui la perturbe le plus. La violence faite aux femmes est beaucoup trop présente dans la société. D'ailleurs, c'est pour tenter de la contrer qu'elle s'est engagée comme policière.

— Que s'est-il passé ensuite ?

— Rien. Il m'a ordonné de rester dans mon lit et surtout de ne pas tenter de m'enfuir, sinon il me tuerait. Je lui ai obéi.

— D'accord. Vous avez bien fait de ne rien tenter.

— Vous allez le coincer ce salaud, n'est-ce pas ?

— Promis, nous l'aurons. Mais pour l'instant, habillez-vous. Je vais vous conduire à l'hôpital. Faut vous faire examiner. Il a éjaculé en vous ?

— Je ne sais pas, pleurniche la jeune femme. Je crois que oui… peut-être.

— Un médecin le confirmera et il prendra un échantillon, si tel est bien le cas.

Au même moment, Beaulac apparaît dans l'embrasure de la porte. France remarque aussitôt l'air grave qu'il affiche. Quelque chose de malencontreux est sûrement arrivée. Le fuyard lui a, de toute évidence, échappé.

— Un instant, mademoiselle Dumont. Je reviens.

L'inspectrice accompagne Robert jusque dans le corridor pour entendre les explications qu'il ne veut pas divulguer devant la jeune femme de l'appartement.

— Il est mort ! Je n'ai rien pu faire pour empêcher ça.

— Comment ça, il est mort ? Tu l'as abattu ?

— Non, pas du tout ! Un homme a surgi d'une Audi noire et l'a froidement descendu.

— Tu as pu voir qui c'était, au moins ?

— Non. Aucune idée de son identité.

— La plaque ?

— Trop loin pour pouvoir la lire.

— J'appelle Marianne.

— J'ai déjà contacté le poste. Une équipe de policiers arrive dans quelques minutes.

— D'accord. Reste ici. Je vais conduire cette femme à l'hôpital. Le salopard l'a battue et violée.

Chapitre 45

Même si ce n'est que le début de l'après-midi, le Sabotier renferme déjà plus d'une douzaine de clients. Quelques-uns s'y trouvent pour consommer un repas, mais d'autres, les réguliers, sont alignés au bar. Le sexagénaire osseux, rencontré un mois auparavant, tourne la tête dans sa direction. Un léger sourire apparaît sur ses lèvres lorsqu'il reconnaît la nouvelle venue, alors que les yeux de ses compères sont en mode exploration, se baladant des genoux aux épaules de la jeune femme.

Bien que Marianne soit totalement consciente du stupide examen qu'elle est en train de subir, elle s'approche du bar et s'installe sur le tabouret voisin dc l'homme dans la soixantaine.

— Marianne, dit-elle simplement en lui tendant la main tout en souriant.

— Barth, répond l'autre un peu surpris de cette présentation. C'est Barthélemy, mais je préfère Barth. Tu as meilleure mine que la dernière fois.

— Le temps fait bien les choses…

— Et ton ange-gardien ? Il n'est pas avec toi ?

— Justement, je le cherche. J'ai perdu son numéro de téléphone. Alors je suis revenue ici pour tenter de le retrouver. Je me suis dit qu'il y aurait peut-être quelqu'un qui pourrait me renseigner.

— Je croyais que c'était ton copain. Alors comment ça se fait que tu n'as plus de contact avec lui ?

— C'est un ex-collègue de travail qui a déménagé il y a plusieurs mois, et je ne sais où. J'avais noté ses coordonnées, mais, comme une idiote, j'ai tout perdu. Vous l'avez revu dans ce bar dernièrement ?

Le dénommé Barth, baisse la tête. Il est évident qu'il n'aime pas trop donner ce genre de renseignement sans connaître le véritable intérêt de la personne qui pose la question. Il n'avale pas tout à fait l'explication de Marianne. Lorsque l'on cherche une personne, ce n'est pas toujours pour son bien.

— Tu lui veux quoi, au juste ?

— C'est personnel. Dites-vous que c'est un ami et que je ne lui veux aucun mal. J'ai besoin de lui parler. Il y a eu un malentendu entre nous la dernière fois où nous nous sommes rencontrés dans ce bar. J'aimerais clarifier la situation pour que notre relation redevienne ce qu'elle était auparavant. C'est très important, croyez-moi.

— Important, ça je te crois, sinon tu ne te pointerais pas ici. Le motif, de ce côté, ce n'est pas très évident. Tu es de la police, n'est-ce pas ?

Marianne est coincée. Non, mais, est-ce que ça se voit tant que ça ? Sur le coup, elle est tentée de mentir au sexagénaire, cependant elle se ravise. À quoi bon cacher la vérité puisqu'elle n'est pas encore en mode arrestation concernant Réginald.

— Dans le mille. Je suis effectivement inspectrice pour la criminelle de Sainte-Jasmine. Cela étant dit, je vous assure que l'homme que je cherche est un ami à moi. En fait, c'est mon ex-patron et je dois absolument lui parler.

— Il me semblait aussi que ça sentait le flic. J'ai le pif pour ça, tu sais, depuis qu'ils sont venus arrêter mon fils avec leurs grands airs supérieur. Une erreur judiciaire, ont-ils dit en le relâchant.

— Je vous en prie, monsieur. Pouvez-vous me dire si Régi…

— N'empêche qu'ils lui avaient passé les menottes devant ses deux enfants. Tu crois que c'est une chose à faire ?

— Est-ce que Régi vient ici de temps en temps, oui ou non ?

— Ils ne se sont même pas excusés, les…

— Monsieur ! crie alors Marianne.

L'homme, jusqu'ici enfermé dans sa bulle de ressentiment, se redresse brusquement et pose un regard désemparé par la surprise sur la jeune femme. Conscient d'avoir été perdu dans ses pensées un trop long moment, ses traits s'adoucissent peu à peu pour finalement se décontracter totalement.

Après un long soupir, l'homme se retourne vers ses compagnons de bar, puis frappe le comptoir avec sa bouteille de bière pour attirer leur attention.

— Y a quelqu'un qui a vu « le silencieux au grand chapeau » dernièrement ?

Toutes les têtes oscillent négativement avant de se retourner vers un écran de télévision qui leur renvoie les images d'une femme en maillot moulant qui effectue des mouvements de mise en forme.

— Tu vois, personne ne l'a vu ces jours-ci. Alors comment pourrait-on savoir quand il se pointera.

— Pourquoi « le silencieux » ?

— Tu as besoin d'une explication pour ça ? C'est tout simplement qu'il ne parle jamais à personne. Il s'installe à la table où tu l'as rencontré l'autre jour, et il ne bouge pas de là pendant des heures en ne prenant qu'une ou deux consommations, son grand chapeau baissé sur ses yeux.

Marianne soupir de déception. Cet homme lui dit sûrement la vérité. Elle connaît suffisamment Réginald pour savoir que c'est de cette façon qu'il doit se comporter dans un endroit pareil. L'ex-inspecteur n'a jamais aimé se mêler aux gens dans les endroits publics. Du moins, à ce qu'elle sache. À moins que ce ne soit par intérêt.

— T'as une carte ? Si je le vois, je lui dirai que tu le cherches.

— Lui dire mon nom sera suffisant. Il sait où me trouver.

En tendant un billet de dix dollars en direction du barman, Marianne indique, d'un signe de la tête, la bière du sexagénaire pour lui signifier de lui en donner une autre.

— Merci pour la conversation, dit-elle en tournant les talons.

— Si jamais tu as besoin d'un autre coup de main, répond Barth, je suis ton homme. Que ce soit debout ou allongé, Barth est à ta disposition ma belle.

Chapitre 46

Bien que l'inspectrice Latreille soit déçue de son petit voyage infructueux à Drummondville, elle se pointe dès son retour au bureau pour s'enquérir des éventuels résultats des enquêtes en cours. Cependant, elle n'as pas vraiment espoir que de nouveaux éléments soient au rendez-vous de ce côté-là.

Robert Beaulac fait irruption dans la pièce au moment même où Marianne s'installe derrière son bureau. Il semble fébrile, voir même, carrément excité.

— Que se passe-t-il ? Tu as vu un fantôme ?

— Mieux que ça. On connaît l'identité du responsable du triple meurtre, rue Dubois. Il a même été abattu.

Propulsée par un véritable ressort, Marianne se dresse devant Beaulac. Les traits de son visage dénotent une grande inquiétude, alors que son rythme cardiaque augmente instantanément de façon démesurée. Dans sa tête, un épais nuage noir vient assombrir ses pensées. Au Sabotier, personne n'avait pu lui dire si Régi était dans les alentours du resto-bar. Les meurtres commis au 1414, Dubois avaient été revendiqués par Lédo. Et voilà qu'on lui annonce la mort de celui qui pourrait être l'exterminateur de Hains et Nolet.

Robert Beaulac est intrigué par la réaction de sa chef mais, compte tenu du peu de résultat obtenu jusqu'ici dans les enquêtes, il en conclut qu'il est tout à fait normal que Marianne soit surprise à ce point.

— De qui s'agit-il, réussit à balbutier la jeune femme ? Il est connu de nos services ?

— Connu, oui, mais du menu fretin. Rien de bien extraordinaire dans ses agissements. Du moins, à venir jusqu'ici. J'ai sa photo.

Beaulac dépose une photo, format régulier, devant l'inspectrice. Cette dernière hésite quelques secondes avant d'abaisser son regard pour identifier le criminel. Aussitôt, ses yeux s'agrandissent et une grimace vient tordre ses lèvres. Son poing s'écrase lourdement sur la photo de l'homme.

— Son nom ?

— Gustave Mirand. Tu le connais ?

— C'était l'un des trois hommes qui m'ont agressée dans ma maison il y a quelques semaines. Pourquoi vous l'avez abattu ?

Pour répondre à la question, Robert lui relate les événements s'étant déroulés depuis leur arrivée, à lui et à France Graton, ce matin au 1414, Dubois. Encore une fois, le visage de Marianne démontre une grande inquiétude, même si, selon Beaulac, le dénommé Mirand semble avoir été l'exterminateur recherché. Le fait que celui qui l'a criblé de balles portait un grand chapeau soulève un doute dans son esprit. Elle se doit de chasser cette suspicion de meurtre planant au-dessus de la tête de son ancien chef d'équipe.

— Vous avez déjà rédigé votre rapport ?

— Non, bien sûr.

— Pourquoi ? demande sèchement Marianne

— France, n'est pas encore de retour de l'hôpital. Elle accompagne Sabrina Dumont. J'imagine qu'elle ne tardera plus très longtemps. Et puis, il nous faudra justement interroger Mme Dumont. Tu auras notre rapport seulement demain, je crois. Est-ce que ça pose un problème ?

— Non. C'est très bien comme ça. Je suis désolée de mon impatience. J'ai la nette impression que tout m'échappe ces temps-ci. Ne porte pas attention à cette saute d'humeur, je t'en prie.

Robert esquisse un sourire en signe de compréhension. Même s'il n'a été affecté au poste de Sainte-Justine que depuis quelques jours, il est tout de même un inspecteur aguerri et sait pertinemment que le poste de chef d'équipe est très demandant et éprouvant.

— Ne t'en fais pas, Marianne, je comprends très…

— Beaulac ! Laisse-moi seul avec l'inspectrice Latreille.

Les regards de Marianne et Robert se dirigent instantanément vers l'homme qui vient, comme à son habitude, de faire irruption dans la pièce de façon cavalière. C'est Jean Roux.

— Fermes la porte en sortant.

— Bonjour Monsieur Roux, dit la jeune femme d'une voix légèrement sarcastique. Que me vaut l'honneur ?

— Pas de ça entre nous, siffle-t-il entre ses dents. La courtoisie n'est pas du tout de mise en ce moment, crois-moi.

— Alors venez-en au fait le plus rapidement possible. Si ma présence vous est aussi désagréable, mieux vaut abréger votre visite.

— Je ne tolérerai pas ce genre d'arrogance de la part d'une petite inspectrice de ton genre. Tu n'es pas en position de fanfaronner devant moi.

Marianne est déconcertée. Qu'a-t-elle bien pu faire pour mettre Roux dans un état pareil ? Cet homme irrévérencieux n'a pas le droit de la traiter de la sorte. Cependant, si elle continue la conversation dans la même veine, une escalade de paroles injurieuses pourrait se produire. C'est elle qui serait perdante. Ce stupide spécimen est, malgré tout, son supérieur.

— En quoi puis-je vous être utile ? finit par demander Marianne pour tenter de désamorcer la situation

Roux laisse échapper, de ses narines, un bruyant soupir comme un taureau s'apprêtant à foncer tête baissée sur le matador.

— En plus, tu oses faire l'innocente. Tu oses prétendre ne pas avoir la moindre idée de ma présence ici.

— Désolée. Mais non, je n'en ai aucune idée.

Au fond d'elle, la jeune femme espère de tout cœur que cette désagréable rencontre n'ait rien à voir avec Régi. S'il fallait que Dominique ait eu la malencontreuse idée de parler à Roux de ce qu'il sait à son sujet, ce serait la fin de sa carrière.

Non. Brunet lui a octroyé une semaine avant de tout révéler. C'est un homme de parole

— Si je te disais tout simplement le mot : Lédo. Ça sonne une cloche dans ta tête ?

« L'imbécile, hurle intérieurement Marianne. Il n'a pas tenu sa promesse d'attendre quelques jours ».

— C'est de l'histoire ancienne, non ?

— Non, crie brusquement l'assistant directeur. Lédo est bel et bien présent dans les enquêtes en cours. Enquêtes qui n'aboutissent à rien grâce à ton incompétence.

— Demain vous aurez un rapport sur les meurtres de la rue Dubois. L'inspecteur Beaulac était justement en train de me faire part des derniers développements à ce sujet, lorsque vous l'avez carrément mis à la porte.

— Je vais te dire une chose, Latreille. Nous avons aussi été informés d'un nouveau développement. Il semblerait que tu sois en possession de certaines pièces à conviction susceptibles d'incriminer le responsable de plusieurs meurtres. Des preuves que tu nous as délibérément cachées. Après discussion, Marcel et moi en sommes venus à la conclusion que ce Lédo est le coupable que tu cherches. Ou plutôt que tu tentes de couvrir.

— Vous n'avez pas le droit de m'accuser de cette façon.

— De plus, enchaîne Roux sans se préoccuper des protestations de Marianne, Marcel et moi sommes persuadés, même catégoriques, sur le fait que Réginald Simard et Lédo ne font qu'un.

— Impossible…

— Au contraire. Très possible ! Alors, il ne te reste qu'une chose à faire, c'est d'arrêter Simard pour qu'il soit rigoureusement interrogé. Et je ne veux pas entendre de contestation de ta part. Tu as entre les mains assez de preuves pour te donner le feu vert quant à son arrestation. Est-ce que je me suis bien fait comprendre Inspectrice Latreille ?

Sachant très bien qu'aucun argument ne pourrait changer la décision de ses supérieurs, Marianne se contente de hocher légèrement la tête en signe d'approbation.

— Je ne vois pas là un réel désir de vouloir obéir à cet ordre, maugrée Jean Roux.

— Oui. D'accord, je vais l'arrêter, crie la jeune femme. Vous êtes satisfait ?

Les traits de Roux se transforment subitement pour afficher tout le plaisir que lui procure cette capitulation de la part de Marianne.

— Tout à fait. Et si l'arrêter est trop pénible pour toi ou, tout simplement, s'il résiste, Monsieur Vincelette te donne même la permission de l'abattre.

— Mais, vous êtes…

Roux a déjà quitté le bureau lorsque Marianne termine sa phrase. Lui et Vincelette sont de véritables sociopathes. Ce sont eux que l'on devrait enfermer. Vincelette n'a jamais aimé Régi. Il n'a pas réellement avalé l'innocence de l'ex-policier dans l'affaire Donovan et, maintenant, il veut profiter de cette opportunité qui s'offre à lui pour le rendre coupable de tous les meurtres commis sur le territoirc.

N'y tenant plus, Marianne éclate en sanglots. Déjà qu'elle n'est vraiment pas à l'aise avec le fait d'arrêter son ami, alors l'abattre est une éventualité qu'elle ne veut même pas envisager.

Pendant de longues minutes, la jeune femme reste là, penchée sur son bureau, la tête appuyée sur ses bras repliés, à s'imaginer différents scénarios tous aussi pénibles à exécuter les uns que les autres.

Chapitre 47

Marianne est épuisée. La journée qu'elle vient de subir l'a littéralement vidée de toute son énergie. Pendant des heures, après le départ de l'affreux Roux, elle s'est contentée de faire tourner dans sa tête le peu d'indices qu'elle possède concernant les derniers meurtres. Aucun d'entre eux ne lui permet de soupçonner sérieusement qui que ce soit.

Il y a beaucoup de détails qui clochent dans ces affaires de meurtres. Par moment, elle a tendance à croire en la culpabilité de Régi, mais à d'autres, elle est persuadé qu'on tente de lui faire porter le chapeau sans qu'il en soit responsable.

Vers la fin de l'après-midi, Graton l'a informée que le lecteur DVD du 1414, Dubois était vide. Aussi, sur le banc qui a servi à briser la vitre de l'appartement, il n'y avait que les empreintes de Judith Pilon. C'est à croire, qu'elle se serait jetée elle-même dans le vide. C'est à n'y rien comprendre. Le puzzle est loin d'être terminé.

Il est maintenant près de vingt-et-une heures. Même après avoir fouillé les dossiers pertinents aux affaires en cours et avoir griffonné des dizaines de scénarios sur des bouts de papiers, la jeune inspectrice n'a pas avancé d'un seul pas. Sa conclusion: elle n'a pas l'étoffe d'une chef. Ni de faire partie d'un corps policier. Son estime de soi en prend un coup.

Il n'y a donc pas seulement son physique qui a été mis à rude épreuve durant cette maudite journée, son psychisme aussi y a goûté.

Bien que Marianne ait ingurgité une quantité incroyable de café, la fatigue, en ennemie implacable, lui refuse totalement d'avoir les idées suffisamment claires pour s'entêter à éterniser sa soirée. Mieux vaudrait rentrer au bercail et profiter de la nuit pour dormir. Du moins, essayer, car depuis sa nomination au poste qu'occupait Réginald, son sommeil est de plus en plus tourmenté. Un somnifère lui sera sûrement d'un grand secours ce soir.

La jeune femme éteint la petite lampe ornant le centre de son bureau, puis quitte enfin le poste. Une fois dehors, elle resserre les pans de son manteau. L'air est froid. Normal puisque l'automne est bien installé. Elle n'en prend conscience que ce soir. Son travail lui fait perdre la notion du temps. Du moins, en ce qui concerne sa vie personnelle.

Marianne jette un œil à sa montre. Remplacer le somnifère par quelques verres de whisky lui paraît être une solution plus agréable pour se détendre et retrouver le sommeil. L'alcool a été son complice pendant de longues semaines, il n'y a pas si longtemps de ça. Elle secoue la tête. Pas question de baisser les bras de cette façon et de s'abrutir au point de perdre sa dignité. Cette dernière serait trop difficile à retrouver.

Encore une fois, elle n'a pas eu conscience de la route qui l'a conduite jusqu'à sa résidence. Après avoir immobilisé son véhicule dans l'entrée, elle ferme les yeux un instant puis, crispant tous les traits de son visage, elle laisse échapper un grognement de rage. Son manque de prudence est inadmissible. En conduisant inconsciemment, elle risque la vie des autres automobilistes. Jamais elle ne pourrait se pardonner d'être la cause directe de la mort d'un innocent.

Marianne déverrouille la porte d'entrée et pénètre dans sa demeure. Elle avance d'un pas, ouvre le tiroir du petit bureau appuyé contre le mur pour y déposer son arme. Elle interrompt brusquement son geste. Un bruit, à peine perceptible, attire son attention. Celui-ci semble provenir de la pièce d'à côté.

Son revolver pointé, la jeune femme bondit de façon à se retrouver devant la porte d'arche donnant accès au salon. Il lui serait risqué de s'y aventurer davantage pour atteindre l'interrupteur de la lampe. Ses yeux doivent donc s'habituer à la quasi-obscurité.

Tout à coup, alors que les phares d'une auto circulant devant la maison balaient la baie vitrée, Marianne reconnaît la silhouette d'un homme, assis dans son fauteuil favori.

— Ne bougez pas, crie l'inspectrice en dirigeant le canon de son arme en direction de l'intrus.

Aucune réaction. La silhouette ne bouge pas d'un poil.

— Au moindre geste, je tire, ajoute-t-elle en avançant lentement.

— Pas la peine. Je ne suis pas dangereux. Du moins, pour toi.

Marianne, dont l'une des mains allait atteindre le commutateur, se fige instantanément. Il s'agit bien d'un homme. Cette voix, elle la reconnaîtrait parmi des milliers.

Une fois la surprise légèrement atténuée, la lumière de l'une des lampes de coin vient confirmer à l'inspectrice l'identité de son visiteur.

— Surprise ?

Sans même répondre, la jeune femme laisse tomber son arme et, contre tout attente, s'élance vers Réginald Simard. Ce dernier, ayant décrypté rapidement le message de joie que lui renvoyait le visage de la jeune femme, bondit sur ses pieds pour accueillir cette dernière au creux de ses bras.

Ne pouvant plus se retenir, Marianne fond en larmes. Des larmes qui sont mêlées à la fois d'inquiétude, de soulagement et de bonheur.

Régi est-il le meurtrier qu'elle recherche ? Quoi qu'il en soit, il est celui qu'elle aime et elle est heureuse de le retrouver, bien que tout un monde les sépare.

Serait-il possible que cette lamentable journée puisse bien se terminer ?

Marianne aurait bien besoin de réconfort, d'encouragements et, par-dessus tout, d'éclaircissements. Réginald pourrait-il enfin la rasséréner ?

— Tu me parais complètement dévastée, Marianne.

— Je le suis, souffle-t-elle aussitôt.

— Tes enquêtes font du surplace, c'est ça ?

Marianne se dégage lentement des bras de Simard. Son regard rencontre le sien, puis s'attarde aux traits de son visage. L'affreuse barbe bicolore a disparu. Elle retrouve enfin l'homme qu'elle admire. Plutôt qu'elle admirait.

— Tu y es pour quelque chose ? Dis-le-moi, j'ai besoin de savoir.

Régi constate avec déception que ce moment émotionnel des retrouvailles est déjà terminé. La période de tendresse qu'il avait imaginée dans sa tête n'aura été que de courte durée. Il aurait préféré que celle-ci se prolonge jusqu'au matin, mais, ayant œuvré pendant de nombreuses années comme policier, il sait pertinemment combien il est difficile de mettre le travail de côté. La vie privée en prend toujours un coup. Le travail au détriment du plaisir. S'il avait agi autrement, c'est Carole qui serait dans ses bras présentement.

— Ça changerait quoi entre nous ?

— Je t'en prie, ne détourne pas la question par une autre question. Tu y es pour quelque chose, oui ou non ?

Réginald recule d'un pas, puis se laisse tomber dans un fauteuil. Il est visiblement tourmenté.

Pour sa part, Marianne sent l'inquiétude l'envahir de plus en plus. Réginald s'apprête à lui cacher la vérité. Si tel était le cas, sa déception serait irrémédiable, au point de procéder à son arrestation sur-le-champ. Cependant, s'il avouait son implication, cela la plongerait dans un état d'incertitude. L'incertitude de savoir comment agir.

En définitive, pour Marianne, la vérité prime sur le mensonge et elle fera l'impossible pour l'aider à se sortir de cette situation. Si, bien sûr, il le désire.

— Ce n'est pas pour l'éviter. C'est tout simplement pour m'assurer que tes sentiments ne changeront pas.

— Je suis inspectrice de police, Régi. Alors tu dois comprendre que j'ai un devoir envers la population…

— Celui de faire triompher la justice et de punir les auteurs de tous ces crimes odieux.

— Non. Mon devoir est de les arrêter et de simplement les remettre aux mains de la justice.

— Je crois que nous pourrions en discuter pendant des heures sans arriver à nous accorder sur ce sujet.

— Tu as raison. Jamais je n'admettrai que c'est à nous d'exécuter les salauds…

— Je n'y suis pour rien.

— Quoi ?

— Pour le meurtre de Rita Donovan et des trois qui ont été commis hier.

— Je crois qu'il n'y en a eu que deux, hier. Et celui de ce matin ?

— Un autre meurtre ? Pas encore au courant.

Des larmes surgissent instantanément dans les yeux de la jeune femme. L'intonation de voix qu'a employée l'ex-inspecteur est à ce point crédible qu'elle ne peut faire autrement que de le croire. Régi ne peut pas lui mentir. C'est impossible.

— Je suis tellement soulagée.

— Pour les quatre de Beauport, c'est moi.

Le sourire de Marianne se meurt brutalement sur ses lèvres. Pourquoi avoir ajouté cette phrase dévastatrice ? Son crâne est soudainement l'amphithéâtre d'une tempête neurologique. Son sens du devoir et l'amour grandissant pour Régi se font violence. Il s'agit là de la pire situation à laquelle elle a dû faire face de toute sa vie. Des larmes coulent sur ses joue, sa gorge est si serrée qu'elle a l'impression que l'air n'y passe tout simplement plus.

— Je suis désolé. Tu voulais la vérité ? Alors, c'est la vérité. Je m'étais déjà engagé à faire disparaître ces quatre individus. Je ne pouvais plus reculer. Et puis, ce ne sont pas réellement des meurtres, mais l'exécution d'une sentence qui aurait dû être prononcée il y a longtemps.

— Ce sont tout de même des meurtres au point de vue de la loi. Notre loi ! Je croyais, après notre rencontre au Sabotier, que tu raccrocherais.

— Je n'avais rien promis, Marianne. Par contre, je n'ai aucunement profané ton secteur. Ces exécutions se sont produites hors de ton territoire.

À l'instar de l'ex-inspecteur, Marianne se laisse choir sur le divan. Aussitôt, elle bascule la tête et ferme les yeux. Dans son cerveau, le tourbillon semble s'atténuer lentement. Dans quelques minutes, elle pourra, de nouveau, se prévaloir de sa capacité d'analyser cette situation ambiguë.

Si l'amour n'était pas à prendre en considération, Simard irait tout droit en prison. Mais voilà : ne dit-on pas, dans le langage populaire, que l'amour est plus fort que la police ?

Conscient du tourment qu'il vient de provoquer chez la jeune femme, Simard quitte son fauteuil pour prendre place tout près de cette dernière. Pendant de longues secondes, il demeure là, immobile, à la regarder tendrement.

Marianne ouvre enfin les yeux. La main de Régi se pose dans son cou et ses doigts s'activent aussitôt à caresser ses cheveux et sa nuque. Le geste provoque une vague de sensations agréables. L'inspectrice referme les paupières pour goûter pleinement ce moment magique. Moment qu'elle espérait depuis si longtemps.

Régi se rapproche davantage et, de ses lèvres, il cueille celles de sa jeune compagne. La réaction est vive et c'est avec avidité que Marianne répond à ce baiser.

Propulsé par le même intérêt, le couple s'enlace avec frénésie, se caressant, se respirant et s'embrasant jusqu'à perdre le souffle.

Autour d'eux, plus rien n'existe. Le travail, la justice, le devoir. Rien de tout cela ne vient altérer le désir qui se développe de plus en plus dans les corps enfiévrés par l'amour.

Au bout de quelques minutes, Marianne se retire légèrement. Dans ses yeux brille une flamme que Régi n'a aucune peine à décoder. L'invitation est sans équivoque. D'un commun accord, le couple s'extirpe du divan et, main dans la main, se dirige vers l'escalier menant au premier.

Un passage torride dans la douche s'en suit. Leurs corps se découvrent et s'apprivoisent, lentement au début, puis, excités par les jets d'eau qui fusent de partout, ils s'abandonnent dans de longues étreintes.

Pendant près de vingt minutes, Marianne et Régi laissent libre cours à leurs sens, s'activant par moment et se retenant à d'autres, afin de retarder au maximum celui de l'extase.

Une fois les robinets fermés, le couple se rend au lit de Marianne pour s'y allonger. Le rituel de l'amour reprend son cours, mais cette fois, avec beaucoup plus de douceur.

Chapitre 48

Marianne ouvre les yeux. Le soleil vient à peine de se lever. Dans sa tête, flottent une multitude d'images. Des images qu'elle veut, à tout prix, conserver pour le reste de sa vie. Même dans la cinquantaine, Régi a su la combler comme jamais elle ne l'a été. En vérité, avant cette nuit, elle n'avait pas fait l'amour très souvent, trop accaparée par son travail. Ses derniers souvenirs remontent à de nombreuses années et ceux-ci n'ont rien de comparable avec ce qu'elle vient tout juste de vivre.

Une pensée refait tout à coup surface dans son esprit pour supplanter celle qui lui procure autant de plaisir. Comment un homme d'une si grande douceur peut-il commettre des meurtres aussi atroces ? Aurait-il une double personnalité ?

Marianne secoue la tête. Pas question de laisser de sombres suppositions altérer le bonheur qu'elle ressent. Pour l'instant, tout ce qui compte, c'est d'apprécier la présence de Réginald et surtout d'en profiter.

L'odeur du café se fraie un passage de la cuisine à ses narines. Marianne tourne la tête. Bien entendu, Régi n'est plus à ses côtés. Comme à son habitude, il s'est levé bien avant le soleil. Et ce, même si leurs ébats les ont conduits jusque très tard dans la nuit.

Ne revêtant qu'un long chandail en laine, Marianne quitte la chaleur de son lit et dévale l'escalier la conduisant à l'homme qu'elle aime.

Il est là, pieds nus et en sous-vêtements, à préparer le petit déjeuner, l'air aussi serein que s'il avait bénéficié d'un sommeil pendant de longues heures.

— Bien le bonjour, belle policière. Tu as bien dormi j'espère ? En tout cas, je peux t'affirmer que tu ronfles.

— Bonjour, charmant jeune homme. Désolée pour la musique de fond. Ça ne t'a pas empêché de dormir ?

— T'en fais pas. Cela avait plutôt un effet soporifique sur moi.

La jeune femme vient déposer un baiser sur les lèvres de l'ancien policier, puis se colle à lui pour l'étreindre et lui transmettre la chaleur grandissante de son corps, encore avide de sensations.

— Tu veux que je te réveille ?

Régi la serre à son tour dans ses bras. Si seulement cet instant pouvait durer une éternité.

Mais voilà, la réalité ne tardera pas à les rattraper. Dans quelques minutes, tout au plus une heure, sa bien-aimée devra se replonger dans les enquêtes qu'elle doit mener. Malheureusement, il fera immanquablement partie de l'une d'elle. Enfin, une qui devrait s'ouvrir sous peu.

— Va falloir remettre ça à plus tard, répond Régi. J'ai bien peur qu'il ne te reste, à peine, que le temps de déjeuner.

Marianne se retire lentement, tout en hochant la tête et en affichant une profonde déception sur son visage.

— Ouais. Tu as raison. Je n'ai pas vraiment le choix. J'ai trop de chats à fouetter ces temps-ci.

— Tu y arriveras. J'en suis persuadé.

L'inspectrice lève des yeux remplis d'inquiétude. Simard est déconcerté par ce regard. Le sens du devoir vient-il, tout à coup, de refaire surface dans l'esprit de sa jeune compagne ? Ce serait vraiment dommage.

— Tu seras ici, ce soir ?

— Si tu le veux, j'y serai. Je prends le risque. Tu auras le temps de réfléchir à nous deux d'ici là. Peut-être que ce soir ce sera les menottes que tu voudras me passer. Peut-être que tu décideras que je n'ai pas le droit à la liberté après ce que j'ai fait.

— On ne sait jamais, enchaîne Marianne avec un léger sourire, je te menotterai peut-être, même si je considère que tu as le droit d'être libre.

Alors qu'il est sur le point de répondre à cette délicieuse plaisanterie, le regard de Régi est attiré par un léger mouvement en provenance de la fenêtre près de la porte. Bien qu'au dehors le soleil n'ait pas encore réussi à chasser totalement la pénombre, l'ancien policier parvient néanmoins à discerner la silhouette d'un homme détalant à toutes jambes en direction de la rue. Se faisant, l'intrus s'expose aux premiers rayons de l'astre du jour. Simard écarquille les yeux. Cet homme, il le reconnaît. Ce dernier monte rapidement dans une voiture, probablement la sienne, qui démarre aussitôt.

— Tulane ! Il nous épiait.

— Mais que faisait-il là ? Il devait avoir un message à me transmettre. J'imagine sa surprise, il ne s'attendait surement pas à te voir ici. Je me demande pourquoi il a filé de cette façon.

— Pour me dénoncer, sans aucun doute.

— Je ne crois pas que Xavier ferait une chose pareille. Il est déjà au courant de tout. Y compris tes agissements passés. C'est un allié de confiance. Un complice, en quelque sorte.

Régi secoue la tête. Il aurait dû avoir une conversation sérieuse avec Marianne hier soir au lieu de batifoler comme ils l'ont fait.

Non. Ce n'était pas aussi superficiel que ça. Ils ont fait l'amour avec amour et non pas par simple fantaisie.

Malgré tout, Marianne doit absolument être mise au courant de certains faits qui pourront l'aider grandement dans ses enquêtes. Le moment n'est pas propice à ces révélations. Le temps lui manquerait. Attendre à ce soir est la plus raisonnable solution.

— Tu te souviens de ce que je t'ai demandé lors de notre rencontre au Sabotier ? dit-il finalement.

— C'est vague.

— De ne faire confiance à personne. Alors, je te le redis aujourd'hui : tu dois te méfier de tous ceux qui t'entourent. Ouvre l'œil et tu pourras peut-être déceler certaines failles dans le comportement de tes collègues.

— Dis m'en plus.

— Tu dois partir bientôt pour le bureau. Je te fournirai toutes les explications que tu désires ce soir, à ton retour.

— Tu me le promets ?

— Oui, mais pas ici. Je dois partir à présent. Mon auto est à cinq minutes de marche. Je ne voulais être vu de personne, mis à part toi, bien sûr. Je ne pourrai donc pas revenir ici. Je te contacterai.

— Quand ?

— Aussitôt que j'aurai trouvé un endroit pour me réfugier. Je ne te donne pas mon numéro de cellulaire. Je ne veux pas t'attirer les foudres de tes patrons. J'espère que tu comprends.

Visiblement déçue, Marianne hoche néanmoins la tête pour approuver sa décision.

Réginald l'entoure de ses bras, puis l'embrasse tendrement. À regret, il s'éloigne. Le temps de se vêtir et il quitte la maison.

*

Une heure plus tard, Marianne immobilise sa voiture dans le stationnement du poste de police de Sainte-Jasmine. Une foule de questions se bousculent dans sa tête. Celle qu'elle se promet d'élucider dès le départ est sans contredit la raison de la présence de Xavier à son domicile, si tôt ce matin. Il se devra d'avoir une excellente raison pour venir écornifler comme ça par sa fenêtre.

L'inspectrice gravit les marches de ciment, mais au moment d'atteindre le pallier, elle lève les yeux et aperçoit Renée-Jeanne en train de fumer une cigarette.

— Bonjour. Je ne savais pas que tu avais cette mauvaise habitude.

— Bonjour inspectrice. C'est tout récent. Un copain à moi m'a entraînée. Je ne pense pas m'y habituer outre mesure.

— Bien. Ça apporte souvent des problèmes de…

Marianne n'a pas le temps de terminer sa phrase que Renée-Jeanne dévale les marches pour se retrouver à poursuivre un jeune garçon qui, sac au dos, marche en direction de l'école. Vingt mètres plus loin, elle réussit à le rejoindre.

— Un instant, jeune homme, dit-elle en lui saisissant le bras.

Marianne arrive en trombe. Elle ne sait pas encore de quoi il en retourne, mais elle doit être prête à intervenir si la situation l'exige. La procédure employée par la secrétaire n'est pas ce qu'il y a de plus conforme à la règle. De très bonnes raisons doivent justifier un tel comportement.

— C'est le jeune homme qui m'a remis le message, hier matin. Celui qui vous était destiné.

— Je me souviens, oui.

Affichant un visage souriant, l'inspectrice se penche vers le jeune garçon, toujours prisonnier de Renée-Jeanne.

— Quel est ton nom ?

— Napoléon, balbutie-t-il avec un léger tremblement dans la voix.

— Un nom prestigieux. Dis-moi, qui t'as demandé de me transmettre ce message ? questionne gentiment Marianne.

— Je ne le connais pas. Il m'a donné cinq dollars. Je n'ai rien fait de mal.

— Un homme, donc. Non, tu n'as rien fait de mal, je t'assure. Tu le connaissais, cet homme ?

Le jeune garçon qui, depuis le début, garde la tête baissée, lève les yeux et son regard se dirige au-delà des deux femmes pour s'arrêter sur un homme s'apprêtant à entrer dans le poste de police.

— C’est ce monsieur, là-bas, lance-t-il avec soulagement, conscient que cette indication peut lui redonner instantanément la liberté.

Alors que les deux femmes se retournent d’un seul coup et que la main de Renée-Jeanne relâche son emprise, Napoléon en profite pour prendre la poudre d’escampette.

Marianne est atterrée. Bien que l’homme ait disparu rapidement derrière la porte pour se soustraire à leur regard, elle a pu le reconnaître. Renée-Jeanne aussi, d’ailleurs.

— Pas un mot à personne, lance l’inspectrice. Je veux régler ça moi-même.

— Promis. Je n’en soufflerai mot.

*

Xavier Tulane se saisit de son téléphone cellulaire, trouve le nom qu’il désire dans la liste de ses contacts, puis appuie sur le bouton d’appel.

— Tu as vu l’heure ? demande l’interpellé. Huit heures ! Tu ne crois pas que c’est un peu tôt ?

— Il est tôt, je le sais, mais j’ai…

— J’espère que ça en vaut la peine.

— Laissez-moi placer un mot et vous verrez.

— Ok. Alors, vas-y, j’écoute.

— Je sais où se trouve Réginald Simard.

— T’aurais pu le dire avant, qu’il s’agissait d’un élément aussi important, hurle l’autre homme.

— Je l’ai vu, ce matin, dans la résidence de Marianne Latreille. Ils étaient tous deux court-vêtus. Alors je présume qu’ils ont passé la nuit ensemble.

— Je le savais qu’elle cachait ce misérable. Je me charge de la suite. Tu as fait un excellent boulot, Tulane.

— Il y a cependant un os, enchaîne Xavier d'une voix qui semble implorer un pardon quelconque.

— Lequel ? Allons, parle.

Le jeune homme laisse quelques secondes s'écouler avant de se résoudre à avouer son imprudence. Son hésitation a pour conséquence d'exaspérer au plus haut point son interlocuteur.

— Qu'attends-tu pour parler ? demande-t-il d'un ton tranchant.

— Je crois qu'il m'a vu, les espionnant à travers la fenêtre.

— Il t'a reconnu ?

— Pas certain. Je ne crois pas. Il faisait encore pas mal sombre.

— Qu'as-tu à avoir peur alors ?

— Un autre événement s'est produit un peu plus tard. Le garçon, à qui j'avais confié la tâche de remettre le carton de revendication, hier, a été intercepté par l'inspectrice Latreille. Il m'a dénoncé. Je l'ai vu me pointer du doigt. Elle sait donc, ou du moins elle doit en déduire, que c'est moi qui suis l'auteur de ce message.

Un long silence suit la déclaration de Tulane. Visiblement son aveu jette un voile de perplexité dans la tête de son interlocuteur.

— Tu dois te retirer de cette affaire. Quitte Sainte-Jasmine immédiatement. Viens me rejoindre, dans trois heures, à l'endroit où nous nous sommes rencontrés la première fois. J'aurai tous les papiers nécessaires pour te permette de filer très loin d'ici. Lorsque ce merdique de Simard apprendra ta trahison, il te fera la peau. Mais avant, il te fera parler, c'est certain. Nous savons tous deux de quoi il est capable, n'est-ce pas ? Si j'ai un conseil à te donner, fais aussi vite que tu peux pour t'éloigner de lui et surtout, je dis bien, surtout, n'indique à personne, sous aucune considération, notre point de rencontre.

La communication s'interrompt brusquement. Le jeune inspecteur demeure pantois un long moment avant de réagir.

Chapitre 49

— Tu ne voulais pas que l'on retrace ton appel, c'est pour cette raison que tu as utilisé ton cellulaire ? Tu avais un compte-rendu à faire ?

Xavier Tulane se retourne brusquement pour se retrouver presque nez-à-nez avec sa chef. Cette dernière est plantée là, dans l'embrasure de la porte, les mains sur les hanches. Ses traits et surtout son regard dénotent une indéniable irritation.

— Je ne comprends pas, Marianne. En quoi cela peut-il être inhabituel que je me serve de mon téléphone cellulaire ? Je viens tout juste de confirmer mon rendez-vous chez le dentiste. Ai-je besoin d'une permission spéciale pour le faire ?

— Ne joue pas à ça avec moi, Xavier ! crie la femme blonde en pénétrant dans le bureau du jeune inspecteur. Tu sais très bien de quoi il s'agit.

— Non, mais je suis certain que tu vas me mettre au courant. N'est-ce pas chef ?

— Pourquoi, Xavier ? Qui t'a demandé d'agir ainsi ? Je ne peux pas croire que ce geste odieux était de toi. Qui t'a poussé à le faire ? Et dans quel but viens-tu m'espionner jusque chez-moi ?

Le jeune homme hésite avant de formuler une réponse qui pourrait peut-être calmer le jeu. Cependant, ce court silence a la signification d'un aveu dans l'esprit de Latreille. Ce n'est peut-être qu'une intuition, mais dès à présent, elle est convaincue que Tulane n'a fait qu'exécuter l'ordre qui lui était donné de remettre ce carton pour faire croire à la culpabilité de Réginald Simard.

— J'ai besoin de vraies explications, coupe Marianne alors que Xavier ouvre la bouche pour tenter de se justifier. Pas de tromperie, cette fois-ci. Tu m'entends ?

Il a été trop loin. Son grand désir de se démarquer de tous les autres inspecteurs du poste, y compris Marianne, a complètement annihilé son bon jugement.

Xavier se renverse dans sa chaise. À de nombreuses reprises, il plonge ses mains grandes ouvertes dans sa chevelure pour masser vigoureusement son crâne prêt à exploser.

Il est coincé. S'il tente de cacher une fois de plus la vérité, Marianne se fera un devoir de le dénoncer. Sans compter qu'en apprenant cette supercherie, Simard aura tôt fait de l'éliminer. Si, au contraire, il se met à table, cela ne fait aucun doute qu'il sera exécuté. Donc, aucun des trois camps ne lui offrira l'amnistie.

— Je ne peux pas parler, finit-il par balbutier en reprenant sa position initiale. Le mieux qui puisse m'arriver, c'est que tu me fasses incarcérer. Qu'on me juge selon mes actes, mais qu'on ne m'oblige pas à révéler quoi que ce soit.

— Donc, j'ai bien deviné. Quelqu'un t'a poussé à faire ça. Qui ?

— Cesse de me tourmenter. Je ne dirai rien. Tu n'as qu'à demander à Simard.

La déception que Marianne ressent est incommensurable. Xavier devenait de plus en plus, pour elle en tout cas, un excellent ami en qui elle avait une grande confiance. Il s'est bien joué d'elle en agissant d'une façon aussi hypocrite.

— Tu as eu le temps de faire ton compte rendu ? Celui qui te paie sait maintenant que Régi est dans les parages ? Tu peux me dire ça, au moins. Tu me le dois bien, non ?

Tulane hésite encore un long moment. Au point où il en est, ce n'est pas le fait de répondre à cette question qui pourrait lui faire perdre la vie. Il considère qu'il l'a déjà perdue.

— Oui.

— Je vois. Alors, si je comprends bien, Régi est en danger. Ton employeur doit déjà élaborer un plan pour le faire disparaître.

— C'est à prévoir, en effet.

— Tu détestes Régi à ce point ?

— C'est compliqué. Je voulais saisir l'occasion qui m'était présentée de monter... Si je n'avais pas découvert ces maudits dossiers noirs dans le plafond de ton bureau, rien de tout ça ne serait arrivé.

— C'est donc là que tu les as trouvés. J'aurais dû y penser. Un plafond suspendu est vraiment utile à certains moments. Qui est confiné dans le sixième dossier ? Car c'est bien de celui-ci qu'il s'agit ?

— Je n'ai plus rien à ajouter. C'est terminé.

Tulane serre les lèvres afin d'appuyer sa dernière déclaration, puis baisse la tête. Il en a trop dit. Marianne ne doit absolument pas savoir. S'enfermant soudainement le visage entre les mains, le jeune homme se met à sangloter par dépit. Il est envahi par de profonds regrets, mais il est trop tard, le mal est fait.

De son côté, la jeune inspectrice songe au moyen qu'elle pourrait utiliser pour en savoir davantage. Incarcérer Xavier n'apporterait aucune réponse à ses questions. Peut-être que demander conseil à Dominique serait la bonne chose à faire. Elle se ravise. Brunet opterait, sans nul doute, pour son arrestation. Il serait sûrement sans pitié envers le jeune homme. De plus, en apprenant que Réginald n'a pas respecté ses fameuses conditions, Vincelette se ferait un plaisir de l'épingler et de lui faire porter le chapeau pour tous les crimes des derniers jours.

— Je t'offre la chance de réparer ton erreur. Tu me conduis à celui qui te donne les ordres. Je l'arrête. Et s'il t'incrimine comme complice, je parlerai en ta faveur lors du procès. Tu n'as pas vraiment le choix. Tu acceptes ou je déclenche immédiatement une enquête te concernant. J'espère que tu es conscient que tu serais le suspect numéro un dans les affaires en cours.

Encore une fois, Xavier se renferme sur lui-même un long moment. Il est dans une situation on ne peut plus précaire. Il a joué et il a perdu.

— Tu cherches à m'intimider, je le sais, Marianne. Le fait de me dénoncer ne t'apporterait que de gros ennuis. Tu caches un criminel chez toi, n'oublie pas ça. Par contre, je veux que tout s'arrête. Alors, c'est d'accord.

— Tu vas me conduire à lui ?

— Je dois le rencontrer demain matin.

— Où ?

— Je t'y conduirai.

— Qui me dit que tu respecteras ta parole ?

— À toi de voir. Me dénoncer à Brunet ou me faire confiance.

La déception est visible sur les traits de l'inspectrice, mais si elle veut que Tulane coopère, elle ne doit pas trop lui mettre de contrainte. Alors, d'un signe de tête, elle acquiesce à cette condition.

— Je vais tout de même mettre Régi au courant de ce qui se passe. Ne t'en fais pas, j'intercéderai en ta faveur pour qu'il ne te fasse aucun mal.

— Tu crois sincèrement que Réginald Simard peut faire preuve de pitié ? Tu es vraiment naïve, ma pauvre Marianne. Moi, je n'ai aucune confiance en lui. Alors, si tu tiens à ce que je t'aide, tu devras te passer de ton petit ami. Nous nous rendrons au rendez-vous seuls, toi et moi. Sans Régi et sans aucun autre policier. C'est compris ?

L'intonation de la voix de Tulane est sans équivoque et, bien que cette démarche puisse comporter un risque certain, la jeune femme doit se plier une fois de plus à cette exigence. Du moins, en apparence, pour le satisfaire.

—Une dernière chose. Est-ce toi qui es responsable des meurtres de Rita Donovan et de ceux du 1414, Dubois ?

—Tu me crois réellement capable de tels actes ?

—Je ne te croyais pas capable de trahison jusqu'à ce matin, et pourtant…

Tulane baisse la tête alors que Marianne se retourne et quitte la pièce.

*

Xavier est déchiré par les remords. Sa trop grande ambition l'a conduit à sa perte. Il n'était pas de taille pour rivaliser avec Régi. Maintenant il doit en payer le prix. Le seul espoir qu'il lui reste est que celui avec qui il a une entente lui fasse la faveur de le laisser en vie. Connaissant cependant le passé de cet homme, il a de sérieux doutes sur sa propension à faire preuve de magnanimité.

Il n'a pas le choix. Tenter de fuir ne ferait que retarder l'échéance, soit de sa condamnation, soit de son absolution. Quoi qu'il en soit, avec les pouvoirs que détient son marionnettiste, il serait retrouvé en moins de deux.

Comme un automate, le jeune homme ouvre le dernier tiroir de son bureau et y enfile une main pour en extirper, après quelques secondes, un dossier à la couverture noire. Le dossier qui l'a conduit à sa perte.

Tulane ferme les yeux un instant, puis, après une profonde respiration, s'empare d'une grande enveloppe brune et y insère l'objet de son malheur. Sa vision s'embrouille. Du revers de la main il essuie les larmes qui s'apprêtent à couler, renifle un coup et hoche la tête en signe de résignation. Il inscrit rapidement le nom du destinataire : Dominique Brunet.

Le jeune homme dépose l'enveloppe dans le tiroir central, de façon à être bien visible. Lorsqu'on se rendra compte de son absence prolongée, on fouillera très certainement son bureau pour essayer d'en comprendre le motif. Alors, on découvrira toute la vérité sur une affaire classée depuis belle lurette.

Chapitre 50

Il est dix heures quinze lorsque Xavier Tulane quitte le poste de Sainte-Jasmine. Il est visiblement nerveux quand il informe Renée-Jeanne de sa destination. Un rendez-vous chez son dentiste.

La jeune femme hoche la tête et inscrit dans le grand livre des déplacements, comme l'exige son travail, le motif de la sortie de Tulane. Comme l'inspectrice Latreille lui a fortement recommandé d'agir le plus naturellement possible avec le jeune homme, elle affiche un large sourire avant de lui souhaiter une bonne journée.

Alors que l'inspecteur se dirige vers le stationnement, Renée-Jeanne le suit du regard.

Encore quelque chose qui cloche du côté du jeune homme. Il ne prend pas la bonne direction. Il se dirige vers l'est alors que le cabinet du dentiste se trouve du côté opposé.

La secrétaire retourne à son poste et, aussitôt, informe Marianne de ce détail. Cette dernière se fait néanmoins rassurante en supposant que Xavier doit peut-être passer chez lui avant de se rendre à destination. Par contre, le dentiste n'est sûrement qu'une couverture pour permettre au jeune homme d'aller se réfugier quelque part afin de réfléchir à ses gestes de trahison.

De son côté, Tulane vérifie régulièrement dans le rétroviseur si Marianne ou quelqu'un d'autre ne lui file pas le train. Heureusement, il semble avoir été, du moins en apparence, assez sincère pour que sa chef se laisse prendre à son mensonge.

Au bout de trente minutes, après avoir roulé à cent kilomètres à l'heure, Tulane engage son véhicule sur une petite route étroite serpentant entre des forêts, des étangs et de grands marécages. Ce ruban non asphalté porte bien son nom : rang DesMarais

Hormis quelques chalets qui laissent paraître leur toit au-dessus des boisés, l'endroit est presque désert.

Bien qu'il ait eu à se déplacer régulièrement aux alentours de Sainte-Jasmine, ce n'est que la deuxième fois que Xavier se rend dans ce coin de la région. Comme c'est un endroit peu habité qui se trouve à plus de cinquante kilomètres du poste, il est un peu normal que le policier n'ait jamais eu à s'y rendre très souvent, puisqu'il ne s'y passe pratiquement jamais rien.

Au tournant d'une courbe prononcée, le jeune homme aperçoit un panonceau sur lequel un numéro est inscrit. Huit cent quarante. C'est bien le lieu du rendez-vous.

Tulane jette un coup d'œil rapide au cadran du tableau de bord. Il n'a que cinq minutes d'avance sur l'heure prévue. Empruntant un petit sentier, le véhicule s'enfonce lentement entre les arbres d'une forêt dense. Cent mètres devant, la végétation devient plus parsemée et, un peu plus loin, Tulane aperçoit une Mercedes et une Audi noire devant le chalet dans lequel l'attend son sauveur. La construction semble dater de plusieurs dizaines d'années. Il s'agit probablement d'un ancien camp de chasse qui n'a subi que très peu de rénovations. Cependant, ce détail n'a réellement pas d'importance.

Dans quelques heures, du moins selon ses espérances, il se retrouvera à bord d'un avion qui l'emportera quelque part, peu importe où. Du moment qu'il soit en sécurité, loin de Lédo.

La porte du chalet n'est pas verrouillée. Tout à fait normal puisque son bienfaiteur l'attend. Malgré tout, Tulane est un peu craintif lorsqu'il pose un pied à l'intérieur. Le silence qui y règne le fait légèrement frissonner. Lui qui croyait être accueilli en véritable ami et qu'on viendrait le remercier pour services rendus, voilà qu'il se sent mal à l'aise dans cette situation.

— Il y a quelqu'un ? demande-t-il à haute voix.

Une fois que l'écho de sa propre voix s'est tu, le silence se réinstalle dans le petit salon vieillot.

— Vous êtes là ?

Encore rien. Aucune réponse.

C'est à croire que le chalet est complètement désert. Xavier regarde sa montre. C'est bien l'heure du rendez-vous. Il ne se trompe pourtant pas.

Le jeune homme avance d'un pas. Il est de plus en plus angoissé. Un mauvais pressentiment l'enveloppe tout à coup. L'aurait-on manipulé ?

Non. Ce n'est pas possible. Pas après avoir dénoncé les mauvaises intentions de Réginald Simard. Ce Lédo de malheur qui se préparait à éliminer des personnages aussi importants pour la société. C'était son devoir de le contrer. D'autant plus que, par sa loyauté, il aurait eu droit à une promotion : devenir le nouveau chef d'équipe des inspecteurs de Sainte-Jasmine.

— Répondez, s'il vous plaît. Il y a quelqu'un ?

Prenant son courage à deux mains, Tulane traverse le salon et se rend à la cuisine. La pièce est vide. Un pas de plus et il se retrouve devant la fenêtre donnant sur l'arrière du chalet. Que des arbres, aucun être vivant en vue.

Tout à coup, un léger froissement, derrière lui, attire son attention.

« Pas trop tôt », se dit-il.

Le visage éclairé d'un large sourire, le jeune inspecteur se retourne. Ses traits se figent instantanément. Une chaleur intense l'envahit de la tête aux pieds comme si le sang dans ses veines se mettait brusquement à bouillir.

Devant lui, un homme se dresse. Il ne peut distinguer son visage qu'un chapeau à large rebord dissimule presque entièrement.

Pourtant, ce n'est pas sur le physique de l'intrus que les yeux de Tulane se fixent, mais sur l'arme que celui-ci tient entre ses mains et dont le canon est pointé vers son cœur.

— Qu'est-ce que ça veut dire ? réussit à balbutier le jeune inspecteur d'une voix tremblotante.

En guise de réponse, l'homme lui indique la porte de sortie d'un léger mouvement de la tête.

— Je ne comprends pas, Monsieur. Pourquoi ?

— Tu en sais trop. Voilà tout.

— Je croyais que vous aviez confiance ? N'est-ce pas une preuve de ma loyauté que de vous avoir remis une copie des six dossiers noirs aussitôt après les avoir trouvés ? Vous m'avez dit, ce matin même, que vous me fourniriez tout ce qu'il me faut pour quitter le pays. Je vous ai cru !

— Il y a une marge entre ce que tu crois et la réalité. Petit imbécile, tu as réellement avalé ça, que tu pourrais tout simplement filer à l'étranger, comme ça, sans conséquences ? Tu as fait foirer notre plan et tu pensais être récompensé ? Tu es vraiment stupide, Tulane.

Le canon du revolver vient se loger sous le menton du jeune inspecteur. La froideur du métal le fait tressaillir.

— De plus, compte tenu du peu de loyauté que tu as envers ton chef d'équipe, je te considère comme un homme en qui on ne peut avoir confiance. Tu en sais beaucoup trop sur nous. Alors, sors d'ici ! Je ne voudrais pas souiller le plancher avec ton hémoglobine. Tu comprends, je n'aime pas trop les corvées de nettoyage.

Xavier n'a pas le loisir de protester car une paire de mains l'empoignent brutalement. Du coin de l'œil, il aperçoit un autre homme au visage tout souriant. Il le reconnaît comme étant l'homme qui a agressé Latreille quelques semaines auparavant. Charles Hontois. Ce dernier écarte aussitôt les pans du veston de Tulane et en extrait son arme.

— Charly n'est pas aussi patient que moi. Alors mieux vaut faire ce qu'il te demande.

— Je peux te le confirmer, enchaîne la voix d'une femme qui vient tout juste de faire son apparition dans la pièce.

— Ta gueule, lance aussitôt Hontois. Je t'avais dit de ne pas te mêler de ça. De ne pas montrer ta maudite face !

— Laisse tomber, Charly. Il n'y a aucun problème à ce que ce petit merdeux voie Johanne. Alors fous-lui la paix.

La dénommée Johanne est une femme au début de la quarantaine, de belle apparence avec une longue chevelure châtain et des yeux clairs. Cependant, autour de l'un de ceux-ci, apparaît un grand cerne bleuâtre. Elle a, de toute évidence, été frappée brutalement il n'y a pas si longtemps.

— Qu'allez-vous me faire, pleurniche Xavier ? Je vous promets que je ne dirai jamais rien de toute cette affaire.

— Tu me l'as avoué toi-même au téléphone que Latreille avait découvert ton petit manège de faire passer les derniers meurtres sur le dos de Simard. Tu as échoué, Tulane. Tu dois payer maintenant.

— Tu sors immédiatement ! Est-ce que tu me comprends bien, ordonne Hontois ?

Le jeune homme n'a d'autre choix que d'obéir. D'ailleurs, la pression des doigts de son bourreau qui s'enfoncent dans ses bras n'a rien d'équivoque. La dénommée Johanne ouvre la porte. Mais avant de sortir, les bras du jeune homme sont ramenés derrière lui et ses poignets sont solidement attachés ensemble par une attache autobloquante en plastique.

— J'espère que ce n'est pas trop serré ? ironise Charly en ricanant tout en incitant son prisonnier à franchir le seuil de la porte.

Bien que l'air soit passablement froid à l'extérieur, Xavier n'en a pas conscience puisque son sang est passé de bouillant à glacé en l'espace de quelques secondes après l'apparition de l'homme au chapeau. Poussé par Hontois, il descend les quelques marches de l'escalier de bois et se retrouve sur un petit sentier gravelé s'enfonçant dans la forêt.

La peur augmente au fil de ses pas et, bientôt, il est littéralement envahi par la panique. Ses yeux tournent à une vitesse folle dans ses orbites, il a la nette impression que tous ses os s'entrechoquent et que, tôt ou tard, ils vont se rompre.

Brusquement, Xavier s'arrête de marcher et fait aussitôt volte-face.

— Laissez-moi partir, je ne parlerai pas, je vous le jure monsieur, implore-t-il.

Charly repousse prestement le jeune homme et s'interpose entre lui et son patron.

— Ferme-la ou je t'arrache la langue, dit le maigrichon d'une voix menaçante, presque en hurlant.

L'inspecteur fronce les sourcils alors que ses yeux apeurés se stabilisent. C'est comme si, d'un seul coup, il venait d'être ramené à la réalité.

— Vous voulez abattre Simard? Alors laissez-moi appeler l'inspectrice Latreille et elle vous le livrera elle-même. Je l'inviterai à venir me rejoindre ici avec Simard.

— Tu n'es qu'un pauvre imbécile, Tulane. Le but était que Latreille mette un terme à la vie de Lédo pour que le sixième dossier noir soit détruit à jamais. Si nous avions voulu le tuer nous-même, ça fait longtemps que ce serait fait, crois-moi.

D'ores et déjà, Xavier est persuadé que rien ne fera changer d'avis celui qui lui avait promis mer et monde pour s'assurer de sa complicité dans cette affaire. Il regrette maintenant d'avoir usé d'autant de confiance, d'avoir été aussi naïf.

— Alors, tu n'es qu'un abominable salaud, Roux. J'espère que Régi te fera la peau.

Chapitre 51

Au moment où Marianne ouvre la bouche pour y insérer un morceau de son délicieux steak, son téléphone mobile l'interpelle. Elle s'en saisit aussitôt. L'afficheur lui indique que c'est un numéro inconnu. Elle secoue la tête par déception.

— Qui est à l'appareil ?

— C'est moi.

— Enfin. Ce n'est pas trop tôt.

— Fallait bien que je trouve un endroit où me cacher. Tu as du nouveau ?

Rapidement, Marianne raconte l'événement qui s'est produit lors de son arrivée au bureau, ainsi que la conversation qu'elle a eue avec Xavier. Simard n'est pas surpris outre mesure. Tulane était, en fait, le mieux placé pour être l'informateur et le complice idéal. Il le soupçonnait depuis quelques temps déjà.

— Tu crois réellement qu'il va te conduire à son patron ?

— Demain matin, oui.

— C'est ce qu'il a voulu te faire croire. Je suis persuadé qu'il t'a menti. Où est-il présentement ?

Mariane serre les lèvres en signe de mécontentement. Réflexion faite, jamais Tulane n'avait fait allusion à un rendez-vous chez son dentiste avant ce matin. Habituellement, on avise les responsables plusieurs jours à l'avance. Régi a sans doute raison, elle a été bernée.

— Il a informé la secrétaire de son départ ce matin, à dix heures quinze. Il devait se rendre chez son dentiste.

La jeune femme entend un juron se frayer un chemin jusqu'à son oreille, puis c'est le silence. Elle-même n'ose faire le moindre commentaire. Pourtant, au bout d'un assez long moment d'attente, elle se décide enfin à réagir.

— Qu'est-ce qui te trouble autant ? demande-t-elle en grimaçant.

Elle est consciente que sa question est inappropriée puisqu'elle connaît déjà la réponse ou, du moins, peut se l'imaginer. Pourtant elle se devait de rompre le silence.

— Je passe te prendre dans cinq minutes. Je crois savoir où est allé Tulane.

— Tu oublies une petite chose, Régi. C'est moi qui suis sur cette affaire, alors j'aimerais bien pouvoir agir à ma guise. Je comprends très bien que tu es personnellement concerné, mais il n'en demeure pas moins que cette enquête est la mienne. Alors, dis-moi tout ce que tu sais et je prendrai une décision sur la meilleure façon de procéder.

Marianne décèle un profond soupir de la part de son interlocuteur. De tout évidence, Régi est déçu de cette dernière intervention. Bien sûr qu'il est hors circuit depuis un bon bout de temps déjà, mais cette affaire le regarde plus que quiconque puisqu'elle remonte à des dizaines d'années.

— Tu ne peux aviser personne de notre démarche. Si tu le fais, je serai immédiatement arrêté et les coupables s'en tireront encore une fois à bon compte.

— Alors, je veux des explications !

— D'accord, je te raconterai tout quand nous nous rendrons au chalet de Jean Roux.

— Jean Roux ! Pourquoi aller à cet endroit ?

— Plus tard. Je passe te prendre.

— Je suis au restaurant près du poste. J'étais en train de prendre mon…

L'ex-enquêteur coupe aussitôt la communication. Marianne est surprise de cette réaction qui ne ressemble pas aux habitudes de Régi. Cependant, compte tenu des événements, elle comprend que son ami soit quelque peu désorienté et que son savoir-vivre en prenne un coup.

*

Ça fait déjà près de trois minutes que la voiture de Réginald Simard roule en direction du chalet de Jean Roux. Il est grand temps que ce salopard paie pour ce qu'il a fait. Il faisait d'ailleurs partie du sixième dossier noir, alors son exécution sera tout simplement devancée un peu. Marianne tourne un regard interrogateur vers lui. De toute évidence, elle est fin prête à entendre ses explications. Régi ose à peine la regarder. Pourtant, tôt ou tard, il devra satisfaire le questionnement de Marianne.

— J'attends toujours. Je veux que tu me dises la vérité.

— Je n'ai aucun doute là-dessus.

Réginald se remplit les poumons au maximum comme pour rassembler tout son courage. Mais, en réalité, ce n'est pas de courage dont il a besoin, c'est plutôt de tact. Et, pour ça, il n'est pas nécessairement doué. L'important est de ne pas décevoir sa bien-aimée.

La main de Marianne le touche au bras pour l'inciter à tout lui raconter avant qu'elle ne perde patience. Après un silence de quelques secondes, Régi se résout enfin à fournir les détails contenus dans le fameux sixième dossier noir.

« Tout a commencé il y a près de vingt-cinq ans, alors que Roux était simple agent de police. Patrouilleur, pour être exact. C'était le genre de gars qui n'avait aucune pitié envers les gens et surtout aucun respect.

Un jour, il a mis la main au collet du chef d'un gang de rue. Un certain Vincent Poitras, surnommé La Cravache. On l'appelait ainsi à cause de son passe-temps favori : battre les femmes avec une cravache qu'utilisent les jockeys. Ce salaud opérait un réseau de prostitution et utilisait des jeunes filles, parfois de onze ou douze ans, pour satisfaire les besoins sexuels d'un groupe imposant d'hommes d'affaires et politiques. Tous ces dégénérés pouvaient utiliser les… enfants à leur guise, sans se soucier des séquelles engendrées par leurs actes.

Roux possédait toutes les preuves pour mettre ce Poitras à l'ombre un certain temps, mais il s'en est bien gardé. Au contraire, il a passé un accord avec La Cravache ».

Simard s'interrompt un instant. Ses yeux se sont embrouillés légèrement.

Les traits du visage de Marianne se sont attristés en apercevant la mine déconfite de son ami. Néanmoins, elle pose une main sur son épaule pour l'inviter à poursuivre.

« En échange de son silence, Poitras lui a proposé de s'envoyer en l'air aussi souvent qu'il le désirait avec ses esclaves. Roux n'a pas été long à réfléchir et il a accepté cette offre qu'il qualifiait d'alléchante.

Pendant de longues années, il s'est prévalu de ce privilège et, crois-moi, il a profité au maximum des jeunes filles qu'on lui offrait. Ça me donne envie de vomir, rien que d'y penser.

Poitras aurait pu le liquider facilement, mais Roux était devenu son complice et, pour ne pas perdre son droit de sauter des enfants, il brouillait toutes les pistes qui auraient pu mener au démantèlement du réseau. La Cravache pouvait donc œuvrer tout à son aise »

— Ne me dis pas qu'il utilise encore des jeunes filles ? demande Marianne, toute retournée par les affreuses révélations de Régi.

— Non. Ça s'est arrêté, finalement. Il y a à peine cinq ans. Cinq ans ! Ça fait cinq ans que j'attends ce moment. Cinq longues années à me préparer pour l'élimination de cet être ignoble.

— Ce n'est pas à nous de faire justice, Régi. Nous avons un système en place pour la rendre et il faut nous y conformer. C'est à ça que l'on s'est engagé lors de notre assermentation comme policier.

Simard jette un regard rempli de reproches à sa compagne. Dans le fond, elle a peut-être raison. C'est peut-être lui, le psychopathe ? Mais un psychopathe qui ne s'en prend pas aux innocents. Non. Sa croisade est de punir sévèrement les criminels pour tenter de soulager, même légèrement, la peine des victimes.

« Un jour, Roux a dépassé les bornes. Il venait, à ce moment-là, d'être nommé au poste qu'il occupe aujourd'hui. Donc, pour fêter sa nomination, il a exigé qu'on lui livre quatre jeunes filles à un motel de la rive-sud de Montréal. Même si, à ce moment-là, Poitras n'était plus à la tête du réseau, il continuait à avoir de bonnes relations avec son jeune remplaçant. Alors, quatre jeunes filles, dont la plus vieille était âgée de quatorze ans, ont été conduites à l'endroit désigné par Roux.

Le lendemain après-midi, la préposée à l'entretien a eu un choc terrible lorsqu'elle a ouvert la porte de la chambre. Les corps nus et noircis d'ecchymoses de trois des quatre enfants étaient couchés en travers du lit. Elles étaient toutes mortes. Tuées par strangulation. Des attaches autobloquantes autour du cou.

Elles ont été violées pendant qu'elles agonisaient. Tu entends, Marianne ? Pendant que ces enfants mouraient d'asphyxie, on les violait ».

— C'est vraiment affreux, soupire Marianne. Comment un homme peut-il agir de la sorte ?

— La question est plutôt : comment des hommes peuvent-ils continuer à vivre normalement, en toute impunité, après avoir commis des meurtres aussi abominables ?

La jeune femme demeure songeuse un long moment. Dans sa tête se succèdent d'épouvantables images. D'innocentes victimes, agressées par un être ignoble, se débattant avec l'énergie du désespoir, mais néanmoins trop faibles pour rivaliser avec ce monstre. Ce même homme qui, à plusieurs reprises, lui a démontré à quel point il est centré sur lui-même, considérant ses subalternes comme de véritables esclaves.

— Comment peux-tu affirmer, hors de tout doute, que c'est bien Roux le coupable de ces assassinats ?

« Je me trouvais, par pur hasard, dans ce secteur. Quand les policiers sont arrivés, j'ai aussitôt décliné mon identité avec l'espoir qu'on me permette de jeter un œil sur la scène du crime. J'ai eu, à ce moment-là, un autre coup de chance. Le jeune inspecteur chargé de l'affaire me connaissait de réputation et il a accepté avec grand plaisir de me laisser inspecter les lieux.

J'avoue que je n'ai pas été des plus honnêtes avec le jeune homme : dans l'une des poches d'une paire de jeans qui gisait dans un coin, il y avait une petite carte sur laquelle un nom avait été écrit : La Cravache. Je savais qui était ce salaud, alors j'ai subtilisé ce précieux indice. Tu comprends, je voulais lui faire payer de sa vie ce triple meurtre.

Après avoir utilisé des méthodes disons, interdites, par le comité de déontologie, Poitras m'a finalement craché ce que je voulais savoir ».

— Ce qui nous amène ici, conclut Marianne. Pourquoi ne pas l'avoir tout simplement dénoncé ?

— Tu sais très bien ce que je pense de notre justice. Tu te rends compte ? Jean Roux venait tout juste d'être nommé assistant directeur des corps policiers de la province. Il m'aurait limogé avant même que j'aie le temps d'entreprendre quoi que ce soit. Ou, pire, il m'aurait fait porter le chapeau.

— Et Vincelette ? Il devait occuper le poste de directeur à ce moment-là, alors tu aurais pu l'en avertir ?

L'ex-policier ravale tout le fiel qui s'apprêtait à quitter ses lèvres concernant Marcel Vincelette. Ce salopard est, sans contredit, le pire de son espèce. Simard serre le volant de toutes ses forces pour tenter de chasser la rage qui monte en lui. Il n'y réussit qu'à moitié et c'est un visage torturé qu'il tourne vers sa compagne. Cette dernière peut lire, dans les yeux de l'homme, toute la haine contenue dans son cœur.

L'auto s'immobilise brusquement dans un crissement de pneus infernal. Au bout de quelques secondes, Simard passe en marche arrière. Trop imprégné par l'antipathie qu'il porte à son ex-directeur, Régi n'avait pas remarqué qu'ils arrivaient à l'embranchement du rang DesMarais. Tournant le volant vers la gauche, il y engage finalement sa Malibu.

— Pourquoi cette violente réaction ? demande Marianne, intriguée par l'attitude de son compagnon. Vincelette a quelque chose lui aussi à voir là-dedans ?

Cette terrible question vient calmer quelque peu le conducteur dont les yeux sont maintenant fixés sur la dernière courbe avant le chalet de Jean Roux. Le fait d'être sur le point de révéler cet horrible secret qui le tourmente depuis si longtemps semble avoir, étrangement, un effet apaisant sur lui.

— Roux n'était pas seul pour l'entente avec Poitras. D'ailleurs… le principal acteur de tous ces viols et ces meurtres commis sur des enfants, c'est plutôt Vincelette. J'aurais préféré te cacher la vérité pour pouvoir l'éliminer à ma façon, mais je ne peux plus garder tout ça en dedans de moi.

Marianne est atterrée. Un affreux frisson la parcourt instantanément de la tête aux pieds. Elle comprend maintenant pourquoi Réginald a toujours détesté leur directeur. Malgré tout, il lui a fallu posséder des nerfs d'acier afin de le côtoyer pendant toutes ces années sans craquer et sans le laisser paraître aux yeux de ses équipiers.

Le véhicule s'engage dans un petit sentier bordé d'arbres et d'arbustes. Loin devant, un chalet apparaît. Ils sont enfin arrivés. La Malibu s'immobilise. Pas question de se rendre jusqu'à l'habitation devant laquelle trois autos sont stationnées. Marianne reconnaît celle de Xavier, confirmant ainsi les soupçons de Régi.

— Il serait préférable de ne pas nous faire repérer, dit Simard.

Ayant remarqué un endroit dégagé lui permettant de conduire le véhicule derrière un gros conifère, il s'exécute aussitôt.

— La voiture de Vincelette n'y est pas, fait remarquer Simard. J'en suis heureux. Peut-être que Roux n'a pas cru bon de le mettre au courant de ce rendez-vous avec Tulane. Je le retrouverai donc plus tard pour son exécution.

Marianne blêmit. Elle se couvre la figure de ses deux mains tout en expulsant l'air de ses poumons puis, se redressant, elle se tourne vers Réginald.

— Après ton appel, alors que j'étais au restaurant, j'ai communiqué avec le poste. Dominique n'y était pas. J'avais l'intention de le mettre au courant de notre destination.

— Mais à quoi as-tu pensé? tonne Régi d'une voix remplie de reproches. Heureusement qu'il n'était pas là.

— Mais Renée-Jeanne m'a informée de la présence de Marcel Vincelette et qu'elle lui ferait le message. J'ai approuvé. Je ne savais pas que…

— C'est ma faute, coupe l'ex-policier. J'aurais dû tout te raconter plus tôt.

— Quoi qu'il en soit, Régi, même si Vincelette et Roux ont commis de telles atrocités, mon devoir est de les arrêter et de les inculper. Non de les abattre. Je suis inspectrice, donc je me dois de respecter la loi. Et la loi m'interdit de me faire justice. J'espère que tu comprends. Je suis désolée.

— Je le suis aussi, Marianne. Ces hommes n'ont aucune pitié. Ils te tueront à la première occasion qui leur sera présentée. Tu es dans le même bateau que moi, ma tendre amie. Et je ne les laisserai certainement pas s'en prendre à toi.

— S'il te plaît, enchaîne la jeune femme. Aide-moi à les détruire. À détruire leur vie en les envoyant devant un jury qui les condamnera à perpétuité. À l'âge où ils sont rendus, ils finiront leurs jours en prison. C'est en les sachant, à tout jamais, hors de la circulation que les victimes et leurs proches seront vengés.

La tête renversée et les yeux fermés un long moment, Simard réfléchit aux dernières paroles de sa compagne. En agissant de la sorte, elle pourra peut-être éviter les représailles de ses supérieurs, mais lui ne pourra se soustraire à cette foutue justice… ou plutôt… injustice.

Une immense déception se lit sur le visage de l'ex-inspecteur. Il a mis tellement d'efforts à monter ce sixième dossier pour arriver à ses fins et voilà qu'il s'apprête à abdiquer par amour pour une femme. Régi ne se reconnaît plus. Est-ce l'âge qui le fait ainsi s'amollir?

— Ce qui me déçoit le plus, commence-t-il, c'est qu'en les laissant vivre, je m'expose également à subir un long procès qui me conduira directement en tôle. Et moi aussi j'y terminerai mes jours.

— Si, au contraire, tu les élimines, tu seras pourchassé par les forces policières pour le reste de ton existence. Vivre en cavale, ça ne doit pas toujours être de tout repos, ne crois-tu pas? Moi, je ne suis pas prête à errer ici et là pour me soustraire à la justice, donc je ne te suivrai pas. Par contre, je suis tout à fait disposée à t'accompagner dans un procès et à t'aider par tous les moyens dont je dispose.

Simard hoche la tête doucement. Dans un sens, il approuve le raisonnement de Marianne, mais il se refuse intérieurement de se retrouver derrière les barreaux pour les dernières années de sa vie. De plus, qu'est-ce qui lui prouve que Brunet ne se rangera pas du côté de ses patrons? Il pourrait, à ce moment-là, accuser Marianne de complicité avec Lédo.

— Allons toujours voir de quoi il en retourne dans ce foutu chalet, finit-il par dire. Je ne te promets rien, mais si Roux n'offre aucune résistance, peut-être que je me rangerai à ton idée de procéder à son arrestation.

— Allons-y donc, approuve Marianne avant de déposer un baiser sur les lèvres de Régi.

*

Il est midi trente lorsque Dominique Brunet fait son entrée dans le poste de police de Sainte-Jasmine. Comme à son habitude, Renée-Jeanne le gratifie d'un large sourire. Elle lui fait signe de s'approcher du comptoir.

— Il y a un problème, Jeanne?

— Renée-Jeanne. Pas précisément un problème. C'est que l'inspectrice Latreille m'a chargé de vous faire un message. Elle voulait que vous sachiez qu'elle s'en allait au chalet de monsieur Roux, en compagnie de Réginald Simard.

— Le chalet de Jean Roux! Réginald Simard! Pour y faire quoi?

— Je ne sais pas. Peut-être est-elle à la recherche de l'inspecteur Tulane qui a déclaré avoir un rendez-vous chez le dentiste. D'ailleurs, monsieur Vincelette semblait très soucieux lorsque je lui ai fait ce message. Il a quitté le poste sans perdre une seule seconde.

— Un instant, Jeanne. Euh… Renée-Jeanne, je veux dire. Que vient faire Xavier dans cette histoire ? Et Vincelette? Je n'y comprends rien.

La jeune secrétaire se pince légèrement les lèvres entre les doigts comme pour s'aider à prendre une décision, celle de tout raconter à monsieur Brunet, au risque de déplaire à Marianne. Après une dernière hésitation, elle ouvre enfin la bouche, au grand soulagement de son supérieur.

Brunet est estomaqué par le court récit de Renée-Jeanne qui comporte plusieurs révélations étonnantes. Comme le fait que Tulane ait fait livrer, par un jeune garçon, un message à Marianne. Une simple note qui indiquait que Lédo revendiquait les meurtres du 1414, Dubois. D'ailleurs, Dominique se souvient que Latreille lui en avait glissé un mot. Il s'avère à présent que ce message était mensonger. Un autre fait surprenant, c'est que Simard ait été dans les parages immédiats du poste de police, enfreignant ainsi l'ordre que Vincelette lui avait donné. Et que dire de Vincelette lui-même, qui se lance à la poursuite de Lédo sans demander d'aide.

— Fais-moi revenir au plus vite les inspecteurs Graton et Beaulac. Je crois qu'ils sont retournés sur la rue Dubois. Je les attends ici dans quinze minutes au plus. Pendant ce temps, je vais aller voir dans le bureau de Tulane si je ne trouverais pas un indice qui corroborerait nos soupçons le concernant.

Chapitre 52

Se dissimulant derrière les arbres entourant le chalet de Jean Roux, Marianne et Réginald, revolver en main, réussissent à s'approcher de celui-ci sans avoir été, du moins en apparence, repérés. Risquant un œil à travers les fenêtres du rez-de-chaussée, les deux policiers ne décèlent aucune présence. La porte d'entrée, à l'avant, est verrouillée. D'un commun accord, les deux acolytes contournent, chacun de leur côté, l'habitation pour se retrouver en peu de temps dans la cour arrière. Encore là, l'endroit est désert.

Simard se glisse le long du mur pour s'approcher de la porte. À travers la fenêtre de cette dernière, son regard fouille l'intérieur de la cuisine. Rien ne bouge. Le bouton tourne lorsque Régi pose la main dessus, ce n'est donc pas verrouillé. D'un signe de la tête il informe Marianne de la situation et elle s'approche à son tour.

Lentement et sans faire de bruit, les deux amis pénètrent dans le chalet. Une musique douce en provenance d'une autre pièce parvient jusqu'à leurs oreilles. Ils se doivent d'être très prudents pour ne pas tomber dans un piège. Quelqu'un les a peut-être vus arriver et attend le bon moment pour leur tomber dessus.

Leur arme toujours pointée vers l'avant, les intrus se dirigent à pas de loup vers la source musicale. Cette dernière semble émaner d'une des pièces de l'étage supérieur. Traversant le salon, Régi s'arrête devant les marches de l'escalier et, d'un signe de la main, indique à Marianne de rester au rez-de-chaussée pour faire le guet. Malgré une grimace de déception, l'inspectrice acquiesce à la demande de son compagnon.

La première chambre est vide, donc l'appareil diffusant la musique se trouve inévitablement dans la seconde. Simard s'appuie contre le mur, la tête tournée en direction de l'embrasure de la porte. Il ferme les yeux quelques secondes, puis, avec la rapidité d'un chat, il s'élance dans la pièce, son revolver à bout de bras. Le lit est vide. D'ailleurs, il n'y a personne dans toute la pièce. Sur une table de chevet trône un radio-réveil duquel monte une douce mélodie.

L'ex-inspecteur abaisse son arme. S'il n'y a âme qui vive à l'intérieur, c'est donc dire qu'ils sont à l'extérieur. Et si ça se trouve, ils les ont épiés depuis leur arrivée.

Régi s'approche de l'unique fenêtre et promène son regard entre les arbres de la forêt. Seul le petit sentier s'enfonçant dans le sous-bois attire son attention. Souvent, du moins dans cette région, ce genre de sentier mène à une habitation secondaire de moindre dimension. En quelque sorte, un endroit pour loger des invités.

— Il n'y a personne là-haut, dit-il à l'endroit de Marianne en redescendant l'escalier. Le chalet est complètement vide. Mais je crois savoir où ils peuvent bien se trouver.

— Pas trop difficile à deviner, ironise la jeune femme. Ils se cachent dans la forêt.

— Une vraie clairvoyante, à ce que je constate.

— Tu peux bien te moquer, Réginald Simard. Toi qui sais tout, alors dis-moi où ils se trouvent si ce n'est sous le couvert des arbres qui nous entourent.

— Dans la forêt, oui tu as raison. Mais probablement dans une autre habitation. Par contre, je ne sais pas exactement quel genre. Ce pourrait être une remise, une cabane à sucre, un pavillon de chasse ou un second chalet pour des invités. Quoi qu'il en soit, je suis persuadé que c'est là qu'ils se trouvent.

— Qu'attendons-nous pour nous y rendre ?

— J'allais justement le suggérer.

Après s'être échangé des sourires, les deux amis se mettent en marche et, en quelques enjambées, se retrouvent sur la galerie. Chacun de leur côté, ils scrutent le sous-bois en espérant y déceler une présence quelconque. Mais rien ne bouge. À bien y penser, aucun son ne leur parvient, comme si tous les oiseaux avaient mystérieusement disparu.

— Mieux vaudrait ne pas longer le sentier, suggère Marianne. On pourrait garder une distance d'une vingtaine de mètre de ce dernier. Moi, à droite et toi, à gauche.

— Bonne stratégie, approuve Régi. Fais attention à toi. On y va.

La tâche ne sera pas facile avec toutes ces feuilles mortes qui jonchent le sol. Même si les conifères représentent la majorité des arbres de cette forêt, il n'en reste pas moins que les feuillus sont en nombre suffisant pour tapisser le sol de leur feuillage multicolore.

Pendant plus de cinq minutes, l'inspectrice de Sainte-Jasmine et son compagnon s'enfoncent dans la forêt en se dissimulant derrière les arbres. Tous les sens aux aguets, ils n'ont certainement pas l'intention de se laisser surprendre.

Pour sa part, Régi jette régulièrement un œil derrière lui. Sachant que Vincelette est au courant de l'endroit où lui et Marianne se trouvent, il va nécessairement rappliquer dans le coin dans peu de temps.

Tout à coup, un cri étouffé parvient jusqu'aux oreilles des deux compagnons. Marianne dirige son regard en direction de Régi pour constater que lui aussi a entendu le cri car celui-ci le confirme d'un geste de la main.

Toujours de la façon la plus silencieuse possible, l'ex-policier se remet à progresser en direction de l'endroit d'où il lui semble avoir entendu le cri. En y repensant bien, il s'agissait plutôt d'une plainte. La jeune femme l'imite et, sur une distance de plus de trente mètres, aucun autre indice ne vient révéler la présence de Roux et de Tulane.

Par de grands gestes, Simard tente d'attirer l'attention de l'inspectrice. Loin devant, il y a du mouvement. Elle doit absolument s'arrêter avant d'être repérée. Marianne comprend le signal et s'accroupit aussitôt derrière un érable, sûrement centenaire.

L'ex-inspecteur se faufile jusqu'à un gros bosquet de fougères encore vertes et s'y dissimule sans perdre de temps.

Comme Régi l'avait prévu, une vieille construction se dresse à droite du sentier, presque vis-à-vis de l'endroit où apparaissent des formes humaines. Ce serait l'endroit idéal pour servir de point d'observation.

Marianne a également remarqué le chalet et, très lentement, elle rampe dans sa direction. Réginald reprend sa progression entre les conifères.

Bientôt, des voix parviennent jusqu'aux deux amis et la scène, se déroulant présentement à environ cinquante mètres, se précise davantage.

Sous un immense chêne, Jean Roux, Xavier Tulane et une femme sont debout près d'un monticule de terre, à proximité duquel apparaît une roche de dimension imposante. Le jeune inspecteur semble avoir les mains attachées derrière le dos. De toute évidence, il s'est fait berner par l'odieux personnage qu'est l'adjoint directeur des corps policiers de la province.

Au moment où Régi quitte son abri pour se rapprocher du trio, il aperçoit une tête surgissant du sol aux pieds même de Roux et Tulane. Une seconde tête surgit, quelques secondes plus tard, non loin de la première.

Intrigué, Simard pousse l'audace jusqu'à courir sur une assez longue distance avant de plonger derrière le tronc d'un immense pin. Heureusement, le sol jonché d'aiguilles rougeâtres lui a permis de faire son avancée dans un quasi-silence.

Roux tourne la tête en direction de ce qu'il croit être un léger froissement de feuilles. Pendant quelques secondes, il examine les alentours, puis, satisfait, repose son regard sur les têtes qui continuent d'apparaître l'une après l'autre à ses pieds.

— Dépêchez-vous un peu, lance Roux. Notre ami Xavier est impatient d'entrer dans sa dernière demeure.

Tout devient clair aux yeux de Simard et de l'inspectrice qui, également, s'est suffisamment rapprochée pour pouvoir comprendre les paroles de l'adjoint directeur.

Une bande de ruban gommé empêche Tulane de parler. Seules des plaintes gutturales réussissent à se faire entendre.

Ses yeux effarés tournent dans tous les sens lorsqu'il voit les deux hommes s'extirper de la fosse dans laquelle on jettera son corps.

— Pourquoi vous ne le laissez pas tranquille ? intercède la femme.

— Tu fermes ta gueule, Johanne, hurle Charly. Encore un seul mot et tu l'accompagneras dans ce trou. Est-ce que tu comprends ce que je te dis ou c'est trop compliqué pour toi ?

La colère envahit instantanément Réginald lorsqu'il reconnaît les deux lascars. Charles Hontois et Napoléon Bard. Ces deux-là devaient quitter le pays pour ne plus jamais revenir.

En bougonnant, la dénommée Johanne tourne les talons et se dirige vers le petit chalet vétuste.

— T'as intérêt à la dompter, ta garce, grogne Roux. Elle pourrait nous causer des ennuis. Nous ne pouvons prendre aucun risque.

— Vous en faites pas, répond aussitôt Hontois, elle ne fêtera pas Noël cette année.

Un léger gloussement démontre la satisfaction qu'éprouve Jean Roux en entendant cette déclaration

— On pourrait la faire mourir de plaisir à trois, ricane-t-il. Si tu vois ce que je veux dire.

L'écœurement s'empare de Régi. Ces salauds ne pensent qu'à faire du mal. Non seulement sont-ils sur le point d'assassiner un policier, que déjà ils planifient le meurtre d'une femme en la violant à répétition auparavant. Ce sont véritablement des êtres ignobles. Des salauds que l'on devrait faire souffrir longuement avant de les abattre.

Marianne est maintenant adossée à l'un des murs du chalet. Elle s'y est rendue aussitôt que la dénommée Johanne y est entrée.

De son côté, Régi a progressé encore de quelques mètres. L'attaque est imminente. Malheureusement il ne s'agira que de procéder à leur arrestation, comme le désire tellement la jeune inspectrice. L'ex-policier est déçu d'avoir acquiescé à cette demande, sans toutefois faire la promesse de s'y conformer à tout prix.

— Qu'on en finisse, lance Jean Roux tout en pointant quelque chose se trouvant sur le sol, près de la grosse roche, que Réginald n'arrive pas à identifier.

— Avec plaisir patron, répond Hontois d'une voix dénotant un immense plaisir.

Aussitôt, Bard se penche pour se saisir d'un câble dont un nœud apparaît à l'une des extrémités. Un nœud mis au point par un bourreau londonien du dix-septième siècle, un certain Jack Knight. Le nœud de pendu.

Sans perdre une seule seconde, le scélérat lance, avec une incroyable précision, le câble par-dessus l'une des branches de l'immense chêne. L'exécution est sans faille. Le nœud de pendu se balance maintenant devant les yeux effrayés de Xavier Tulane. Il est désemparé, paniqué. Cependant, l'arme que Roux enfonce dans ses côtes lui interdit de prendre la fuite.

Avec la dextérité d'un expert en pendaison, Hontois passe le nœud autour du cou du condamné.

Le temps presse. Régi envoie un signe de la main à Marianne pour que leur intervention se fasse simultanément. Pourtant, la jeune femme n'a pas attendu et, tout en pointant son revolver, elle quitte son abri.

— Laissez tomber votre arme, crie-t-elle aussitôt.

Sans la moindre hésitation, Roux se tourne en direction de l'importune et appuie sur la détente. Le projectile vient frapper le mur du chalet à moins de trente centimètres de la tête de Marianne. Surprise, cette dernière n'a d'autre choix que de faire feu à son tour. Roux s'est déjà lancé derrière le monticule de terre, rejoignant ainsi ses acolytes.

Une autre balle, cette fois tirée par Simard, atterrit non loin des réfugiés, faisant voler une giclée de terre. Hontois et Bard ayant dégainé à leur tour, une pétarade s'en suit. Des coups de feu retentissent de toutes parts.

— Rendez-vous, hurle Marianne en espérant éviter une tuerie.

— Va te faire foutre, Latreille, répond Jean Roux en criant d'une voix remplie de haine.

— Mieux vaudrait l'écouter, lance à son tour Régi. Si c'est moi qui te mets la main dessus, Roux, tu vas payer très cher tous tes crimes. Et toi, Charly ! Tu es déjà mort !

Comme réponse, une volée de projectiles s'abat tout autour de Simard, arrachant d'un même coup, de nombreux éclats de l'écorce des arbres environnant.

Tout à coup, sans que les deux justiciers ne puissent le prévoir, et sous le couvert d'un feu nourri par ses acolytes, Napoléon Bard surgit de derrière du monticule, s'empare d'une longue perche, jusqu'ici couchée sur le sol, et soulève brusquement cette dernière pour en placer une de ses extrémités sous la grosse pierre.

« Un levier, songe aussitôt Simard, tout en tentant de se soustraire aux balles qui le menacent ».

La roche s'ébranle et disparaît immédiatement dans la fosse. Du même coup, Tulane s'élève dans les airs à deux mètres au-dessus de cette dernière. Il se débat désespérément, ses jambes fouettent le vide alors que ses plaintes viennent supplanter le bruit des détonations.

Jugeant la scène insupportable, Marianne se redresse tel un ressort et, tout en faisant feu sans arrêt, elle se dirige vers les trois lascars. Au moment où Bard tente de retourner à sa position initiale, il est atteint en pleine poitrine. Demeurant chancelant durant quelques secondes, il s'abat finalement et roule sur le versant du monticule pour ensuite disparaître dans la fosse.

L'inspectrice ressent tout à coup une douleur à la cuisse droite. Immédiatement, elle s'adosse au tronc d'un immense pin. Quoique cuisante, la blessure est superficielle. La balle n'a fait que l'effleurer. Cela ne l'empêchera donc pas de se déplacer tout à son aise.

Régi l'a aperçue. Les traits de son visage sont ravagés par l'inquiétude. Pourtant, lorsque Marianne lui envoie un signe de la main pour le rassurer, c'est de la rage qui vient supplanter cette inquiétude.

Se risquant, à son tour, à quitter son bouclier végétal, il s'élance en direction du monticule, déterminé à en finir une fois pour toutes avec ces odieux personnages.

La chance n'est pas de son côté. Après avoir fait feu à trois reprises, son revolver se tait définitivement. Régi fouille dans la poche arrière de son jeans pour en extraire le chargeur de rechange qu'il avait pris soin d'apporter. Malheur, il n'y est pas. Il a dû le perdre quelque part entre le chalet et l'endroit où il se trouve. Rapidement il inspecte les alentours, mais sans résultat.

Il ne faut pas que Roux et son homme de main s'aperçoivent de cette malencontreuse situation. Si tel était le cas, ils auraient tôt fait de l'abattre. La seule solution envisageable est de rejoindre Marianne et de pénétrer ensuite dans le chalet. Il doit forcément y avoir des armes à l'intérieur. Le repère des assassins renferme toujours des armes.

C'est une femme en larmes que Réginald découvre lorsqu'il arrive près de Marianne. Ses yeux embrouillés sont dirigés vers l'homme inerte, pendu au-dessus de sa propre fosse.

Même si la pendaison de Tulane le laisse indifférent et que la situation ne s'y prête guère, Simard tente malgré tout de consoler sa compagne.

— Nous n'y pouvions rien. Ils avaient préparé le coup depuis longtemps.

— J'aurais dû le prévoir et…

— Arrête ça immédiatement, Marianne. Tu n'as rien à te reprocher. Tulane a lui-même préparé sa mort.

Avant que Régi ne puisse ajouter quoique ce soit, des détonations retentissent et des éclats d'écorces pleuvent de partout.

— Il faut nous réfugier à l'intérieur, finit-il par dire. Je suis à court de balles.

La jeune femme tourne un visage rempli de peur vers son compagnon. Certes, la mort de Tulane lui a causé un choc terrible, mais le risque de perdre celui qu'elle aime la terrifie davantage.

— Il ne m'en reste que très peu également, réussit-elle à formuler, un trémolo dans la voix.

— Nous n'avons donc que le chalet comme alternative. D'ici peu, Vincelette viendra augmenter leur nombre, alors il nous faut absolument trouver des armes.

Bien que l'habitation ne soit qu'à dix mètres, la distance s'avère tout de même importante.

— Tu peux marcher ?

— Ça fait mal, oui, mais ce n'est qu'une éraflure. Elle ne m'empêchera pas d'avancer. Alors on y va.

Sans attendre que Régi n'en donne le signal, l'inspectrice s'élance, néanmoins en claudiquant, vers un autre arbre se dressant entre eux et leur destination.

— Encore un effort et nous y sommes, l'encourage Régi.

Impatiente de se reposer, Marianne s'élance à nouveau. Cette fois, une balle siffle à son oreille et une seconde se plante dans le sol, à dix centimètres de son pied gauche.

Répliquant à ses assaillants, Marianne fait feu à deux reprises dans leur direction sans toutefois prendre le temps de viser, histoire de les inciter à se cacher et, par le fait même, de cesser leur attaque.

La manœuvre fonctionne, car Marianne et Régi atteigne enfin, sans mal, l'arrière du chalet.

La porte s'ouvre. Marianne tend son revolver dans la direction de la femme qui vient d'apparaître. De la main, Réginald incite sa compagne à abaisser son arme. Il est persuadé que la dénommée Johanne n'est pas une menace pour eux. Qu'elle a autant besoin d'aide qu'eux, en fait.

Simard connaît très bien ce genre de femmes qui ont été bernées par des hommes crapuleux et qui ne trouvent pas le moyen de se soustraire à leur emprise. Lorsqu'une véritable chance se présente à elles, elles la saisissent.

— Entrez, dit-elle simplement. Vous trouverez tout ce que vous voulez là-dedans.

— Reculez, lance Marianne. Je veux voir vos mains en permanence.

— Nous n'avons pas le temps de prendre des précautions, affirme Régi. Le temps presse. Ils vont prendre le chalet d'assaut d'une seconde à l'autre. Crois-moi, Johanne désire les voir morts encore plus que nous.

Légèrement intriguée par cette dernière déclaration et jugeant que l'ex-inspecteur a raison, Marianne oublie la présence de l'étrangère et pénètre dans le chalet, Simard sur ses talons.

Après à peine trois enjambées, les deux compagnons freinent leur élan et demeurent paralysés pendant quelques secondes.

Sur la table de la cuisine, tout un assortiment de fusils et de carabines de chasse est étalé. Plusieurs boîtes de munitions complètent le tout. Marianne et Régi sont ébahis par cette agréable vision.

— Je crois que vous trouverez ce qu'il vous faut, déclare Johanne. Je vous en prie, ne les laissez pas me reprendre.

— C'est promis, acquiesce Régi. Personne ne vous fera plus de mal.

Chapitre 53

Accoudé sur le rebord de l'une des fenêtres du salon, Simard pointe une carabine 30-06 en direction de Roux et de son larbin. Le télescope surplombant l'arme de chasse ne lui renvoie rien de bien intéressant, sauf le monticule de terre derrière lequel se cachent les deux criminels. Un peu plus haut, apparaît le corps sans vie de Tulane. Régi se surprend à avoir un léger pincement au cœur en songeant que, bien que ce jeune homme n'ait pas été très honnête, il n'était pas un assassin au même titre que son patron et qu'il a payé trop cher son erreur de s'être associé à ce dernier.

Régi tourne la tête pour tenter de repérer Marianne. Armée d'une carabine de plus petit calibre, elle s'est dirigée vers une autre pièce à l'invitation de Johanne.

Au même moment, un bruit infernal résonne dans les oreilles de l'ex-policier. Une balle a fait éclater l'un des carreaux de la fenêtre où il se trouve. Un éclat de verre lui entaille la joue, mais heureusement, la blessure est superficielle.

Avec plus de précaution, Simard se repositionne. Hontois s'est rapproché de plusieurs mètres et s'est dissimulé derrière un arbre. Malheureusement, l'ex-policier ne peut pointer son arme en permanence sur Charly et doit fréquemment la diriger vers Roux pour, le cas échéant, l'empêcher également de progresser.

— Marianne où es-tu, crie Régi ?

Aucune réponse ne lui parvient. Elle ne peut tout de même pas s'être volatilisée.

Hontois quitte son abri pour tenter de rejoindre un énorme rocher vers sa gauche. S'il l'atteint, il aura avancé de plus de dix mètres.

Une flamme apparaît au bout du canon de l'arme de Régi. La détonation est assourdissante. Un cri s'élève dans la forêt. Une tache foncée se dessine instantanément sur la poitrine de Charly. Ce dernier s'écroule brusquement. Il ne bouge plus. Réginald sourit.

— Un de moins, lance le quinquagénaire à l'intention de sa compagne.

Aucun signe de vie de la jeune femme. C'est à croire qu'elle a quitté le chalet en le laissant se débrouiller seul. Cette pensée futile s'évapore immédiatement.

Heureusement qu'il a en main ce qu'il faut pour rivaliser avec Roux.

*

Alors que Marianne se dirige vers l'une des chambres, Johanne l'invite à la rejoindre. Une porte sur le mur du fond donne accès à un escalier qui doit sûrement conduite à un sous-sol.

— Venez, dit-elle simplement sans plus d'explication.

L'inspectrice hésite un moment avant d'acquiescer. Régi a besoin d'elle. Elle jette un œil par l'une des fenêtres et constate que rien ne bouge dehors. Son compagnon lui fera signe si la situation dégénère. Elle s'empressera d'accourir à son moindre appel.

— Vous devez savoir à qui vous avez affaire, ajoute Johanne. Venez.

— Seulement un coup d'œil rapide, répond Marianne.

Johanne hoche la tête pour approuver. L'important est que la policière l'accompagne au sous-sol.

Marianne se sent tout à coup d'une naïveté qui n'est pas digne d'une policière. En fin de compte, elle ne connaît pas cette femme. Elle pourrait être une complice de ces hommes sans scrupules qui ont froidement assassiné Tulane. Si ça se trouve, elle est peut-être en train de l'attirer dans un piège et, comme une débutante, elle s'y laisse entraîner. Mais le fait qu'elle leur a permis de se munir d'armes vient infirmer cette hypothèse.

L'arme pointée devant elle, l'inspectrice accepte malgré tout de lui emboîter le pas.

Une fois au pied de l'escalier, l'hôtesse de l'endroit, contournant une rangée de sièges, s'empresse de se rendre au fond de la pièce où apparaît à un immense téléviseur accompagné d'un lecteur DVD combiné à un lecteur VHS. Une véritable salle de cinéma, songe Marianne. Le moment n'est peut-être pas approprié pour visionner un film.

Johanne insère aussitôt une cassette et met le système en marche. À peine quinze secondes s'écoulent avant que des images dégoûtantes n'apparaissent à l'écran. Des jeunes filles nues, plutôt des enfants, se font violer avec une incroyable bestialité. La caméra montre, à tour de rôle, trois jeunes victimes qui se font ballotter dans tous les sens alors que des mains d'homme s'acharnent sur leur corps en les frappant violemment, en les pinçant un peu partout, en leur arrachant les cheveux. Malgré qu'aucun son n'ait été enregistré, l'inspectrice croit entendre les hurlements de douleur des victimes qui s'échappent de leur bouche grande ouverte.

De véritables scènes d'épouvantes se déroulent devant les yeux de Marianne qui ne peut retenir ses larmes.

Après une pause de cinq secondes alors que l'écran devient noir, une autre enfant subit les assauts abominables du violeur. Mais cette fois, sa gorge est entourée d'une attache autobloquante. Encore une fois des mains viennent resserrer lentement l'attache et bientôt, le visage de l'enfant devient de plus en plus foncé et ses yeux semblent vouloir quitter leurs orbites.

Marianne n'y tient plus et s'affaisse sur l'un des sièges, son regard figé sur les derniers instants de vie d'une pauvre jeune fille.

Même si elle entend les cris de Régi en provenance du rez-de-chaussée, la jeune femme ne réagit pas, hypnotisée par les scènes d'horreur. Ses traits se pétrifient davantage lorsque les visages de ces odieux personnages apparaissent à l'écran.

*

Par le biais du télescope, Simard décèle un mouvement près du monticule de terre devant servir à ensevelir le corps de Tulane. Roux se décide enfin à bouger. Un détail attire l'attention de l'ex-policier. Un reflet brillant apparaît près de la tête du directeur adjoint.

— Le salaud, grogne Simard. Il discute avec quelqu'un au cellulaire.

Il ne peut s'agir que de Vincelette. À qui d'autre Roux pourrait-il demander de l'aide ?

*

— Occupe-le aussi longtemps que tu le pourras. Je m'engage dans la forêt.

Un coup de feu retentit. Le directeur de police entend la détonation par voie de communication et également de son oreille libre.

— Tu es touché ?

— Non, ça va. Le salaud m'a raté de peu. J'ai de la terre partout sur la figure.

— Reste caché pour l'instant. Du moins, fais en sorte qu'il te sache toujours là, mais ne commets aucune imprudence. Je te ferai signe lorsque ce sera le temps de l'occuper davantage.

— Je t'en prie, dépêche-toi. Bard et Hontois sont morts. Alors je crois que très bientôt Simard et Latreille vont passer à l'attaque.

— Sois sans crainte. Dans peu de temps, Lédo n'existera plus, et sa salope d'amie également. Ils se seront abattus mutuellement. Une arrestation qui aura mal tournée.

— Il nous faudra faire disparaître le cadavre de Tulane. Il est pendu au-dessus de ma tête et il empeste la merde.

— Chaque chose en son temps. Occupons-nous de Simard en premier lieu.

*

D'interminables minutes s'écoulent sans que le guetteur ne parvienne à distinguer le moindre mouvement. C'est à se demander si Roux est toujours derrière le tas de terre. Bien sûr qu'il y est. Comment aurait-il pu quitter l'endroit sans être repéré ?

Régulièrement et autant que faire se peut, Régi tente de scruter le sous-bois et le sentier menant au vieux chalet. Aucune trace de qui que ce soit.

Soudain, sans que Régi ne s'y attende vraiment, Jean Roux s'élance hors de son abri pour filer à toutes jambes vers le gros rocher. Celui-là même que Hontois convoitait lorsqu'il a été atteint mortellement en pleine poitrine.

Avec la rapidité de l'éclair, l'ex-policier pointe son arme vers le fuyard, colle son œil au télescope, appuie l'index sur la détente, prêt à faire feu.

— Pas un geste, Simard. Ne te retourne surtout pas. Tu bouges le petit doigt et je te fais sauter la cervelle.

— Voilà le grand chef, dit simplement Régi, une fois l'effet de surprise passé.

— Où est Latreille ? Elle n'est pas vraiment efficace, à ce que je vois. Elle n'a même pas couvert tes arrières.

— Elle va revenir bientôt avec des renforts, répond spontanément l'ex-inspecteur pour ne pas révéler la présence de Marianne. Tu es cuit, Vincelette.

— Tu es réellement stupide, Simard. Crois-tu sincèrement que l'on acceptera la version d'une petite inspectrice de bas niveau au lieu de prendre la parole du directeur provincial des policiers ? La naïveté est sans doute ton trait de caractère le plus évident.

— Je possède assez de preuves pour t'envoyer à l'ombre pour le reste de ta chienne de vie.

— De mon côté, j'ai tout en main pour t'inculper des meurtres commis dans la région. N'oublie pas que tu as revendiqué tous ces crimes.

— C'est toi le responsable. C'est toi qui as commandé ces assassinats. Tu veux me faire porter le chapeau, mais tu n'y réussiras pas.

— Commandé ? Pas tous en fait. Je peux bien te le dire, maintenant que tu es rendu au bout de ta route. Je me suis occupé personnellement de Rita Donovan. Elle ne m'était plus utile et comme l'imbécile de Hontois a failli à sa tâche, alors il a bien fallu que je fasse le travail. Tu aurais dû la voir se débattre lorsque je l'ai enfermé dans son congélateur, une vraie furie. Le mauvais côté de la chose, c'est que je n'ai pas eu le choix d'attendre une bonne heure avant de lui mettre un petit carton sur la poitrine.

— Tu es un véritable fou, un pervers de la pire espèce. Tu étais donc de connivence avec la Donovan, alors, si je comprends bien, c'est toi qui as ordonné l'agression qu'a subit Marianne par Hontois ?

— J'ai aussi exigé de Jean qu'il liquide Gustave Mirand. Un autre incompétent qui s'est laissé prendre.

— Tu n'as aucune pitié, n'est-ce pas ? Même pour tes acolytes, c'est vraiment dégueulasse

— Ferme ta gueule à présent, Simard, et surtout pas le moindre geste. J'ai un appel à faire.

Marcel Vincelette porte son téléphone cellulaire à son oreille tout en se rapprochant lentement de Régi, un sourire machiavélique accroché à ses lèvres.

— Tu peux sortir de ta cachette, Jean. J'ai la situation bien en mains. Reste dehors pour faire le guet, je te rejoint bientôt.

Vincelette coupe aussitôt la communication.

— Vérifie avec ton télescope si mon grand ami m'obéit.

— Oui, il est bien là, répond Simard. Pas besoin du télescope pour ça. Tu le mènes par le bout du nez, n'est-ce pas ?

— Tout à fait. Par contre, il est devenu un témoin gênant pour moi. Il a commis quelques imprudences qui pourraient me compromettre. De plus, je ne sais pas s'il a les nerfs assez solides pour résister à un interrogatoire. Donc tu comprends, je ne veux pas courir de risque inutile.

— Tu vas le descendre comme tu sais si bien le faire ?

— Moi ? Non, Réginald. C'est toi qui va l'abattre. Immédiatement.

— Tu es cinglé, Vincelette.

— Allons, Simard ! Ça ne doit pas trop te déranger de tuer un homme. Alors, tire ou je te jure que tu regretteras de ne pas m'avoir obéi.

— Tu vas me tuer de toute façon et je n'ai pas peur de mourir.

— Je te jure qu'avant de te faire la peau, je me délecterai du corps de ta belle Marianne. Je m'amuserai avec elle, sous tes yeux. Tu vas sûrement apprécier le spectacle.

Régi expire l'air de ses poumons par dépit. Il sait très bien que Vincelette ne fait pas cette menace à la légère, qu'il l'exécutera sans le moindre scrupule. Cependant, qu'il tue Roux ou qu'il le laisse vivre, le directeur ne se gênera pas pour faire du mal à Marianne s'il le désire.

En évaluant bien la situation, Régi en conclut que mieux vaut n'avoir qu'un seul adversaire. Bien sûr, il aurait préféré que, pour expier ses crimes odieux, Jean Roux souffre longuement avant de rendre l'âme, mais la situation ne s'y prête guère en ce moment.

La détonation fait vibrer les carreaux encore intacts de la fenêtre. Le projectile atteint l'assistant directeur à l'épaule droite, les os sont brisés, la chair arrachée. Les hurlements de l'homme résonnent dans toute la forêt alors qu'il se tord de douleur sur le sol. Un autre projectile lui fait éclater un pied. Simard sourit.

— Je t'ai dit de le tuer, fulmine Vincelette en plantant le canon de son revolver dans le dos de l'ex-policier.

— C'est ce que je fais, non ?

— Je compte jusqu'à trois. Un, deux…

Pour la troisième fois, un bruit assourdissant envahit la pièce. Après une grimace d'inconfort, un sourire apparaît sur les lèvres de Vincelette. Un autre témoin de ses crimes abjects est éliminé. Il n'en reste plus que trois.

— Félicitations, Simard. Un tir d'une grande précision. Malheureusement pour toi, tu viens de fournir une autre preuve de ta perversité comme tueur en série. En d'autres mots, une raison de plus pour que je t'abatte sur-le-champ, sans en être blâmé. Maintenant, jette ton arme par la fenêtre.

N'ayant pas vraiment le choix, le quinquagénaire doit obtempérer, mais non sans avoir hésité un instant auparavant.

— Tu finiras tes jours en prison Vincelette, lance aussitôt Régi pour tenter de gagner du temps. D'ici peu, une meute de policiers vont venir te cueillir, Marianne en tête. Elle te le fera payer chèrement, crois-moi.

Les dernières paroles de Régi sont d'un tel ridicule dans les oreilles du directeur de police qu'il ne peut s'empêcher de s'esclaffer.

— Personne ne prendra en considération la parole de ta petite amie, siffle Vincelette une fois calmé. Au contraire, elle sera accusée de complicité pour tous tes meurtres. Il faut que tu saches une chose, Simard. Même si on décelait certaines petites failles dans mes comportements durant toute ma carrière, la justice serait magnanime à mon égard. Le juge, sûrement une de mes connaissances, évoquerait le fait que j'ai toujours dirigé de main de maître nos corps policiers. Alors, comme tu te plais si bien à le crier haut et fort, les méchants sont protégés par la justice. Ils s'en tirent toujours à bon compte.

Vincelette éclate de rire une seconde fois, puis se recule de deux pas. Régi entend un déclic. Le salaud vient d'armer son revolver. Dans quelques secondes, ou moins, ce sera la fin. La mort est au rendez-vous.

— La justice pourrait t'exonérer de tout blâme. en effet Vincelette. Mais pas moi.

Régi sursaute en entendant un coup de feu et, par réflexe, se retourne vivement, juste à temps pour voir le sang gicler de la tête du directeur avant qu'il ne s'écrase lourdement sur le plancher.

Marianne abaisse lentement son arme et demeure sans bouger, le teint blême, le regard livide et les yeux rougis. Le geste qu'elle vient de poser n'est pas digne d'une policière, mais combien libérateur pour la conscience. Un être aussi abject, d'une perversité aussi extrême, ne peut continuer à faire partie intégrante d'une société. L'homme est un animal pensant, Vincelette était tout simplement un animal. Un animal vicieux qu'il fallait abattre avant qu'il ne récidive.

Marianne lève enfin les yeux pour diriger son regard sur son compagnon. Sur les traits de ce dernier, elle peut y lire une certaine compassion. Régi sait très bien qu'elle a fait un effort surhumain pour agir de la sorte, soit de contrevenir à son sens de l'honneur.

— C'est toi qui as raison, dit-elle d'une voix monocorde. Ce genre de monstre doit périr et non être emprisonné.

Enjambant le corps inerte de Vincelette, Régi s'approche de la jeune femme et l'entoure de ses bras pour tenter de la réconforter.

Chapitre 54

Par la fenêtre du chalet, Dominique aperçoit le couple enlacé. Comprenant que tout est terminé, il invite, d'un signe de la main, Robert Beaulac, France Graton et la demi-douzaine d'agents qui les accompagnent à s'occuper des corps qui traînent dans le sous-bois, y compris bien sûr celui de Xavier.

Brunet contourne la petite habitation et y pénètre, néanmoins avec précautions.

Réginald et Marianne se retournent lentement vers le nouvel arrivant en affichant une incommensurable tristesse sur le visage. Non pas qu'ils regrettent le dénouement de cette affaire, mais ils sont véritablement navrés de constater la terrible déception que dégagent les traits de Dominique. De son point de vue, il doit assurément considérer la jeune femme comme une policière indigne et Réginald comme un ami dénué de conscience et de respect.

— Je suis le seul responsable de ces meurtres, lance Simard en avançant d'un pas vers son ex-superviseur. Marianne a tenté de m'en empêcher, mais j'ai réussi à abattre tous ces salauds.

Brunet pose une main sur l'épaule de son ami, tout en dodelinant légèrement la tête.

—Ne te fatigue pas à me fournir des explications, réussit à formuler Brunet après un moment de réflexion. J'ai pris connaissance de ton sixième dossier noir. Ces hommes ne méritaient pas de vivre, je te l'accorde, mais se faire justice soi-même n'est pas la solution. Qu'adviendrait-il de notre société si tout un chacun se mettait à régler ses propres comptes de cette façon ? La vie de tous les jours deviendrait un enfer. Combien d'injustices seraient commises ? Des innocents seraient assassinés pour satisfaire des gens sans scrupules qui sont passés maître dans l'art de créer de fausses preuves de culpabilité.

Réginald Simard baisse la tête. Dominique a peut-être raison. Cependant, pourquoi notre système judiciaire ne fait-il pas en sorte de punir beaucoup plus sévèrement les criminels ? Pourquoi la loi concernant les droits de la personne fait elle en sorte de protéger tous ces monstres qui feignent l'aliénation mentale pour se soustraire à cette fameuse justice naïve ? Mentalement affecté ou pas, un homme qui commet de tels actes est susceptible de récidiver une fois remis en liberté. Eux-mêmes sont perturbés par leur besoin de faire le mal, alors pourquoi ne pas les délivrer définitivement de leurs folles envies ?

— Tu trouveras, au sous-sol, d'autres excellentes preuves incriminant Roux et Vincelette, dit Marianne en employant toujours une voix sans vie.

— Un témoin important s'y trouve également, ajoute Régi. Elle s'appelle Johanne. J'ai l'impression qu'elle pourra t'éclairer sur certains points.

Brunet demeure songeur un long moment. Il est visiblement déchiré entre le devoir et l'estime qu'il porte à Marianne et Réginald. Sa petite voix intérieure tente de le conseiller sur ce qu'il doit faire.

— D'accord, finit-il par dire. Je descends, mais à une condition. Vous me promettez d'attendre là que je remonte ?

Les deux compagnons hochent la tête d'un même élan, fermement résolus à accepter leur sort. Ils remettent volontairement ce dernier entre les mains du chef des inspecteurs de la police de Sainte-Jasmine.

*

Accompagnée de la dénommée Johanne, Dominique Brunet refait surface au haut de l'escalier. Il a visiblement laissé couler quelques larmes en visionnant la cassette du triple assassinat des jeunes filles.

Marianne est également émue en repassant cette bande machiavélique dans sa tête.

D'un geste de la main, Brunet invite Johanne à quitter le chalet et à l'attendre à l'extérieur, puis il vient se planter devant les deux amis.

Avant de s'exécuter, la quadragénaire s'approche de Régi et dépose un baiser sur sa joue.

— Merci, dit-elle simplement. Je vous en serai toujours reconnaissante. Justice a été rendue comme vous me l'aviez promis.

De la main, Brunet incite délicatement Johanne à les quitter, puis se retourne vers Marianne et Réginald.

— Qu'est-ce que ça veut dire ? interroge Marianne.

— Je t'ai dit que Roux et Vincelette avaient commandé quatre jeunes filles. Ils en ont tuées trois. Johanne était la quatrième.

— C'est également ce qu'elle m'a révélé tout à l'heure, approuve Dominique.

— Comment pouvait-elle savoir que tu la vengerais ?

— C'est moi qui contactais les victimes. Je leur demandais de me répondre via une petite annonce dans le journal en y insérant le mot « justice » pour me démontrer leur assentiment à éliminer les ordures.

Brunet secoue la tête. Il est peut-être contre le fait que Régi se soit substitué à la justice, mais il reconnaît néanmoins son ingéniosité, sans pour autant l'approuver.

— Allons, finit-il par dire. Sortez par derrière en vous faisant remarquer le moins possible. Partez loin d'ici et ne revenez jamais. Aux yeux de la loi, Régi, tu es un criminel. Et toi, Marianne, tu es sa complice.

— Alors, nous serons traqués jusqu'à la fin de nos jours, n'est-ce pas ?

— Avec ceci, enchaîne Brunet en brandissant trois cassettes vidéo, je crois bien être en mesure de faire classer l'affaire Lédo. Le ministère de la justice préférera sans doute étouffer cette histoire pour éviter un tollé d'indignation de la part de la population. Qu'un directeur de police provincial soit au cœur d'une affaire aussi scabreuse ne peut que ternir l'image du ministre qui l'a lui-même choisi. En outre, nous sommes les seuls, à présent, à connaître la vraie identité de Lédo. J'espère que ce pseudonyme disparaîtra à jamais de notre vocabulaire. Peux-tu m'en faire la promesse, Régi ?

Simard avale difficilement sa salive, prouvant ainsi combien cette décision d'abandonner la croisade, qu'il espérait mener encore pendant longtemps, est difficile à prendre.

L'ex-policier sent tout à coup les doigts de Marianne se resserrer sur son bras. La jeune femme est un poids important dans la balance de son indécision.

— D'accord. Je laisserai la foutue justice continuer à permettre que des criminels se baladent en toute tranquillité parmi la population. D'autres femmes et enfants seront martyrisés, violés et tués, alors que leurs agresseurs seront remis en liberté.

— Si c'est réellement ce que tu désires, Dominique, reprend Simard après une courte pause, alors c'est ok. Je vais disparaître de la région.

— Nous allons disparaître, reprend Marianne. Je reste avec toi.

Réginald est heureux de constater que les traits de la jeune femme ont repris vie. Elle sera sûrement traumatisée pendant très longtemps par le geste qu'elle a posé contre Vincelette, mais comme elle est une femme de caractère, elle s'en sortira immanquablement.

Dans un élan empreint de spontanéité, l'inspectrice s'accroche au cou de Dominique et l'embrasse chaleureusement sur la joue. Les yeux de l'homme s'embrouillent légèrement, puis, conscient qu'il éclatera inévitablement en sanglots si la scène se prolonge davantage, il repousse Marianne avec délicatesse. Que pourrait-on penser d'un chef de police s'il se laissait aller à autant de sensiblerie ?

— Partez à présent… mes amis.